Les amants du Colorado

Du même auteur
aux Éditions J'ai lu

Elizabeth Lowell

Les amants du Colorado

Traduit de l'américain
par Catherine Plasait

Titre original :

ONLY ONE
Avon Books, a division of The Hearst Corporation,
New York.
Published by arrangement with the author

1

Eté 1868, Echo Basin, territoire du Colorado

« Elle a peur.

» Elle marche comme une reine. »

Ces deux réflexions traversèrent l'esprit de Ray Moran. Entre la démarche de cette fille et la peur qui émanait d'elle, il ne savait pas ce qui l'attirait le plus.

La peur, espérait-il.

Mais son intuition lui soufflait autre chose. Sous les rudes vêtements d'homme se dissimulait un corps bien féminin. Et derrière le dos droit, le menton levé, la détermination, se terrait une frayeur bien réelle.

Ray ignorait ce qui provoquait cette peur, et pourquoi il s'en souciait, mais il était bien déterminé à en découvrir la cause.

Il demeura encore un moment immobile dans la boue, devant le seul magasin de Holler Creek, le vent glacial transperçant son épaisse veste de laine. La fille frissonna aussi en franchissant la porte branlante de la boutique.

Avec assurance, Ray la suivit à l'intérieur. Une bourrasque fit claquer lourdement le battant derrière lui, mais il n'y prit pas garde, tant il était absorbé par la jeune femme à la démarche souple.

Elle s'arrêta devant l'unique vitrine qui ne fût pas brisée et contempla les amas de nourriture séchée, d'outils, de vêtements. Dans sa main droite, elle tenait serré un petit objet.

Percevant la présence de l'homme derrière elle, la fille se tourna vers lui d'un mouvement brusque. Ses yeux avaient la couleur d'un ciel d'automne, un bleu si lumineux, si profond qu'on aurait pu s'y perdre pour l'éternité. Et sous le chapeau, une chevelure, châtain-roux flamboyait.

« Je l'ai déjà vue, se dit-il. Mais où ? »

En un instant, il comprit clairement.

« Mon rêve ? C'est la fille sur le seuil de la maison. Elle attend... elle m'attend. »

Il ne pouvait la quitter des yeux. Une mèche échappée du chignon balayait sa joue pâle.

De façon impulsive, Ray se dirigea vers elle et leva la main pour repousser la mèche derrière son oreille, mais il se ravisa, se contentant de toucher son chapeau.

– Bonjour, madame, fit-il avec un signe de tête.

La fille cligna des yeux. Elle n'avait pas très bien saisi la raison de son geste.

Ses yeux s'agrandirent quand elle aperçut le fouet enroulé à son épaule.

Il n'était pas rare de voir des conducteurs d'attelage, dans le Colorado, et un homme portant un fouet était monnaie courante. La réaction de la fille indiquait qu'elle connaissait Ray.

Ou plus exactement qu'elle avait entendu parler de lui.

Elle lui rendit son salut d'un bref hochement de tête avant de se détourner.

– Monsieur Murphy ? appela-t-elle d'une intonation légèrement voilée.

Ray frémit comme s'il avait senti une caresse. La voix de la jeune fille était très douce.

« Il y a trop longtemps que je n'ai pas eu de femme. »

– Monsieur Murphy ?

On entendit maugréer, il y eut un grincement puis des pas lents sur le plancher de l'arrière-boutique. Le marchand quittait à regret son fauteuil à bascule, près du poêle, pour venir dans le hangar mal chauffé, surchargé de marchandises, qui servait de magasin.

Comme il était le seul commerçant de cette petite ville de chercheurs d'or, Murphy avait l'impression d'accorder une faveur à ses clients chaque fois qu'il leur vendait quelque chose.

La porte extérieure s'ouvrit de nouveau derrière Ray. Instinctivement, il fit volte-face et bondit de côté, tandis que sa main gauche venait effleurer la poignée du fouet à son épaule droite. Ce n'était pas une menace, seulement le réflexe de l'homme habitué à vivre seul dans des endroits dangereux.

Les quatre individus qui se tenaient devant la porte étaient l'exemple frappant de ce qui conduisait Ray à ne jamais tourner le dos à quiconque. Bruyants, lubriques, sales et paresseux, les frères Culpepper n'étaient guère appréciés. Pas même de leur mère qui vivait dans l'Arkansas, si on en croyait la rumeur.

Personne n'aurait su dire exactement lequel était Rod, Clint, Jake ou Floyd, mais ça n'avait pas d'importance. Ils se ressemblaient tous, avec leurs cheveux bruns et leurs yeux pâles. Efflanqués, irascibles, on ne les distinguait pas les uns des autres. Des animaux de meute qui ne se quittaient jamais pour prospecter, se battre, chasser, trousser les filles.

On chuchotait aussi qu'ils volaient les mineurs qui

emportaient leur or d'Echo Basin à Canyon City, mais ils n'avaient jamais été pris la main dans le sac. D'ailleurs, personne n'avait osé approfondir la question. Ceux qui croisaient le chemin des Culpepper se retrouvaient le plus souvent blessés, sanguinolents, et ils se dépêchaient d'aller tenter leur chance dans un autre coin des Rocheuses.

En effet, les Culpepper montraient beaucoup moins d'entrain pour creuser la roche à la recherche d'or qu'à se servir de leurs poings, de leurs couteaux et de leurs fusils.

Ray se dirigea nonchalamment vers le mur, mettant une distance raisonnable entre lui et les voyous. Mieux valait se tenir prêt.

La fille était à sa droite, les Culpepper à sa gauche.

Si les nouveaux venus avaient remarqué la tactique, ils n'en manifestèrent rien. Ils ne quittaient pas la fille des yeux.

– Qu'est-ce que vous voulez, Kate ? demanda Murphy. Dépêchez-vous, mes engelures me tarabustent.

– De la farine, du sel...

La jeune femme prit une brève inspiration.

– ... un peu de lard, et quelques pincées de bicarbonate de soude.

– Comment vous payez ? grommela le marchand.

Elle ouvrit la main. Un anneau d'or brillait dans sa paume.

– Mon alliance.

La déception de Ray fut immédiate : elle était mariée !

Evidemment, une femme comme elle ne pouvait vivre seule à Echo Basin.

« Son mari est un fieffé imbécile, s'il la laisse venir à Holler Creek sans escorte. »

– C'est de l'or ? demanda Murphy.

– Oui.

La réponse était sèche, et la main de Kate tremblait très légèrement quand elle tendit l'alliance à Murphy.

Ray pensa que l'hiver avait dû être rude pour qu'elle soit obligée d'échanger sa bague contre des provisions.

Murphy prit lentement l'anneau et s'éloigna pour mordre dedans afin de vérifier sa qualité.

Kate s'essuya les mains contre son pantalon, comme si elle voulait effacer le contact du commerçant.

Les Culpepper, qui avaient surpris son geste, éclatèrent d'un rire gras.

– Hé, vieux, elle veut pas de tes sales pattes sur elle ! Et qu'est-ce que tu penses des miennes, chérie ? Je les ai lavées la semaine dernière !

– Tes mains sont pas plus propres que les miennes, Rod ! lança un des frères.

– Ferme-la, Clint ! rétorqua Rod. Va te chercher une poupée à toi, moi j'ai trouvé la mienne. Pas vrai, chérie ?

Kate feignait de ne rien entendre. Plus droite que jamais, elle serrait les lèvres, de dégoût ou de peur.

« J'espère que ces types vont se calmer, se dit Ray. Je n'aimerais pas m'attaquer à eux quatre avec seulement mon fouet et une prière pour m'en sortir. »

Murphy donna encore un coup de dent à la bague avant de la glisser en grommelant dans la poche de sa chemise graisseuse.

– Votre mari a dû épuiser ses réserves, si c'est tout l'or qui vous reste.

– Demandez-lui, répondit Kate. Si vous arrivez à le trouver avant qu'il vous trouve.

Murphy pesta tandis que les Culpepper s'esclaffaient bruyamment.

– Ce que vous allez acheter avec cette bague vous

durera pas quinze jours, encore moins tout un été, marmonna Murphy.

– Mon mari est fin tireur, quel que soit le gibier, rétorqua la jeune femme.

Les Culpepper se regardèrent, mal à l'aise, et Rod sourit de toutes ses dents.

– Ouais, j'ai entendu dire qu'il était bon, mais je l'ai jamais vu tirer. En fait, j'ai jamais vu John le Silencieux, et pourtant on traîne dans la région depuis près de deux ans.

Ray commençait à comprendre pourquoi Kate pouvait se permettre de venir seule en ville. John avait une solide réputation de chasseur de primes, et il suffisait d'entendre son nom pour laisser sa femme tranquille... Même si elle avait une démarche de reine.

– John n'est guère sociable, déclara Kate. La plupart des gens ne l'ont jamais vu, et pourtant ça ne les empêche pas de parler de lui.

Elle avait une voix ténue, presque fragile. Pas une fois elle ne s'était retournée, comme si elle savait parfaitement à qui elle avait affaire.

– Farine et sel, répéta-t-elle à l'intention de Murphy. J'aimerais que vous me les donniez tout de suite, maintenant que j'ai payé. La route est longue pour rentrer chez moi.

– Ouais, surtout sur cette vieille mule que votre mari adore ! acquiesça Murphy, indifférent. Je m'occuperai de vous dès que j'aurai servi l'étranger et les Culpepper.

– Je ne suis pas pressé, intervint Ray. La dame était là la première.

Murphy ne sembla guère impressionné par la logique de l'inconnu. Il regardait la jeune femme avec un sourire qui découvrait des dents gâtées.

– Rajoutez un p'tit quelque chose, dit-il, et peut-être

que je vous donnerai vos marchandises avant la tombée de la nuit.

– Mon mari en serait fort contrarié.

– Moi aussi, fit Ray.

Murphy saisit la menace, et il se pencha derrière le comptoir pour en sortir un fusil de chasse qu'il posa en évidence près de lui.

Ray se réjouit intérieurement. Murphy n'était pas le premier à le prendre pour un charretier itinérant et à considérer qu'un fusil était plus efficace qu'un fouet. Tant mieux ! Il profiterait de l'effet de surprise.

Toutefois, il espérait bien ne pas devoir en arriver là. Cinq contre un, c'était quatre de trop, pour un homme prudent.

– Préparez la commande de la dame, recommanda-t-il calmement. Si ces garçons sont pressés, je passerai en dernier.

Il reçut en récompense un regard d'un bleu éblouissant.

– Merci, dit Kate.

– C'est un plaisir, madame, répondit-il en effleurant le bord de son chapeau.

Malgré la courtoisie de Ray, elle se détourna de lui, mettant un terme à la conversation.

– Hé, chérie ! l'interpella Rod.

Elle ne bougea pas.

– C'est gentil à elle de me laisser admirer son popotin, continua Rod à la cantonade. Un poil trop mince, mais suffisant quand même pour qu'on s'y accroche au cas où on aurait des difficultés...

Les frères Culpepper s'esclaffèrent mais Kate demeura parfaitement immobile.

– Tu veux bien nous raconter comment le Silencieux te fait l'amour, hein, ma belle ?

Kate était d'une pâleur de cire, mais elle ne bronchait toujours pas.

Ray non plus. Il se contentait de calculer la distance qui séparait la jeune femme des quatre individus. Deux d'entre eux s'appuyaient l'un à l'autre en oscillant légèrement et ils dégageaient une vilaine odeur de sueur et de whisky bon marché.

« A eux deux, ils valent à peine un homme, songea Ray. En tout cas, je commencerai par les autres et je garderai ceux-là pour la fin. »

Murphy, en traînant les pieds, s'était décidé à rassembler les marchandises de Kate.

– Si c'était moi, poursuivit Rod, je descendrais ce vieux pantalon et j'attraperais à pleines mains...

– Murphy ! coupa Ray. Inutile de compter le sel grain par grain. Je veux être sorti d'ici avant la nuit !

Rod lui lança un coup d'œil mauvais.

Sous la moustache blonde, Ray eut un sourire plus inquiétant que cordial, mais Murphy était trop loin pour s'en rendre compte, et les Culpepper n'avaient d'yeux que pour Kate.

– Vous énervez pas ! répliqua le commerçant, de l'autre côté de la pièce. Je fais ce que je peux.

– Dépêchez-vous, la dame voudrait partir.

Il y avait une autorité évidente dans la voix de l'étranger, et les quatre frères lui accordèrent enfin leur attention.

Apparemment l'homme au fouet souriait toujours. Il n'avait pas d'arme à feu sur lui, contrairement aux Culpepper qui n'hésitaient jamais à s'en servir.

– Tu ferais mieux d'écouter le conseil de Murphy, vieux, et de pas t'énerver pour rien, dit Rod de sa voix vulgaire.

Il posa la main sur son holster, juste au-dessus de la crosse du revolver.

– T'es assez grand pour valoir deux hommes, renchérit Clint, mais on est quatre, et armés.

– Je le vois, répondit Ray.

Les quatre frères s'entretinrent un moment à voix basse, puis ils durent considérer que l'étranger était maté car ils se remirent à harceler Kate.

– Pourquoi tu te retournes pas, chérie ? demanda Rod. T'as un joli derrière, mais j'aimerais sacrément voir tes seins.

– Ouais, insista Clint. Tout l'hiver, on s'est demandé de quoi tu avais l'air sans ces affreux vêtements d'homme. Est-ce que tes bouts de seins sont foncés, comme ceux de la vieille Betsy, ou bien rouges, comme ceux de Clémentine ?

– Clémentine les maquille, marmonna un autre frère. Et pas seulement ça.

– Bon Dieu, j'en ai mordillé suffisamment pour savoir ce qui est naturel et ce qui est trafiqué !

Kate frémit imperceptiblement, et Ray fut le seul à le remarquer, parce qu'il n'y avait que lui qui observait la jeune femme silencieuse.

« Rod sera le premier. Ce garçon a besoin d'une sérieuse leçon. »

Ray fit un pas en avant.

– Non, murmura la jeune femme, très calme, en tournant la tête vers lui. Ignorez-les. Leurs paroles n'ont aucune importance.

Ray plissa les yeux. Combien de fois avait-elle été obligée de subir les grossièretés de ces sinistres individus ? Sans doute à chacune de ses visites en ville.

« Au diable son mari ! pesta Ray en son for intérieur. S'il était aussi susceptible qu'on le dit, il devrait couper les sales langues de ces types et s'en servir pour nettoyer le canon de son fusil ! Il ne l'a pas fait, alors, à moi de jouer. »

Au fond du magasin, Murphy soulevait le couvercle d'une barrique de farine avec autant d'efforts que s'il s'agissait d'un quartier de bœuf. Il ne cessait de fixer Kate.

– Qu'est-ce que t'en penses, Floyd ? reprit Rod. Est-ce que cette fille a des seins assez gros pour nous ?

Ray essayait en vain de dominer sa colère.

« Si j'étais son mari, j'abattrais ces individus comme les coyotes qu'ils sont. »

Cette idée ne le satisfaisait pas pour autant. Rien ne pourrait effacer l'humiliation qu'il lisait dans les yeux de la femme.

Bon sang, si John le Silencieux n'était pas capable de protéger une fille comme Kate, il n'aurait pas dû l'épouser, ni l'amener dans une région si rude !

– Alors, Floyd, répétait Rod, qu'est-ce que t'en penses ?

Floyd se gratta l'entrejambe avant de répondre, songeur :

– J'en pense que John est un sacré tireur.

– Et après ? On la touche pas. C'est la seule chose qu'on ait pas le droit de faire, la toucher.

– Ni la suivre, ajouta Clint.

– On a fait ni l'un ni l'autre ! rétorqua Rod.

– Pas depuis la première fois.

Floyd glissa deux doigts dans les trous de son chapeau.

– Quel tir ! fit-il. Il devait être à une centaine de mètres. Mais on n'a jamais vu sa tête.

– On voulait juste être gentils avec sa femme, la raccompagner chez elle.

– Ouais, on agissait en bons voisins, renchérit Rod. Comme maintenant. On est des bons voisins. On pense qu'aux petits oiseaux et aux nids bien douillets.

– Douillets et chauds, pour sûr, marmonna Jake.

– Sale petite mijaurée ! grommela Clint.

– Murphy ! s'écria sèchement Ray. Occupez-vous de mesurer cette farine ! J'en ai assez d'écouter les roquets aboyer !

– Hein ?

Il y eut un silence durant lequel les Culpepper essayèrent de comprendre s'ils avaient été insultés ou non.

Murphy remit le couvercle sur le baril et revint lentement dans le magasin, un sac de farine sur l'épaule, un sachet de sel à la main.

– Tu crois qu'elle crie ? interrogea Jake, à la cantonade.

– De qui tu parles ? demanda Rod.

– D'elle, évidemment, s'impatienta Jake. Quand le vieux lui fait son affaire, tu crois qu'elle se débat, qu'elle hurle, ou bien qu'elle en réclame encore en gémissant comme une chienne en chaleur ?

« Jake sera le deuxième. »

D'un subtil mouvement de l'épaule, Ray fit glisser le bout du fouet le long de son bras tandis que sa main gauche s'emparait du manche.

La lanière prit vie.

Au plus léger geste de sa main gauche, des ondes passaient qui faisaient chuchoter le fouet tel un serpent qui se faufile dans l'herbe.

Ray se mit à siffler entre ses dents avec une apparente indifférence alors qu'il concentrait toute son attention sur les quatre frères. Aucun d'entre eux ne le remarqua. Ils avaient décidé une fois pour toutes que l'étranger était inoffensif.

« C'est votre dernière chance, les gars. Vous parlez autrement ou c'est moi qui vais vous faire changer de ton. »

Murphy passa devant Kate avec un regard insolent, et il posa la marchandise sur le comptoir.

– J'reviens dans une minute avec le lard. Veillez sur elle, mes amis.

Les Culpepper éclatèrent de rire, puis ils se rapprochèrent de la jeune femme. Rod la déshabillait du regard, suivant des yeux chaque courbe de son corps.

Kate se tenait immobile. Très pâle, elle luttait visiblement contre la panique.

– J'sais pas comment elle préfère, Jake, fit Rod de sa voix traînante. Ni même si elle aime ça.

Kate tressaillit, malgré ses efforts désespérés pour ignorer les paroles insultantes.

– Moi, en tout cas, continua-t-il, je sais ce que j'aimerais. J'lui déchirerais son satané pantalon avec un poignard, je lui écarterais les jambes et... Aaah !

Le cri de Rod couvrit le claquement du fouet, mais rien ne pouvait dissimuler le filet de sang qui coulait de sa bouche.

Comme l'éclair, Ray frappa de nouveau.

La longue lanière se déroula, trop rapide pour que l'on pût suivre son mouvement. Jake se plia en deux, les mains sur le bas-ventre, et sa bouche s'ouvrit sur un cri étranglé.

Ray n'hésita pas. La surprise jouait en sa faveur, mais cela ne durerait pas.

Il frappa.

La chemise de Clint s'ouvrit du col à la taille.

Il frappa encore.

Le chapeau de Floyd fut coupé en deux.

Il frappait, frappait, frappait.

Rod retint à deux mains son pantalon dont les boutons métalliques roulaient sur le plancher inégal.

Les Culpepper sautillaient sur place en se demandant dans quel guêpier ils s'étaient fourrés.

– Je voudrais bien savoir de quoi vous auriez l'air, vous tous, sans vos vêtements, parodia Ray, sardonique.

Il frappait, frappait toujours.

– Maigres et efflanqués, j'imagine, continuait-il. Avec des testicules de rats.

Le fouet sifflait et claquait pour ponctuer ses paroles, dénudant le corps des voyous.

Tandis que les quatre frères étaient peu à peu débarrassés de leurs vêtements, Ray continuait à leur renvoyer les paroles qu'ils avaient infligées à Kate.

– Vous allez crier, implorer pitié ? A moins que vous n'aimiez être fouettés au point de gémir et d'en demander encore ? Alors, les gars ? Répondez ! En général je suis plutôt patient, mais vous avez mis ma bonne humeur à rude épreuve.

Trois des hommes étaient pliés en deux, tentant de maintenir ce qui restait de leurs pantalons.

Le quatrième saisit son arme.

En un éclair, la lanière vint s'enrouler autour de son poignet. Ray récupéra le pistolet d'un geste sec puis il lança de nouveau le fouet. Floyd, avec un cri de douleur, tomba à genoux, le front barré d'une balafre sanglante.

– Je descends le prochain qui s'empare de son revolver ! avertit Ray. Et c'est valable aussi pour vous, Murphy.

– Je touche à rien, répondit calmement le commerçant.

– Eh bien, continuez.

Le fouet s'immobilisa enfin.

Le silence tomba sur la pièce. Aucune trace de sang. Seuls Rod et Floyd portaient des marques rouges. Chacun savait que l'étranger aurait pu les réduire en lambeaux l'un après l'autre, aussi facilement qu'il avait désarmé Floyd. L'attaque avait été si soudaine, si rapide qu'ils n'avaient pas eu le temps de reprendre leurs esprits, et moins encore de se détendre.

– J'ai connu des latrines plus propres que vos bouches, les gars. Si vous tenez à vos langues, surveillez vos paroles quand vous vous trouvez près d'une dame. C'est compris ?

Ils hochèrent la tête.

– Parfait. Maintenant, jetez vos armes.

Quatre revolvers tombèrent au sol.

– Et laissez cette femme tranquille, dorénavant. Vous m'avez entendu ?

Ils acquiescèrent à contrecœur.

– Je vous ai avertis, et c'est plus que des fripouilles de votre espèce n'en méritent. Allez, disparaissez !

Etourdi, Rod laissa Jake le relever, tandis que Clint aidait Floyd à se mettre debout.

La porte s'ouvrit à la volée, et les quatre frères sortirent en vacillant dans le vent glacial. Aucun d'eux ne se retourna. Ils l'avaient assez vu, l'étranger blond !

Quand la porte se referma, il n'y avait plus que Ray et Murphy dans le magasin. Les sacs de sel et de farine ne se trouvaient plus sur le comptoir. Ray se retourna vers le commerçant dont les mains étaient bien en vue.

– C'est vous qu'on appelle le Fouet ? dit lentement Murphy.

Ray, sans répondre, regardait à l'extérieur. Il vit les quatre frères grimper sur leurs mules. Kate n'était nulle part.

– Ou du moins, reprit Murphy, on vous a appelé comme ça depuis que vous avez lacéré ces types, à Canyon City, parce qu'ils avaient insulté l'épouse blanche de Steven Lonetree, le métis.

Ray fixa l'homme d'un regard glacial.

– Où est la jeune femme ? demanda-t-il.

– Elle a filé quand vous avez fermé la bouche à Rod.

Le fouet s'agitait doucement, comme un serpent, et Murphy le contemplait avec méfiance.

– Où ? répéta Ray.

– Là-bas ! répondit Murphy en pointant un pouce sale vers le nord. John exploite une concession à Avalanche Creek.

– Elle vient souvent ici ?

Murphy secoua la tête.

Le fouet était agité de menus soubresauts.

L'épicier avala sa salive avec peine. L'étranger avait tout de l'archange vengeur.

Ou du diable en personne.

– Elle vient souvent ? répéta Ray.

Le ton calme ne leurra pas Murphy qui se hâta de répondre :

– Une fois par an.

– L'été ?

– A l'automne, en général. Depuis quatre ou cinq ans, c'est elle qui vient chercher les provisions d'hiver pour John.

Ray plissa les yeux.

– Elle est en mauvaise posture, ajouta Murphy. C'est à cause du vieux que les Culpepper se tiennent à distance, mais on raconte qu'il est mort.

Une bouffée d'espoir envahit Ray.

« Peut-être est-elle libre ? Bon sang, un baroudeur comme moi ne pourrait pas espérer mieux que Kate, en attendant que le soleil levant ne m'appelle de nouveau pour l'aventure ! »

La première fois que Ray était venu dans les montagnes Rocheuses, il en avait contemplé les sommets, persuadé que quelque part, dans une maison qu'il n'avait jamais vue, une femme qu'il ne connaissait pas l'attendait. C'était une certitude tellement ancrée en lui que parfois, dans ses rêves, il voyait la lumière dorée de la maison, la porte ouverte, la neige alentour, et les pics qui s'élevaient dans le ciel pâle de l'aube...

Mais au cours des dernières années, il avait eu beau parcourir ces magnifiques montagnes de l'est à l'ouest, du nord au sud, il n'avait rencontré que son ombre.

– Vous croyez que le Silencieux est mort ?

Murphy haussa les épaules, le regard fuyant, puis il décida qu'il ferait mieux de parler.

– On l'a pas vu depuis la dernière fois où la passe était ouverte. Quelques jours plus tard, il s'est mis à neiger, et on n'a pas pu la franchir pendant des semaines.

– Où l'avait-on aperçu ?

– Il allait vers sa concession d'Avalanche Creek, sur cette vieille mule qu'il aime tant.

– Qui l'a vu ?

– Un des frères Culpepper.

– Il y a combien de temps ?

– Cinq ou six semaines. On fait pas attention aux jours, ici. Il neige ou pas, c'est le seul calendrier qui nous importe.

– Personne ne l'a rencontré depuis six semaines ?

– A peu près, m'sieur.

– Et c'est inhabituel ?

– Y a rien d'habituel chez ce vieux serpent, marmonna Murphy. Il arrive toujours quand on s'y attend le moins, et il disparaît de la même manière. Un dur, ce John. Un vrai dur.

– C'est le cas de la plupart des chasseurs de primes. Lui est-il déjà arrivé de disparaître plus de six semaines ?

Murphy se gratta la barbe.

– J'sais pas bien. Peut-être une fois, en 1866. Et en 51, quand il est allé chercher la fille dans l'Est.

– Il y a sept ans... La guerre entre les Etats.

– C'est ça. Y a plein de types qui sont venus dans l'Ouest, à cette époque-là.

L'idée que Kate fût mariée à ce « vieux serpent » depuis sept ans taraudait Ray. Il était en Australie, pendant cette période, mais il savait combien la guerre avait été pénible et meurtrière.

Sa sœur Sarah en avait réchappé de justesse. Elle aurait pu être obligée de se vendre à un vieil homme pour survivre. Mais elle était arrivée à rester en vie et seule jusqu'à ce qu'elle rencontre celui qu'elle aimait, Caleb Black, un homme de grande qualité !

– Ouais, reprit Murphy. Je pense qu'elle est veuve, à présent. Y a eu plein d'avalanches, au printemps, et John est sans doute bel et bien pris dans les glaces. C'est sûrement ce que pensent aussi les Culpepper, sinon ils parleraient pas comme ça à sa femme.

Ray écoutait, tandis que le fouet ondulait doucement à terre.

– La fille sera bientôt prise dans les glaces également, continua Murphy avec une ombre de satisfaction. Les provisions qu'elle a achetées suffiraient pas à un oiseau. Evidemment, si elle était un peu plus aimable, moins hautaine...

La voix du commerçant s'éteignit sous le regard de Ray.

– J'ai vu un vieux cheval noir, attaché à la sortie de la ville. J'aimerais l'acheter comme bête de somme.

– Si vous avez de l'or, y a rien que vous puissiez pas acheter, à Holler Creek.

Ray sortit des pièces qu'il fit tinter sur le comptoir.

– Préparez des provisions, ordonna-t-il.

Le vieux ramassa les pièces avec une vivacité surprenante.

– Et quand vous pèserez la marchandise, ôtez votre sale pouce de la balance, continua Ray.

Murphy eut un brusque sourire.

– Y a pas beaucoup de gens qui s'en aperçoivent.

– Moi, si.

En ricanant, Murphy rassembla les provisions que Ray lui indiquait.

Quand Ray revint avec le cheval de bât, les sacs étaient prêts et, une heure plus tard, ils étaient chargés sur le dos de l'animal.

Ray grimpa sur son cheval gris en tenant la longe du noir et s'élança à la poursuite de la fille à la démarche de reine.

Au crépuscule, il franchit un pont de bois qui menait à une clairière au bout de laquelle se dressait une maison. La maison de ses rêves.

Et la fille de ses rêves était là aussi.

Seulement elle avait un énorme chien près d'elle, un fusil à la main, et son expression disait assez que la présence de l'homme était indésirable.

2

Sur le seuil de la cabane, Kate contemplait le coucher de soleil dans un ciel d'orage. Le tonnerre grondait, se répercutait dans les montagnes, et elle sentait la tempête s'approcher. Elle en avait le goût dans la bouche, la fraîcheur sur la peau.

Toutefois, cela l'inquiétait beaucoup moins que l'homme qui chevauchait vers elle.

Il montait un cheval dont la robe avait le gris des yeux de l'inconnu de Holler Creek. Quand il se tourna pour vérifier que sa bête de somme suivait bien, elle aperçut un fouet à son épaule.

« Est-ce vraiment lui ? John disait que personne ne peut manier une lanière aussi bien que celui que l'on surnomme le Fouet. »

Mais que faisait-il ici ?

Elle se rappelait ses coups d'œil rapides, légers comme des caresses.

D'autres hommes avaient regardé Kate, l'avaient suivie, convoitée... Mais aucun de cette manière. Il y avait dans les yeux argentés un mélange de désir et d'humanité, comme si l'homme l'avait attendue depuis toujours.

Le cœur de Kate battait lentement tandis qu'il approchait. Le fusil à double canon était lourd et froid dans ses mains, elle avait le doigt sur la détente, prête à faire feu.

Près d'elle, un énorme chien tacheté grondait doucement. Plus gros qu'un dogue, plus haut qu'un loup, la poitrine plus large que celle d'un poney, l'animal se faisait un devoir de la protéger. Des crocs acérés luisaient sous les babines retroussées.

– Sage, Lobo, murmura-t-elle.

Le chien se tut, mais il garda les oreilles couchées, et son poil se hérissa sur le cou massif.

Ray continuait à avancer, au point que Kate distinguait maintenant ses yeux avec précision. Ces yeux où se lisait un désir qui avait hanté la jeune femme lors de son trajet vers la cabane.

Elle était encore troublée.

– Arrêtez-vous, monsieur ! déclara-t-elle avec fermeté. Que voulez-vous ?

L'homme tira sur les rênes de son cheval et la salua poliment.

– Bonsoir, madame. Vous avez quitté le magasin tellement vite que vous avez oublié d'emporter la plus grande partie de vos emplettes.

Kate scruta son visage.

Elle ne s'était pas trompée, elle n'avait pas rêvé, il s'agissait bien de l'étranger de Holler Creek.

– C'est vous qu'on appelle le Fouet, n'est-ce pas ? souffla-t-elle

– C'est ainsi qu'on me nomme dans la région.

La jeune femme s'abstint de lui demander s'il avait un autre nom, un foyer, une famille. A l'ouest du

Mississippi, on appelait un homme monsieur, ou par son surnom.

Elle était intriguée. Le nouveau venu n'avait pas l'accent de ceux qui ont été élevés dans les bas-fonds de l'Est ou dans les camps de chercheurs d'or. Il venait plutôt du Sud, mais pas du Sud profond. Peut-être n'était-il même pas confédéré.

– Etes-vous... Avez-vous... ?

Kate prit une longue inspiration avant de reprendre :

– Les Culpepper vous ont-ils fait du mal ?

Ray sourit, à la fois tendre et sombre.

– Non. Ils ne m'ont pas fait de mal.

– Vous en êtes sûr ?

– Sûr.

Un éclair déchira le ciel au-dessus des montagnes tandis que le vent se levait, apportant un nouveau coup de tonnerre et l'odeur fugitive de la terre mouillée.

– Vous n'auriez pas dû vous en mêler ! dit-elle vivement. Le dernier homme qui a voulu me défendre contre les Culpepper a été rossé à mort.

Ray plissa les yeux.

– Ces garçons sont des mufles.

– J'ai essayé de vous avertir.

– Et moi, j'ai essayé de les avertir, mais ils n'ont pas voulu écouter. Alors, comme dirait Caleb, je suis passé aux travaux pratiques. Peut-être seront-ils moins grossiers la prochaine fois.

Kate jeta un coup d'œil au fouet enroulé à l'épaule de Ray. Elle ne l'avait pas vu frapper Rod, mais elle savait qu'il l'avait fait. Dès qu'elle avait aperçu la première goutte de sang, elle avait attrapé ses provisions et s'était précipitée vers Razorback, sa mule.

– Caleb ? demanda-t-elle.

Elle ne trouva rien d'autre à dire, car le sourire avait

disparu du visage de Ray. Il ne pouvait dissimuler combien il la désirait.

Et elle était effrayée de constater qu'une partie d'elle-même avait envie d'assouvir le désir de cet homme-là.

« Je suis encore secouée par ce qui s'est passé en ville, se dit-elle. Demain, j'irai voir Cherokee. »

– Caleb Black, expliqua Ray, est le mari de ma sœur, Sarah. Ils possèdent un ranch vers l'ouest. Ainsi que mon frère Reno et son épouse Eve.

– Oh !

Kate s'efforçait de respirer normalement. Elle avait les mains engourdies à force de tenir le lourd fusil, mais elle ne l'aurait pas posé pour un empire. Elle avait vu avec quelle rapidité le fouet pouvait se dérouler.

– Je suis Kate... euh, Smith. Smith est mon nom de femme mariée, ajouta-t-elle vivement.

Ray fronça les sourcils comme s'il était contrarié de s'entendre rappeler qu'elle avait un époux.

– Est-il prudent de mettre pied à terre pour vous donner les provisions que vous avez oubliées ?

– Prudent ? répéta-t-elle, déconcertée.

– Le fusil, dit doucement Ray.

– Oh, ça !

Ray ne tenta même pas de cacher son amusement devant le trouble évident de la jeune femme.

– Oui, ça.

Elle rougit, sans cesser de pointer le canon de son arme dans sa direction.

– Allez-y. Remettez-moi ce que Murphy n'a pas cru bon de me voler.

Ray descendit de cheval avec une aisance qui augmenta le malaise de Kate.

« Cet homme est dangereux.

» Et beau, aussi. »

Cette arrière-pensée était si stupéfiante qu'elle faillit éclater de rire.

Un éclair traversa les nuages. La montagne portait l'orage sur ses sommets comme Ray son fouet sur son épaule.

« Les montagnes sont belles aussi, et le tonnerre, et les éclairs. Cet homme leur ressemble. Fort, tumultueux. »

Le grondement du grand chien ramena l'attention de Kate sur ce qui l'entourait.

Ray avançait vers elle.

Mais au lieu des petits paquets auxquels elle s'attendait, il avait les bras débordants de provisions.

– Tenez-vous-en là, monsieur...

Le fusil était ferme dans sa main.

Il s'immobilisa net.

– Je m'appelle Ray Moran. Mais vous pouvez m'appeler le Fouet, si vous préférez.

– Je vous connais sous ce nom-là.

– Vraiment ?

– Vraiment quoi ?

– Vous me connaissiez ?

Les joues de Kate s'empourprèrent.

Ray se remit en marche.

– J'ai dit : tenez-vous-en là ! ordonna-t-elle.

– Je tiens déjà tout ce que je peux, objecta-t-il.

Kate serra les lèvres pour s'empêcher d'éclater de rire. Elle ne devait pas avoir confiance en cet étranger qui lui semblait pourtant si familier.

Cherokee aurait dû l'avertir qu'elle risquait de réagir de cette manière. Les femmes pouvaient faire des folies pour des hommes comme Ray !

– N'avancez pas davantage, grinça-t-elle. Lobo n'aime pas les nouvelles têtes.

Ray cligna des yeux.

– Lobo ?

– Mon chien.

Ray regarda l'énorme animal menaçant dont la tête arrivait à hauteur de la poitrine de la jeune femme.

– C'est Lobo ?

– Evidemment. Et ne vous risquez pas à lui dire qu'il est affreux !

Il y eut un instant de silence, puis Ray, la tête renversée en arrière, éclata d'un rire joyeux.

Kate en frissonna de plaisir. Le rire de Ray était plus bouleversant encore que son sourire.

– Va pour Lobo. Où voulez-vous que je pose les provisions ? enchaîna-t-il

– Elles ne sont pas à moi.

– Ce n'est pas ce qu'a dit Murphy.

– Murphy serait incapable de déchiffrer le mot « vérité », même écrit en lettres majuscules.

Ray sourit de nouveau.

– Ça, c'est certain. Alors considérez qu'il s'excuse pour toutes les fois où il a appuyé son sale pouce sur la balance pendant qu'il pesait vos marchandises.

Avec une avidité qu'elle ne put complètement dissimuler, Kate contempla les sacs de haricots, de farine, de bacon, de pommes séchées, sel et épices, et autres denrées qu'elle n'avait pas vues depuis si longtemps qu'elle avait oublié jusqu'à leur nom.

Vivement, elle se détourna de ce trésor

– Je prendrai seulement le bicarbonate de soude et le lard que j'ai payés. Merci de me les avoir apportés.

Tandis qu'elle parlait, le tonnerre gronda, tout proche, l'air se chargea d'humidité. La tempête allait s'abattre sur la clairière, avec les pluies glaciales des montagnes.

– Si vous imaginez que je vais retourner à Holler Creek par ce temps, dit Ray, vous vous trompez !

– Allez où vous voulez, c'est votre affaire. Mais remportez ces provisions.

Pendant un long moment, on n'entendit que l'orage, le vent dans les arbres, le martèlement de la pluie sur les feuilles.

– Vous en avez pourtant besoin, affirma Ray tout à trac. Vous êtes trop maigre.

Kate ne prit pas la peine de protester. Elle avait tellement maigri durant l'hiver que, sans le léger renflement de ses hanches, elle aurait eu le pantalon de John sur les genoux.

Mais il n'avait pas le droit d'émettre une opinion si personnelle, et moins encore de décider de la nourrir !

Cherokee et John l'avaient suffisamment mise en garde contre le danger qu'elle courrait si elle acceptait quoi que ce soit d'un homme, eût-il ce sourire !

Ray vit qu'elle était déterminée et comprit qu'elle ne céderait pas. Il en fut agacé, et plus encore à l'idée qu'elle n'avalerait pas une bouchée de ce qu'il lui avait apporté et dont elle avait tant besoin.

Toutefois, il n'avait aucun droit de s'occuper d'elle. C'était le privilège d'un époux, même si le sien n'était visiblement pas très doué pour ça !

– Considérez cela comme un prêt, suggéra-t-il, les dents serrées.

– Non.

– Bon sang ! éclata-t-il. Vous êtes si faible que vous arrivez à peine à tenir ce fusil !

– Mais je suis encore capable d'appuyer sur la détente !

Lobo émit un grognement en parfaite harmonie avec l'humeur de Ray, qui s'efforça cependant de mettre un frein à son irritation. Il ne tenait pas à se battre contre le molosse de Kate. S'il voulait amadouer la jeune femme, ce ne serait certes pas une bonne stratégie !

En outre, ce satané animal était aussi impressionnant qu'un ours !

Pourtant Ray avait une folle envie d'arracher le fusil des mains de Kate, d'assommer le grand chien et d'installer la jeune femme devant un solide repas.

Il était surpris lui-même de cette rage qui le submergeait. D'habitude, il était le calme de la famille Moran, tandis que son frère Reno était le coléreux. Mais il y avait dans l'entêtement de Kate quelque chose qui mettait sa patience à rude épreuve.

– Il est normal d'accepter une main tendue, de temps en temps, dit-il d'une voix dont il s'efforça de chasser toute agressivité.

– Cherokee, le sorcier, m'a expliqué que les hommes apprivoisent les mustangs en leur offrant de la nourriture quand ils ont faim, de l'eau quand ils ont soif. Evidemment, ils ont pris soin auparavant de les poursuivre jusqu'à ce qu'ils n'en puissent plus. Alors ils leur tendent la main... avec une corde au bout.

– C'est en effet un moyen de les attraper, aquiesça Ray.

« Mais Steven Lonetree m'a enseigné une autre manière. Il s'agit de rester longtemps près du cheval, sans bouger, sans parler, jusqu'à ce que l'animal sauvage soit habitué à votre présence. Alors vous vous en approchez, et dès qu'il montre des signes de nervosité, vous vous immobilisez, vous attendez. Vous prenez tout le temps qu'il faut, et le superbe mustang finit par vous manger dans la main. Mais évidemment, il y en a bien peu qui méritent que l'on se donne tout ce mal ! »

Le vent jouait dans les vêtements de Kate, les soulevant, et les plaquant contre elle.

Ray retint sa respiration. Elle était menue, certes, mais les courbes qui se cachaient sous les hardes informes étaient indéniablement féminines !

Bon sang, si elle était à lui, il ne passerait pas son

temps à courir après des primes ou de l'or ! Il serait là, près d'elle, à chercher tous les moyens de lui donner du plaisir et de le partager avec elle.

– Kate...

Ray fut interrompu par la lumière bleutée d'un éclair tandis que le tonnerre se déchaînait, faisant trembler le sol sous leurs pieds. L'instant suivant, la pluie s'abattit sur la prairie.

Bien qu'il fût fasciné par cette splendeur, Ray ne se laissait pas prendre à la beauté redoutable des montagnes Rocheuses. C'était l'été. Pourtant, à cette altitude, le coucher de soleil apportait de l'air frais, et la nuit, il gèlerait. Au matin, il y aurait peut-être un mètre de neige, qui disparaîtrait aussi vite ou tiendrait un mois, comme ç'avait été le cas à la fin du printemps.

Les maigres provisions de la jeune femme ne dureraient pas plus de deux semaines !

– Où diable est votre mari ? demanda Ray, furieux. Vous avez besoin de lui !

Kate espérait qu'il ne lisait pas l'inquiétude dans son regard. Cherokee avait raison. Quel que fût le motif de la longue absence de John, il fallait absolument qu'on le crût vivant, capable de surgir à tout moment, d'abattre un chevreuil ou un homme à trois cents mètres.

– John est là où il est, décréta-t-elle sèchement.

– A Holler Creek, on raconte que vous êtes veuve, rétorqua Ray. Que le Silencieux est mort et que vous-même ne tarderez pas à dépérir dans cette fichue clairière !

Lobo montra les dents.

Ray eut envie d'en faire autant, tandis que Kate restait bien campée sur ses pieds, le fusil à la main.

La pluie avait redoublé, noyant les couleurs du

couchant, détrempant le Stetson de Ray qui dégoulinait sur sa veste de laine.

La jeune femme était relativement abritée par l'auvent, mais une giclée de pluie rabattue par la bourrasque la fouetta, et elle frissonna.

– Soyez raisonnable, insista Ray.

– Je le suis. C'est vous qui divaguez !

– Murphy vous vole depuis des années, reprit-il sans se soucier de l'interruption. Quand je le lui ai fait remarquer, il a décidé qu'il pouvait bien vous rajouter quelques marchandises. Voilà tout. Cela ne vous engage absolument à rien.

Kate ouvrit la bouche pour protester, mais Ray poursuivit :

– Vous n'avez pas non plus besoin de me remercier d'être venu jusqu'ici. Je voulais aller voir les gisements aurifères d'Avalanche Creek, or votre cabane est sur le chemin.

– C'est une belle histoire, mais je l'ai déjà entendue. Je ne cherche aucune aide de la part d'hommes en manque de femmes.

Ray sentait sa patience à bout.

– Je ne suis pas comme les autres, affirma-t-il.

– Vraiment ! Cela veut-il dire que vous n'avez pas envie de moi ?

Mentir n'était pas le genre de Ray.

– Si, j'ai envie de vous.

Kate ne put rien contre le frémissement qui la parcourut tout entière.

– Mais je ne vous forcerai jamais, poursuivit-il doucement. Je vous le promets.

– Je vais vous aider à tenir cette promesse. Allez-vous-en !

– Ecoutez, Kate...

– Non, *vous*, écoutez ! Vous êtes comme les autres. Vous voulez mon corps, c'est tout. Pas de proposition de mariage, d'enfants, de bons et de mauvais moments à partager. Vous avez juste envie de passer quelques minutes dans le noir avec la « pauvre petite chérie » qui est peut-être veuve... ou peut-être pas.

– Ce n'est pas ça ! rétorqua Ray avec colère.

– Ah bon ? Vous souhaitez m'épouser, alors.

L'expression de Ray en dit plus qu'elle ne désirait en savoir. Elle eut un rire aussi glacial que la pluie.

– C'est ce que je pensais, reprit-elle. Eh bien, non merci ! J'ai tout ce qu'il me faut pour attendre le retour de John.

– Et s'il ne revenait pas ? Bon Dieu, s'il était mort, que deviendriez-vous ?

Le doigt de Kate se crispa sur la détente. Entendre ses craintes formulées par la voix grave de Ray leur donnait encore plus de réalité.

Et la minait.

« Ne discute pas avec lui, tu serais perdante. Tu risquerais de devenir semblable à ces malheureuses filles de joie. »

– Vous êtes habile à manier le fouet, dit-elle, mais moins rapide qu'une balle de fusil. Alors ramassez vos provisions et filez.

Elle eut l'impression qu'il s'écoulait un temps infini avant que Ray remette les sacs sur le dos de son cheval étique.

Un éclair argenta brutalement la clairière, suivi d'un énorme roulement de tonnerre. La pluie redoublait encore de violence, comme pour éteindre le feu du ciel.

Ray n'était qu'à quelques mètres, pourtant Kate avait du mal à le distinguer. Elle clignait furieusement des yeux pour le voir à travers la pluie et ses larmes.

Quand un nouvel éclair illumina le paysage, il n'y avait plus personne.

Il avait disparu.

La jeune femme se mordit les lèvres pour ne pas hurler son prénom dans la tourmente, ne pas lui offrir ce qu'il demandait en échange de sa sécurité.

Or, elle savait précisément ce qu'il voulait.

Les Culpepper avaient été explicites à ce sujet en maintes occasions. Les hommes ne souhaitaient que la renverser sur un lit et lui faire l'amour.

Un goût amer lui monta à la bouche.

Ce n'était peut-être pas ce qu'exigerait Ray ? Peut-être avait-il juste voulu l'aider, sans rien attendre d'autre qu'un repas chaud et de banals remerciements.

Mais Kate se rappelait ses paroles, la flamme qui brillait dans ses yeux argentés, et elle renonça à se leurrer davantage.

Il avait envie d'elle. Comme les Culpepper.

Elle frissonna. Les femmes étaient-elles condamnées à subir les assauts des hommes pour obtenir un toit, la sécurité ?

Lobo gémit en léchant doucement les mains de sa maîtresse pour lui rappeler sa présence. Kate restait immobile sous la pluie, se sentant aussi vide que la clairière après le départ de Ray.

« Cesse de rêver ! » s'ordonna-t-elle avec violence.

Sa mère avait rêvé, et qu'avait-elle obtenu ? Un homme indigne qui l'avait abandonnée.

Cherokee avait raison. L'amour était un conte de fées destiné à empêcher les femmes de vivre seules et d'être indépendantes.

Lentement, elle rentra dans sa petite cabane qui était aussi froide que la pluie.

3

Lorsque Kate s'éveilla, avant l'aube, la tempête s'était calmée. La nuit laissait doucement place au jour, dans une lumière argentée qui lui rappelait trop la couleur des yeux de Ray.

Lobo, avec un grognement de plaisir, vint de nouveau fourrer sa truffe contre la joue de sa maîtresse.

– Brrr... tu as le nez gelé ! dit-elle en le caressant affectueusement.

C'était le seul être vivant qui lui rendît son amour, et sans lui, elle ne savait pas ce qu'elle serait devenue depuis la disparition de John, au cours de l'hiver 1865. Non pas que son grand-oncle fût une réelle compagnie ! Il méritait bien son surnom de Silencieux. Pourtant, Kate lui était reconnaissante ; même si la vie était dure, à Echo Basin, cela valait bien mieux que l'existence qu'elle avait menée en Virginie.

Dans le Colorado, Kate était libre.

En Virginie, elle était à peine plus qu'une esclave.

– Bonjour, mon beau monstre, reprit-elle en s'étirant. Crois-tu que l'été va enfin se décider à arriver ? Parfois j'ai si froid que la source chaude ne suffit pas à me réchauffer.

Aux mots de « source chaude », Lobo dressa les oreilles et se tourna vers le fond de la cabane où s'ouvrait un « placard » qui menait à un souterrain. Au bout de celui-ci se trouvaient une grotte et une source d'eau douce et tiède.

John s'en servait afin de soigner son arthrite, mais Kate l'appréciait simplement pour laver ses vêtements... et faire sa toilette. C'était un luxe inestimable dans un endroit aussi éloigné de toute civilisation.

L'émergence de cette eau était une bénédiction. En

effet, Kate n'avait pas la force de tailler assez de bois de chauffe pour la longue période d'hiver qu'elle passait en solitaire.

« Merci, mon Dieu, pour cette source ! Sinon je deviendrais aussi crasseuse que Murphy ou les Culpepper ! »

Comme il suivait le regard de sa maîtresse, Lobo poussa un gémissement joyeux. Il adorait pourchasser les ombres dans le tiède ruisseau qui coulait du bassin.

– Pas ce matin ! déclara la jeune femme. Nous devons aller rendre à Cherokee le sel que nous lui avons emprunté. Elle... bon sang !... *il* en a besoin. Heureusement que nous sommes seuls, ajouta-t-elle en fronçant les sourcils. Je me suis habituée à passer pour la femme de John, mais j'ai bien du mal à parler de Cherokee au masculin !

Elle serra les dents en se rappelant les grossiers commentaires des Culpepper.

« Je ne saurais lui reprocher cette supercherie ! Plus l'absence de John se prolonge, plus je comprends pourquoi elle a décidé de s'habiller comme un homme, de se faire passer pour un sorcier et de vivre là-haut, isolée au nord d'Avalanche Creek. »

D'un geste déterminé, elle repoussa la peau d'ours qui lui servait de couverture. Elle avait pris l'habitude de faire sa toilette le soir et de dormir dans ses vêtements propres afin de résister au froid de la nuit.

Elle n'avait pas grand-chose à faire, le matin. Comme elle ne comptait pas rester dans la cabane, il était inutile d'allumer le feu ou la lampe. Le soleil ne tarderait pas à se lever, de toute façon.

Elle prit le pichet en argent qui lui venait de sa mère et se servit un verre d'eau, si froide qu'elle en eut mal aux dents. Cela l'aidait à avaler les morceaux de gibier séché.

Elle mâchonnait encore quand elle se dirigea vers la porte, vêtue d'une veste de John, puis elle fourra quelques lamelles de viande caoutchouteuse dans sa poche.

« Les derniers morceaux », songea-t-elle. Heureusement que les cerfs allaient bientôt revenir dans la région !

Avant de soulever la barre qui fermait la cabane, elle décrocha son fusil, en sortit les deux précieuses cartouches et se mit à le nettoyer minutieusement.

Elle avait à peine quinze ans quand le Silencieux lui avait appris à se servir d'une arme. Elle n'était pas très habile avec le gros calibre 50 qu'il affectionnait, mais elle maniait suffisamment bien les armes plus légères pour être capable de se défendre.

Toutefois, en ce qui concernait la chasse, c'était une autre affaire. Les munitions coûtaient cher et, malgré son relatif talent, elle devait attendre que sa cible fût assez proche pour tirer. Aussi le gibier repérait-il bien souvent sa présence.

– Mais je m'améliore ! se persuada-t-elle à haute voix. Cet hiver, Cherokee n'aura plus besoin de chasser pour deux.

Avec des gestes rapides, efficaces, elle vérifia l'état de son fusil, puis elle mit une cartouche dans chaque chargeur et les ferma d'un mouvement déterminé avant de glisser quatre autres cartouches dans sa poche. Il n'en restait plus que trois dans la boîte.

Kate était à court de munitions.

– La prochaine fois que j'irai à Holler Creek, il faudra que j'achète des cartouches. Et tu viendras avec moi, Lobo. Je sais que tu n'aimes guère la ville, mais tant pis. J'ai besoin de ta protection.

Le molosse se tenait à mi-chemin de la porte, regardant tour à tour sa maîtresse et la sortie.

– Avant ça, je dois prélever un peu d'or dans les

mines de John, continua-t-elle en réfléchissant à haute voix, comme d'habitude. L'alliance de ma mère était le dernier objet de valeur, hormis le petit sac d'or que je garde précieusement au cas où la chasse serait trop mauvaise.

Elle espérait ne pas avoir besoin de s'en servir. C'était son dernier trésor, ce qui l'empêchait de tomber dans l'humiliation comme les malheureuses obligées de se vendre à des inconnus pour survivre.

– Si seulement tu pouvais m'apprendre à pister et à chasser ! dit-elle à son chien. J'attraperais plus facilement ces satanés cerfs !

Lobo la fixait de ses grands yeux humides pleins d'adoration, mais quand il chassait, il allait à son rythme, laissant la jeune femme loin derrière. Parfois il rabattait un cerf, mais souvent il s'agissait de gibier beaucoup moins savoureux.

Kate connaissait les rudiments de la chasse, mais John n'avait jamais eu le temps de lui en apprendre suffisamment pour qu'elle pût faire des réserves. Il avait l'habitude de chasser seul.

Le reste de la journée, il creusait le roc à la recherche de quelques pépites. Et cet art non plus il ne l'avait pas partagé avec sa petite-nièce qu'il avait ramenée de Virginie.

J'ai abattu un chevreuil et une grouse, l'automne dernier, continua-t-elle. Si le temps se maintient, je chasserai encore jusqu'à ce que j'aie assez de nourriture pour aller à la fourche d'Avalanche Creek chercher de l'or. Alors je tuerai d'autres animaux, je ferai sécher la viande, je prendrai l'or, j'achèterai des provisions pour l'hiver, et je...

Sa voix s'éteignit. L'été ne serait pas assez long. A cette altitude, c'était une saison fort courte !

– Et le bois de chauffe ! s'écria Kate. Je devrai me

dépêcher pour en couper avant que la neige ne ferme la passe et recouvre les arbres abattus !

La jeune femme prit une profonde inspiration afin d'apaiser la panique qui s'emparait d'elle parfois, depuis que John avait disparu.

« J'ai peur, Lobo. J'ai vraiment peur. »

Mais c'étaient des mots que jamais elle ne prononcerait à haute voix. Elle savait depuis l'âge de treize ans qu'exprimer ses craintes ne faisait qu'aggraver la situation. Et indiquer que l'on était une proie vulnérable.

– A chaque jour suffit sa peine, conclut-elle avec une petite grimace. J'aurai largement le temps de tout faire, si je ne reste pas là comme une idiote à me tordre les mains.

D'un pas léger, elle alla vers le coffre de cuir qui renfermait la nourriture séchée. Le placard ne contenait que la farine et le sel achetés la veille. Elle avait divisé le sac de sel en deux portions, la plus petite pour elle, l'autre pour Cherokee qui lui en avait prêté à Noël.

– J'aurais dû dire à Ray de me laisser les provisions que j'avais payées, marmonna-t-elle.

Au souvenir de son passage en ville, elle eut un sentiment de dégoût. Les Culpepper...

Mais il y avait aussi l'homme sorti de l'orage, et son cœur se mit à battre plus fort.

– Viens, Lobo. Allons voir Cherokee. Elle saura me remettre les idées en place.

Le chien bondit devant elle, et elle le laissa partir, sachant que ses sens étaient beaucoup plus développés que les siens. Si un intrus traînait par là, il s'en rendrait compte aussitôt.

La brave bête huma l'air avant de s'élancer dans la clairière. Néanmoins, Kate, prudente, regarda autour d'elle. L'herbe couverte de gelée blanche ne présentait aucune trace de passage, et elle soupira, soulagée.

Elle tenait toujours le fusil au creux de son coude.

Le vent souleva le bord de son chapeau, mais elle l'avait fixé au moyen d'un foulard de soie, dernier vestige de son enfance en Virginie.

La jeune femme se mit en route pour la cabane de Cherokee. Elle aurait pu prendre la mule, mais celle-ci était encore fatiguée de la journée à Holler Creek. Kate préféra la laisser attachée dans le pré.

Il y avait à peine plus de trois kilomètres à parcourir, et l'aube se levait dans un éblouissement de rose, d'or et de pourpre. Dans la splendeur de cette journée naissante, Kate chantonnait doucement.

Quand elle atteignit l'espace dégagé près de la cabane de Cherokee, elle s'arrêta pour appeler. Depuis l'arrivée des Culpepper à Echo Basin, la méfiance régnait. Les gens qui se présentaient sans être annoncés risquaient fort de recevoir un coup de fusil. Même Cherokee, avec sa réputation de sorcier, n'aurait pu tenir les bandits à l'écart.

– Viens, ma fille ! cria Cherokee. Reste pas là dans le froid !

– Vas-y, Lobo, dit la jeune femme.

Le chien partit en courant vers la cabane dont la porte s'ouvrit largement sur une haute silhouette maigre.

Au premier coup d'œil, Kate vit que son amie était blessée au pied droit.

– Salut, petite ! dit Cherokee. Belle journée, hein ?

– Magnifique ! Pousse-toi, le chien. Si tu as faim, va donc chasser !

On ferma la porte au nez du molosse. A dire vrai, il y avait à peine assez de place pour deux personnes dans la minuscule habitation.

– Il paraît que tu es allée faire des courses à Holler Creek, hier, dit Cherokee.

– Qui t'a renseignée ?

– Les Indiens, pardi ! Le neveu d'Ours Blessé

échangeait de l'or contre du whisky en ville, et il a entendu raconter que les Culpepper avaient reçu une raclée bien méritée.

– Ah bon ?

– Pour sûr ! Où t'étais quand la bagarre s'est terminée ? En fin de compte, c'était à cause de toi, tout ça !

– Lorsque le fouet a claqué la première fois, j'ai attrapé mon sel, ma farine, et j'ai filé comme si j'avais le diable à mes trousses ! répondit la jeune femme en souriant.

Cherokee éclata d'un rire rocailleux qui emplit la petite maison. Elle coiffait sa chevelure poivre et sel en deux nattes, à la mode indienne, et avec son visage tanné, son pantalon informe, sa chemise de laine et ses vieux mocassins, elle avait tout du métis. Elle portait au cou un sac d'amulettes, et dans son regard sombre se lisait une infinie sagesse.

Si quelqu'un d'autre que Kate savait que Cherokee était une femme et non un vieillard, personne n'en avait jamais fait état. Son talent de guérisseuse lui avait valu le titre de sorcier chez les Indiens comme chez les Blancs.

– Installe-toi, offrit Cherokee.

La jeune femme s'assit sur un tabouret, près de l'antique poêle à bois, tandis que Cherokee se dirigeait en clopinant vers sa couchette. L'espace était si réduit que leurs genoux se touchaient presque.

– Qu'as-tu au pied ? demanda Kate.

Cherokee bourra une pipe de terre et tira quelques bouffées d'un mélange malodorant d'herbes et de tabac.

– L'hiver a été rude, dit-elle, pourtant la tribu d'Ours Blessé n'a perdu qu'un vieille squaw et un bébé mort-né. Les autres se portent aussi bien que ton sacré chien.

Kate aurait aimé insister, mais la vieille femme ne

parlait que de ce qui l'intéressait, ignorant toute conversation jugée superflue.

Kate jeta un coup d'œil discret autour d'elle. D'habitude, il y avait un seau d'eau près du poêle, un tas de bois, une soupe en train de cuire, parfois même des biscuits.

Aujourd'hui, le seau était presque vide, et il restait seulement quelques traces de ragoût dans une écuelle. Pas de bûches non plus.

– La marche m'a donné soif, dit-elle en s'emparant du seau. Je peux aller chercher un peu d'eau ?

Cherokee, après une brève hésitation, haussa les épaules.

– L'eau du ruisseau est si glaciale qu'elle me fait froid dans tout le corps.

– Alors je ramasserai du bois pour la chauffer.

De nouveau Cherokee hésita, puis soupira.

– Merci beaucoup, Kate. Je me sens plutôt faible, ces temps-ci.

Quand elle eut apporté de l'eau et rangé les bûches près du poêle, la jeune femme lança un coup d'œil à sa vieille amie qui semblait épuisée.

– Tant que j'y suis, déclara-t-elle joyeusement, j'ai bien envie de nettoyer le chaudron et de nous mitonner une petite soupe. Rien de tel qu'un bon potage pour ensoleiller la journée !

Cette fois, Cherokee ne protesta pas. Elle se laissa aller en arrière en pestant.

– J'ai glissé pendant que je prenais de l'eau, il y a quelques jours. Je me suis tordu la cheville. L'emplâtre m'a fait du bien, mais cette satanée patte me tracasse encore.

Alors ne bouge pas, laisse-lui le temps de guérir.

Cherokee eut un pâle sourire.

– C'est le conseil que j'ai donné à John le jour où Razorback lui a marché sur le pied.

– J'espère que tu le mettras en pratique mieux que lui.

– Toujours pas signe de vie.

C'était une affirmation, mais Kate répondit comme s'il s'agissait d'une question.

– Non. Rien.

– Fais-toi une raison, petite. Tu es veuve.

Kate se tut.

– Même ces vauriens de Culpepper l'ont compris, insista Cherokee. Et pourtant ils ne brillent pas par leur intelligence !

– Alors je vais mettre le manteau de John, comme l'autre jour, et franchir la passe sur la mule.

– Tu ne les berneras pas deux fois, grommela Cherokee.

– On verra bien...

– Et cet homme qu'on appelle le Fouet ? Petit Ours dit qu'il t'a cherchée quand tu es partie de Holler Creek.

– Petit Ours est aussi bavard que son oncle Ours Blessé !

Cherokee attendait que la jeune femme lui parle de Ray, mais elle s'absorbait dans la préparation de la soupe comme si sa vie en dépendait.

– Alors ? insista la vieille.

– Alors quoi ?

– Ce type. Il t'a retrouvée ?

– Oui.

– Bon sang, petite ! Tu es restée trop longtemps avec John ! Tu deviens aussi secrète que lui. Qu'est-ce qui s'est passé, entre cet homme et toi ?

– Je l'ai envoyé promener.

– Comment ?

– Grâce à Lobo et à mon fusil.

– Hum ! S'il est parti, c'est parce qu'il le voulait bien, pas parce qu'il a eu peur. Que désirait-il ?

– La même chose que les Culpepper ! lança Kate.
– J'en doute. Il n'a pas la réputation de prendre les filles de force.

Kate leva les yeux, surprise d'entendre son amie dire du bien d'un représentant de la gent masculine.

– Tu le connais ?
– Pas personnellement, mais Ours Blessé et Steven Lonetree sont très liés, et Lonetree est l'ami de Reno, qui est le frère de Ray.
– Reno ? Celui qui tire si bien ?
– Ouais, mais seulement quand il y est obligé. La spécialité de Reno, c'est de chercher de l'or. On dirait que les esprits l'habitent, quand il prospecte avec sa femme, Eve. En tout cas, c'est ce que Lonetree a dit à Ours Blessé, et Ours Blessé l'a dit à Petit Ours, et...
– ... Petit Ours te l'a dit, termina Kate. Je t'assure, vous êtes meilleurs que le télégraphe de Denver pour propager les nouvelles.

Cherokee eut un petit rire.

– Tu verras, à mon âge, on n'a plus grand-chose d'autre à faire que de parler. En plus, les hommes sont les pires commères qui soient. Sauf John, évidemment ! Avec lui, autant parler à une tombe. Je ne sais pas comment tu as pu le supporter si longtemps. Moi, il m'aurait presque poussée à la boisson !
– J'ignorais que tu avais été assez proche de lui pour être agacée par son silence.

Cherokee s'absorba dans la contemplation de sa cheville enflée avant de répondre.

– Il faut pas bien longtemps pour que le silence me tape sur les nerfs.
– Moi, cela ne me gêne pas. John aimait lire, et il m'a transmis ce goût.

Cherokee eut un petit reniflement de mépris.

– Je les ai vus, tous tes livres. Une perte de temps, voilà tout, sauf s'ils parlent d'herbes et de médecines.

– En hiver, on n'a pas grand-chose à faire.
– C'est pas naturel, de pas s'exprimer.
– Oh, je parle tout le temps, à moi-même ou à Lobo.
– C'est bien. A condition d'avoir une réponse.

Kate vérifia que l'eau tiédissait.

– Un peu de tisane d'écorce de saule ? proposa-t-elle.
– Pouah ! Ça sent aussi mauvais que les ordures de l'enfer !
– Ça serait bon pour ta cheville.
– Des ordures, je te dis...

Ignorant la protestation de la vieille, Kate souleva le couvercle d'un ancien coffre en bois et reçut une bouffée d'odeurs mêlées. L'écorce de saule était facilement reconnaissable, mais pour les autres, elle ne se risquerait pas à les identifier. Certaines étaient mortelles, Kate le savait, et elle évitait même de les toucher.

Pendant qu'elle préparait la décoction, Cherokee sortit de sous sa couchette un sac de tapisserie dans lequel elle prit un petit paquet enveloppé de papier de soie, puis elle se rassit sans mot dire, le paquet sur ses genoux.

Lorsque Kate lui apporta la tisane, elle ignora le gobelet bosselé et la regarda droit dans les yeux.

– Il faut que nous parlions, déclara-t-elle. Je n'irai pas par quatre chemins : Kate, tu es veuve.
– Comment peux-tu en être sûre ?
– Tu parles ! J'ai enterré John de mes propres mains.

Kate écarquilla les yeux.

– Quoi ?
– C'était l'automne, et cette pauvre mule était couverte de sang.

La jeune femme fut soudain glacée. Cherokee ne lui avait jamais raconté comment elle avait retrouvé

Razorback. Elle s'était contentée de ramener la mule à la cabane de John et de dire à Kate qu'il rentrerait plus tard de sa concession, cette année-là, qu'elle ferait bien de commencer à se prendre en charge.

Elle avait ajouté qu'elle s'appelait Teresa et que Kate ne devait pas hésiter à lui demander assistance en cas de besoin.

– Tu as gardé le secret... murmura la jeune femme.

– J'ai soigné la mule, continua Cherokee, et puis j'ai remonté la piste, qui se terminait dans un horrible éboulement de terrain.

– Pourquoi ne me l'as-tu pas dit ? insista Kate.

– Pas la peine. Si ça s'était su, tous les hommes d'Echo Basin seraient venus hurler à ta porte, ils sont pires que des loups en chaleur, ceux-là. Et à quoi ça aurait servi ? Les passes étaient déjà fermées, tu n'aurais pas pu partir. Ton placard plein de provisions, tu étais plus en sécurité dans ta cabane qu'ailleurs, tant que personne n'était au courant de la disparition de John. Alors je me suis tue, et ensuite j'ai continué à me taire.

Kate n'arrivait pas à parler.

Les joues ridées de la vieille se teintèrent légèrement de rose.

– J'aurais dû te le dire avant, marmonna-t-elle, mais j'étais seule. C'est pas comme si j'avais eu une famille... Et puis les villes sont pleines de dangers pour une jolie fille comme toi. Tu étais mieux ici, mais j'ai surtout eu peur que tu ne t'en ailles, si tu apprenais la mort de John.

– Je ne partirai pas, cette cabane est mon foyer.

– Je n'avais pas le droit de te garder près de moi, poursuivit Cherokee. Pur égoïsme. Ma conscience me tarabuste, quand j'y pense. Je voulais te le dire, et te donner de l'argent pour...

– Non ! coupa Kate.

Cherokee redressa soudain les épaules.

– Les choses ont changé, décréta-t-elle. Il faut que tu partes.

– Pourquoi ? Simplement parce que je sais à présent ce dont je me doutais depuis deux ans ?

– Il faut que tu quittes Echo Basin.

– Pourquoi est-ce que je m'en irais ? insista la jeune femme. C'est ma maison.

– Tu ne pourras pas survivre, seule. Voilà pourquoi.

– Je m'en suis sortie trois hivers durant.

– John avait laissé des provisions, et tu en as racheté. Mais pas assez. Regarde-toi ! Tu n'as que la peau sur les os !

– C'est normal, l'hiver. Je grossirai en été.

– Et si ce n'est pas le cas ?

– Mais si !

– Bon sang, ma fille, tu es trop têtue !

– C'est grâce à ça que j'ai survécu, rétorqua Kate. Grâce à mon entêtement. Allons, bois ta tisane.

Cherokee repoussa le gobelet qu'elle lui tendait.

– Je t'ai aidée ces deux derniers hivers, mais...

– Je sais, et je t'en suis reconnaissante. Voilà le sel que je te dois. Bientôt, quand les cerfs seront de retour, je te rendrai...

– Bon sang, c'est pas ce que je voulais dire ! explosa la vieille. Maintenant, écoute-moi !

Devant cet accès de colère inattendu, la jeune femme se tut.

– Certains hommes sont meilleurs que les autres, avoua Cherokee à contrecœur. Bien meilleurs. En tout cas, c'est ce que racontent Betsy et Clémentine quand elles viennent chercher leurs herbes abortives.

Kate ferma les yeux. Elle savait que les prostituées venaient souvent rendre visite au sorcier, mais elle ignorait jusqu'à présent de quel genre de médicaments elles avaient besoin.

– Je vois, dit-elle faiblement.

– Tu ne vois rien du tout ! Mais j'y arrive. Ce qu'il faut, c'est te trouver un homme qui ne soit pas une bête en rut, et ce Ray me semble faire l'affaire.

Kate ouvrit la bouche pour protester.

– Tais-toi, petite ! coupa Cherokee en lui tendant le paquet. Ce colifichet a été offert à ma mère par un individu qui s'était épris d'elle. Elle me l'a donné. Je te le donne.

Déjà la vieille femme dépliait le papier de soie avec une sorte de respect.

L'emballage était d'une finesse extrême, mais moins que la chemise de soie et de dentelle qu'il contenait. Kate retint son souffle, émerveillée par le chatoiement du tissu.

Cherokee souriait, attendrie.

– C'est joli, hein ? J'ai pensé à cette chemise de nuit la première fois que je t'ai vue.

– Je ne peux pas la prendre.

– Tu ne la prends pas, je te l'offre.

– Mais...

– Bon sang, elle ne me va pas ! s'énerva Cherokee. Je suis trop forte. D'ailleurs, elle n'allait pas non plus à ma mère. Personne ne l'a jamais portée.

Kate effleura la chemise, légère et souple comme un nuage.

– Allez, accepte.

– Je ne peux pas.

– Bien sûr que si !

Cherokee replia la chemise dans le papier de soie et tendit le paquet à la jeune femme.

– T'as qu'à glisser ça dans la poche de la vieille veste de John et le rapporter chez toi.

– Mais...

– Je te préviens, je n'avalerai pas une goutte de ta décoction si tu refuses ce cadeau !

Kate prit le paquet de sa main libre.

– Maintenant, range-le ! insista Cherokee en acceptant enfin le gobelet de tisane.

Elle se mit à boire seulement lorsque la jeune femme eut glissé le cadeau dans sa poche.

– Je ne sais comment te remercier...

– Pas de quoi ! Je serai heureuse de savoir que tu l'as. Il est grand temps que cette chemise de nuit serve à quelque chose !

Kate rougit.

– Non, pas comme décoration sur une fille de petite vertu. Comme tentation pour un homme sérieux. Ray, par exemple, voilà un homme qui mériterait...

– Non !

– Qu'il te voie seulement dans cette chose soyeuse, et il renoncera à courir les routes en solitaire. Tu te retrouveras mariée avant d'avoir eu le temps de dire « ouf », ou « oui », ou...

– Non.

Cherokee soupira.

– Petite, écoute-moi...

– Non ! répéta Kate. C'est ton tour de m'écouter. Ma mère et moi avons vécu grâce à la générosité de mon oncle jusqu'à mes treize ans. Et puis maman est morte, rapidement suivie par mon oncle. Alors sa femme m'a transformée en véritable esclave.

Cherokee hocha la tête.

– J'étais employée chez un tailleur. Je n'avais pas le droit de quitter sa boutique. J'y travaillais, j'y mangeais, j'y dormais. Quand il était ivre, environ deux fois par mois, je le chassais de ma chambre en lui faisant peur avec les ciseaux que je cachais sous mon oreiller.

Cherokee hocha de nouveau la tête, pensive.

– Un jour, l'oncle de ma mère est arrivé en ville, continua Kate d'une voix neutre. La lettre que je lui avais écrite à la mort de maman lui était enfin parvenue, et il venait me chercher. Il avait en sa possession le foulard de soie de ma mère et l'alliance de ma tante. Il a passé l'anneau à mon doigt, et je suis devenue Mme Smith.

– C'est bien ce que je pensais, dit Cherokee. Une fille comme toi ne s'installe pas avec un type du genre de John, sauf si elle ne peut vraiment pas faire autrement.

Kate eut un sourire doux-amer.

– Crois-moi, à côté de ce que j'avais connu, John et Echo Basin représentaient le paradis pour moi.

– C'est ce que j'ai ressenti aussi. Mais j'y suis arrivée alors que j'étais plus âgée que toi, seule, et déguisée en homme. Mon père était mexicain, ma mère était une prostituée du Tennessee, forte comme une mule et pratiquement aussi stupide. J'ai effectué des travaux d'homme dès l'âge de dix ans, mais j'étais payée comme une fille et traitée comme moins que rien. Après la mort de ma mère, je suis partie et jamais je n'ai jeté un regard en arrière.

– Ni sur un mari possible, précisa Kate.

– J'en avais plus qu'assez d'être l'esclave d'un homme.

– Et pourtant tu voudrais que moi, je cherche un époux !

– C'est différent.

– Oui, dit la jeune femme, ironique. Il s'agit de *mon* esclavage, pas du tien.

Cherokee lâcha un juron.

– Tu es trop rapide pour moi, petite, comme toujours. C'est vrai que je me fais vieille. Cette satanée cheville ne veut pas guérir, et je ne sais pas si je pourrai chasser cet été. Alors pour toi...

– C'est moi qui chasserai pour nous deux.

– Je reconnais que tu as plus de courage que trois

hommes réunis, mais en ce qui concerne la chasse, tu n'es pas très douée...

– Je m'améliorerai avant l'été.

Les yeux sombres de Cherokee ne quittaient pas le visage de la jeune femme, pourtant elle ne parla plus d'homme, ni de mariage, ni de survie. Kate n'aurait pas le temps, d'ici l'hiver, de se perfectionner suffisamment dans l'art de la chasse pour nourrir deux personnes. Elle devrait s'en rendre compte par elle-même, puisqu'elle ne voulait pas écouter les conseils de sa vieille amie.

Mais il fallait qu'elle réagisse suffisamment tôt, avant que la haute passe de Whiskey Creek ne soit bloquée par la neige. Alors, tous les êtres vivant à Echo Basin resteraient prisonniers jusqu'au printemps. Ou bien ils mourraient de faim.

4

Au soleil couchant, Kate, épuisée, atteignit enfin le sommet de la pente abrupte qui surplombait sa cabane. D'où elle se trouvait, elle l'apercevait à peine, cachée par de hauts sapins et nichée contre la montagne.

Rarement son logis lui avait paru aussi accueillant. Depuis qu'elle avait quitté la petite maison de Cherokee, elle avait chassé, en quête de nourriture, mais elle revenait bredouille, lasse, l'estomac dans les talons. L'espèce de gargouillement qui lui échappa fit dresser les oreilles au chien.

– Rassure-toi, dit-elle, je n'ai pas l'intention de te dévorer pour mon dîner.

Lobo remua la queue, se léchant les babines.

– Ne me regarde pas comme ça, reprit-elle en lui caressant la tête. Si tu as faim, va attraper quelque chose. Et tâche d'en trouver suffisamment pour deux. D'accord ?

Comme elle était seule, Kate ne faisait aucun effort pour dissimuler une fatigue qui s'entendait dans le ton de sa voix, se voyait à son attitude.

Hormis les quelques morceaux de viande séchée du matin, elle n'avait rien avalé de la journée. Le reste du gibier avait cuit dans la soupe de Cherokee avec des légumes verts cueillis près de la cabane de la vieille femme.

C'était plus que Kate n'en aurait elle-même à se mettre sous la dent. Elle avait eu beau suivre les traces d'un cerf, jamais elle n'avait pu s'en approcher suffisamment pour risquer une de ses précieuses cartouches.

Ereintée, elle descendit vers sa maison dont l'un des murs était formé par la paroi rocheuse de la montagne. Quelque part sous ses pieds se trouvait la caverne avec la source chaude. Sur la gauche, il y avait un entassement de rochers, là où John avait creusé une issue secrète.

Lobo trottinait devant elle, humant l'atmosphère de la clairière. Soudain, il s'immobilisa, les oreilles couchées, les crocs découverts sur un grognement silencieux.

Aussitôt, Kate se colla à un arbre, le fusil levé.

Le grand chien ne réagissait ainsi qu'en présence d'un être humain.

Il y avait quelqu'un près de chez elle. Peut-être même à l'intérieur, caché, en train de la guetter.

En silence, elle continua à descendre la pente boisée. Une fois arrivée en terrain plat, elle contourna la maison en prenant soin de rester sous le couvert des arbres.

Le chien accordait toute son attention à la cabane elle-même, et la jeune femme en comprit la raison quand elle aperçut un cerf fraîchement tué et dépouillé suspendu à un angle de la cabane.

C'était là que John accrochait le gibier pour le dépecer avant de mettre la viande à sécher.

– John ? murmura-t-elle.

Lobo fit soudain volte-face, les poils dressés sur le cou, pour fixer la crête.

Kate suivit la direction de son regard et là, sur le ciel orangé, se découpait un cavalier, facilement identifiable à la largeur de sa carrure et au fouet enroulé à son épaule droite.

Ray.

Il effleura son chapeau, fit tourner sa monture et disparut sur l'autre versant de la colline.

Kate attendit longtemps, en retenant son souffle, mais il ne reparut pas.

Enfin, Lobo bâilla, et vint la caresser du museau pour l'entraîner vers la cabane.

– Entendu, mon vieux. Je suppose que Ray ne se risquera pas à venir, maintenant qu'il sait que nous l'avons vu.

Elle se persuadait que c'était mieux ainsi.

Mais elle se mentait, elle le savait.

Elle voulait aussi se convaincre de laisser le cadeau de Ray pourrir sur place.

Mais cela non plus, elle n'y croyait pas. Elle avait beaucoup trop faim !

Mi-reconnaissante, mi-furieuse, en tout cas désorientée, elle pénétra dans la cabane et sortit de sa poche le présent de Cherokee.

« Qu'il te voie seulement avec cette chose soyeuse...

et tu te retrouveras mariée avant d'avoir eu le temps de dire "ouf"... »

Un étrange fourmillement la traversa à l'idée de porter la chemise, de sentir sa douce fraîcheur sur ses seins.

– Serais-je assez jolie pour le retenir ? Serait-il tendre avec moi ?

Seul le silence de la petite maison lui répondit et elle sortit pour s'occuper de son autre cadeau, le cerf.

Bientôt, le premier vrai repas qu'elle eût pris depuis des mois fumait sur la table. Malgré son appétit féroce, elle s'obligea à manger lentement, à savourer chaque délicieuse bouchée.

Mais d'autres cadeaux combleraient la jeune femme.

Le lendemain matin, Kate trouva deux sacs accrochés à une branche, près de la rivière. Le premier contenait des pommes séchées, du sucre, de la cannelle et du lard. Dans le second elle découvrit les marchandises qu'elle avait oubliées à Holler Creek, ainsi que d'autres provisions.

Elle résista plusieurs heures à la tentation, puis elle décida qu'il ne serait pas raisonnable de les abandonner aux bêtes.

Une fois sa résolution prise, elle ne perdit pas de temps pour préparer une tarte aux pommes, des biscuits, du pain qu'elle partagerait avec sa vieille amie.

Tandis qu'elle se dirigeait vers la cabane de Cherokee, elle sentit qu'elle était suivie. C'était juste une impression, une sorte d'instinct animal.

Pourtant, chaque fois qu'elle se retournait, espérant apercevoir Ray, elle ne voyait derrière elle que les rochers, les arbres et le ciel au-dessus des montagnes.

Lobo ne semblait aucunement alerté.

– Entre, ma fille ! l'invita Cherokee en ouvrant la porte.

– Merci.

Kate se débarrassa du sac à dos rudimentaire qu'elle avait fabriqué avec des lanières et une vieille sacoche.

– Comment va ta cheville ?

– A merveille !

Son amie mentait.

– Bon ! Je t'ai apporté à manger pour te rendre ce que tu m'as prêté l'hiver dernier.

– C'était pas un prêt, alors tu n'as rien à me rendre ! protesta Cherokee.

– Je vais pendre le gibier dans ce coin, poursuivit Kate, ignorant la remarque. Le reste, je le range dans le coffre à provisions.

Perplexe, Cherokee observait la jeune fille qui s'affairait.

– C'est du gibier frais ? dit-elle enfin.

– Oui.

– Que je sois damnée ! Tu as attrapé un cerf ?

Kate ne répondit pas.

– Garde la farine et le sucre, reprit Cherokee. J'en ai encore assez pour tenir jusqu'à ce que j'extraie un peu d'or ou que je vende mes herbes à Holler Creek.

Kate demeurait silencieuse.

– Des pommes ! s'écria la vieille. Je sens bien une odeur de pommes ?

– Absolument. J'ai posé une tarte sur le poêle pour la réchauffer.

– Du pain. De la tarte. Par le Ciel ! Tu es bel et bien retournée en ville chercher tes provisions !

La jeune femme émit un son qui voulait tout dire... ou rien.

– C'est une belle folie ! continua Cherokee. Deux des frères Culpepper ont été blessés par Ray. Sans compter leur orgueil bafoué. Ils auraient pu se venger sur toi.

– Ils ne l'ont pas fait.

– Quand même, ils...

– Je ne suis pas allée à Holler Creek, coupa Kate.

Cherokee demeura un moment silencieuse, puis son vieux visage se fendit d'un sourire radieux.

– C'est Ray ! Tonnerre du Ciel, il te fait la cour !

Kate voulut protester, mais elle y renonça. Cherokee ne refuserait pas de partager les provisions avec elle si elle pensait que Ray la courtisait.

– Peut-être que oui, peut-être que non, répondit Kate.

– Je suis sûre que si ! Où as-tu la tête, petite ? Tu lui plais. A moins que tu n'aies déjà mis cette camisole pour lui ?

– Je suis mariée, ne l'oublie pas ! C'est ce que tout le monde pense, et je préfère que tu t'en souviennes aussi.

– Hum ! Porter une alliance n'a jamais fait un mariage. De toute façon, tu es veuve.

– Ne reste pas debout, tu vas fatiguer ta cheville, déclara Kate, détournant résolument la conversation. Je vais chercher de l'eau et du bois, parce que je ne pourrai peut-être pas revenir avant plusieurs jours.

– Où pars-tu ?

– A la chasse.

Cherokee éclata de rire.

– Tu vas lui donner du fil à retordre, hein ?

La jeune femme eut un furtif sourire.

– Je vais le faire courir jusqu'à ce qu'il morde la poussière, dit-elle en imitant l'accent de Cherokee.

Celle-ci redoubla de rire.

Rappelle-toi bien une chose, conseilla-t-elle quand elle eut retrouvé son sérieux. Continue à lui échapper jusqu'au moment où il t'attrapera pour te traîner devant le prêtre.

Kate se rembrunit. Ce n'était pas le mariage que Ray avait en tête, elle le savait parfaitement. Mais Cherokee l'ignorait, et elle jubilait à l'idée que sa jeune amie aurait bientôt un avenir assuré.

– Assieds-toi, insista Kate. Si je te vois encore debout, je m'en vais tout de suite.

Docile, Cherokee alla s'étendre sur sa couchette.

Dès qu'elle sortit de la cabane, Kate fut certaine que Ray était là, tout près. Pourtant le grand chien se prélassait, allongé au soleil, le museau sur les pattes.

Tandis qu'elle tirait de l'eau, portait du bois, la jeune femme ne cessait de regarder du côté du vent arrière, la seule direction où Ray pût échapper au flair de Lobo.

Elle ne vit rien.

Mais elle entendit un son qui pouvait ressembler à la chanson du vent à travers les rochers, au loin... ou à la douce mélodie d'une flûte de Pan.

Durant les longues heures qu'elle passa à chasser après avoir quitté Cherokee, Kate ne cessa de guetter la présence de Ray. On l'observait, elle en était certaine. Et puis il y avait ces notes de musique qui lui parvenaient aux moments les plus inattendus. Leur écho faisait dresser la tête de Lobo sans qu'il aboie pour autant. La mélodie désincarnée ne représentait aucune menace pour le chien.

Kate ne parvint pas à apercevoir l'homme dont la présence la troublait aussi sûrement que sa musique troublait le silence de la montagne.

Le jour suivant, elle pistait une trace de gibier quand, entre deux gros rochers, elle découvrit trois grouses plumées, accrochées par les pattes à une branche basse.

Elle se retourna, cherchant frénétiquement une

présence, mais ne vit que les arbres et les roches, le soleil et les nuages d'un blanc pur. Aucune marque au sol, pas de brindilles cassées, ni de feuilles arrachées.

Elle n'avait pas non plus entendu de coups de feu, or les volatiles venaient visiblement d'être tués.

« Il les a eus avec son fouet. Bon sang, il est rapide ! »

Lobo reniflait le sol sous les poules.

– Eh bien, je suis heureuse que tu sentes enfin son odeur. Je commençais à croire qu'il s'agissait d'un fantôme !

Après une brève hésitation, elle détacha les grouses qu'elle fourra dans sa besace.

– Inutile de les laisser pourrir sur place, marmonna-t-elle pour se justifier.

Le molosse huma l'air plusieurs fois, puis il fixa sa maîtresse, attendant les instructions.

Kate avait les mains qui tremblaient. Savoir Ray si proche et pourtant hors de portée du flair de son chien la rendait nerveuse.

Au moins, il gardait ses distances ! D'ailleurs il n'approcherait pas tant qu'elle serait accompagnée de Lobo... et armée de son fusil.

Sur le chemin du retour, tout en cherchant du gibier, Kate ramassa des herbes fraîches.

Lorsqu'elle arriva à la cabane, elle découvrit un quartier de bacon qui pendait à la même place que le cerf offert par l'homme.

Elle regarda vivement autour d'elle.

Personne.

Cependant, quelques heures plus tard, quand la lune jeta sa lumière argentée sur la clairière, elle entendit le son de la flûte, porté par la brise nocturne.

Elle s'assit dans son lit, tandis qu'à ses pieds le chien poussait un grognement sourd.

Puis il se calma, et la jeune fille se dirigea vers la

fenêtre, entrouvrit les volets. Mais rien ne troublait le paysage familier.

Lorsque Lobo s'affala de nouveau dans son coin, Kate sut qu'elle ne courait aucun danger.

Elle retourna se coucher, bercée par le souffle mélodieux de la flûte.

Le lendemain fut à peu près semblable : l'impression d'être suivie demeurait et le son de la flûte l'accompagnait tandis qu'elle traquait un gibier qui lui échappait. Mais le cadeau, ce jour-là, se matérialisa sous la forme de trois truites tout juste sorties du ruisseau.

Quand la musique s'éleva dans la nuit, elle se réveilla sans crainte. Le grand chien gronda, fit plusieurs fois le tour de la cabane, puis il se rendormit.

Kate écouta les notes un peu mélancoliques, tout son être bouleversé par une émotion qu'elle n'aurait su nommer.

Le troisième jour lui apporta des pommes de terre et des oignons, un luxe dont elle avait été privée depuis des mois.

Et la nuit vint avec la musique.

Le quatrième jour, elle trouva un pot d'une confiture qui avait le goût d'un matin d'été.

Au son de la flûte, tôt dans la soirée, Lobo leva le museau, mais ne prit même pas la peine de se dresser sur ses pattes. Il s'était habitué à la musique nostalgique.

Le cinquième jour, en rentrant de l'expédition de chasse, Kate trouva son tas de bois considérablement augmenté, le maillet qu'elle avait cassé était réparé, la hache affûtée, ainsi que la scie.

Lobo flaira tous ces objets d'un air soupçonneux avant d'aboyer longuement mais rien ne répondit à son défi, et il ne sentait aucune inquiétude dans le comportement de sa maîtresse.

Alors il se calma. Peu à peu, il acceptait l'odeur de Ray.

Ce soir-là, il ne réagit pas lorsque les notes vinrent flotter dans le crépuscule. Kate, qui était en train de mettre du linge à sécher au-dessus du poêle, pencha la tête et ferma les yeux, charmée par la beauté de la musique.

Le lendemain, en rentrant une fois de plus bredouille de la chasse, elle trouva du petit bois, coupé à la taille exacte de son fourneau, soigneusement empilé près de la porte de la cabane.

Alors, le son de la flûte lui parvint depuis la forêt, et elle se retourna vivement, mais ne distingua personne.

Et la flûte se tut.

Le septième jour, elle fut accueillie par un bouquet de fleurs sauvages.

Elle se mordit la lèvre pour refouler une absurde envie de pleurer et scruta les environs, souhaitant apercevoir plus qu'une ombre. Au cours des derniers jours, elle avait cessé de s'inquiéter de la présence de Ray, elle ne redoutait plus qu'il l'agresse.

S'il avait eu cette intention, ç'aurait été facile pour lui. Elle était vulnérable dès qu'elle quittait la cabane, il le savait comme elle.

Les Culpepper aussi, hélas !

Kate se demanda si Ray avait vu les traces des quatre mules à quelques kilomètres de chez elle. Quand elle les avait découvertes, la jeune fille avait été soulagée de savoir que Ray veillait, quelque part dans la forêt, la protégeait.

Cette pensée fit flotter sur ses lèvres un sourire qui s'effaça bien vite. La protection de Ray ne durerait pas indéfiniment. Dès qu'il se rendrait compte qu'elle ne désirait pas se donner à lui, il irait chercher ailleurs une femme plus accueillante.

En attendant, Kate était heureuse de ne pas se trouver tout à fait isolée.

Elle se pencha pour ramasser le bouquet, et contempla les pétales aux somptueuses couleurs, tentant de se rappeler la dernière fois où on lui avait offert un cadeau qui ne fût pas seulement utile.

Elle ne trouva pas. Même le présent inattendu de Cherokee avait sa nécessité, au même titre qu'une boîte de cartouches ou un quartier de viande.

Avec un sanglot déchirant, la jeune fille enfouit son visage dans les fleurs, et elle fondit en larmes.

Quand elle releva la tête, elle aperçut Ray sur la crête, se découpant sur le bleu du ciel. Elle cligna des yeux pour chasser ses larmes.

Mais ensuite, elle ne vit plus que le ciel déserté.

Bouleversé, Ray descendit vers l'endroit où il avait laissé son cheval.

Pourquoi Kate avait-elle pleuré sur un bouquet de fleurs ?

Il ne trouvait pas de réponse à cette question troublante.

Avec un juron, il se mit en selle. A la voir traverser la clairière, il avait senti le désir monter en lui, irrépressible. Sa démarche aurait enflammé une pierre, or il n'était pas en pierre !

Il était à la fois amusé et ennuyé par cette réaction. Il n'avait pas été séduit avec cette force depuis sa brève liaison avec Laura Marrie. Il savait que celle-ci cherchait seulement à épouser un des frères Moran, mais les soupirs énamourés, l'haleine parfumée, le bruissement de son jupon de soie et son décolleté vertigineux lui avaient arraché une réponse instantanée.

Cependant Kate ne portait pas de jupon de soie et ses seins étaient soigneusement dissimulés, sauf quand le vent plaquait sa chemise sur son corps, révélant des courbes inattendues. Il ne s'était pas approché suffisamment pour sentir son haleine, mais il avait découvert un plant de menthe non loin de la cabane, et il l'avait vue une fois en cueillir quelques feuilles.

Il se demanda quel goût elle aurait quand il l'embrasserait.

Puis il s'interrogea de nouveau sur la raison de ses larmes.

Peut-être était-elle simplement seule...

Il y réfléchit tandis qu'il se dirigeait vers Holler Creek. Oui, les veuves étaient souvent seules, surtout si elles n'avaient pas d'enfant.

Bon sang, n'importe quelle femme se sentirait esseulée, dans cette situation !

Evidemment, il y avait le vieux sorcier auquel elle rendait visite au nord d'Avalanche Creek. C'était une sorte de compagnie, pour elle.

Ray avait été surpris la première fois qu'il l'avait suivie jusqu'à la minuscule demeure de Cherokee. Puis il avait vu que le vieux semblait souffrir, et il avait compris qu'elle était venue pour l'aider.

« Elle doit être habituée à s'occuper des personnes âgées. Si on en croit la rumeur, le Silencieux n'est plus de la première jeunesse. Ou n'était. Est-il mort, comme le pensent les Culpepper, ou bien est-il en difficulté, caché quelque part ? »

La seule réponse que trouva Ray fut une autre question.

Il était possible que John fût blessé, comme le vieux sorcier, attendant d'être guéri pour revenir chez lui.

Après tout, on l'avait vu sur sa mule à la fonte des neiges.

Ray serra les dents. Bien qu'il imaginât sans peine le plaisir qu'il aurait à faire l'amour avec Kate, il n'appréciait guère l'idée de séduire une femme mariée. Pas plus qu'une fille vierge. Ce n'était pas digne d'un honnête homme.

C'est pourquoi il passait tellement de temps en quête de traces de John, une preuve qu'il était en vie, soit en train de chercher de l'or, soit occupé à se remettre de quelque blessure, tapi dans un coin.

Il n'avait rien découvert d'autre que des trous dans le roc, preuve qu'on avait pioché, mais rien n'indiquait si c'était récent ou non. Il était certain d'une seule chose : les traces de feu de camp qu'il avait trouvées n'avaient pas été dérangées depuis la dernière pluie, trois jours auparavant.

Trois jours, trois mois, trois ans, impossible à dire.

Mais Ray n'avait pas des siècles devant lui pour trouver John.

Il ignorait combien de temps il resterait encore dans cette région. Il s'y était déjà attardé plus que nulle part ailleurs depuis qu'il avait quitté la Virginie.

S'il y était resté, c'était en partie à cause de la présence de son frère Reno, de sa sœur Sarah, d'amis comme Caleb et Steven. Mais la terre elle-même était aussi terriblement attirante, avec une odeur et des couleurs comme on n'en admirait dans aucun endroit. Il était fasciné par les pics enneigés, les longues vallées verdoyantes.

Pourtant, malgré son amour pour les Rocheuses, il n'envisageait pas de s'y installer définitivement. Un jour ou l'autre, la fièvre des voyages le reprendrait, et il partirait là où son humeur le pousserait, à la recherche d'autre chose, d'une aurore qu'il n'avait encore jamais vue.

Mais en attendant de ressentir l'appel de l'aventure, rien ne l'empêchait de profiter de ce qu'il avait sous les yeux.

Accompagné de ses seules pensées, poussé par des bourrasques de vent, Ray cherchait une piste dans la lumière rasante de la fin de l'après-midi. Il vit des traces de cerf, de couguar, il entendit le cri de parade nuptiale d'un aigle. Mais aucun signe de présence humaine.

Il n'y avait pas de nouvelles traces de sabots à l'endroit où les eaux écumantes de Holler Creek rejoignaient celles d'Avalanche Creek. Seulement celles des quatre mules qu'il avait déjà repérées, un peu effacées par une averse mais encore bien visibles.

Les Culpepper étaient venus jusqu'à l'embranchement du chemin qui menait à la cabane de Kate. Trois d'entre eux étaient restés là à boire, pendant que le quatrième partait en reconnaissance vers l'est.

Ray se trouvait sur le flanc de la montagne derrière la maison de Kate quand il avait vu Jake se faufiler entre les arbres. Il avait sorti sa carabine, et l'homme avait senti le rocher éclater à côté de lui. Sans demander son reste, Jake était retourné chercher sa mule et s'était enfui à vive allure.

Ray l'avait pisté jusqu'à l'endroit où l'attendaient ses frères. Sans chercher à savoir qui avait attaqué Jake, ils étaient partis le plus vite possible après avoir jeté leurs bouteilles de whisky.

Quand Ray était arrivé à leur point de rencontre, il n'avait trouvé que leurs traces et des éclats de verre brisé.

Il y avait deux jours de ça, et ils n'étaient pas revenus. Mais Ray était certain qu'ils traîneraient de nouveau par là dès qu'ils en auraient le courage.

Il demeura longtemps immobile à penser aux Culpepper, à John, à la fille qui avait une démarche de reine. Rien n'indiquait que le Silencieux fût encore en vie, et moins encore en train de prospecter sur une de ses concessions.

« Peut-être est-il allé courir après une prime à l'autre bout du territoire », se dit-il, les sourcils froncés.

Pourtant il n'y croyait guère. Il aurait plutôt parié que John était mort. Aucun homme aussi avisé que lui n'aurait laissé une jeune femme seule pendant six semaines avec les Culpepper rôdant dans les parages.

Si c'était le cas, Kate était terriblement vulnérable, isolée dans une région où les hommes étaient privés de femmes. Le grand chien avait beau être impressionnant, Kate se montrer prudente, un jour ou l'autre, les Culpepper la prendraient par surprise.

Et ce serait sans doute bientôt.

Ray détestait imaginer ce qu'il adviendrait de Kate à ce moment-là. Il était temps qu'il s'approche davantage de son beau mustang à demi apprivoisé.

5

Le lendemain matin, Kate ne fut pas réveillée par le chant de la flûte qui appelait le soleil, mais par le bruit rythmé d'une hache sur les bûches.

Un son qu'elle n'avait pas entendu depuis des années.

Elle se tourna aussitôt vers le chien, mais il dressait les oreilles sans paraître réellement inquiet.

Kate se précipita vers l'une des deux fenêtres de la cabane, obturées par de solides volets hermétiques, qui comportaient une fente réservée au passage d'un canon de fusil. Bien que l'ouverture fût protégée par un morceau de tissu, l'air frais pénétrait sans cesse à l'intérieur.

Elle entrouvrit le volet de bois.

Ray était là, à quelques mètres. Malgré le froid, il avait ôté sa veste, et sa chemise rouge flamboyait dans la lumière grise.

Solidement campé sur ses jambes, il soulevait la lourde hache et l'abattait sur le billot. Ensuite, il ramassait les demi-bûches pour les fendre de nouveau.

L'élégance et l'aisance de ses gestes troublèrent la jeune femme, et elle resta longtemps immobile à contempler cette danse virile et souple.

Enfin une goutte d'eau glacée lui tomba sur le nez, la sortant de son état de transe. Tout engourdie, elle recula et ferma le volet.

Mais elle ne pouvait pas pour autant oublier la mâle puissance de Ray, son corps bien découplé tandis qu'il travaillait.

La tête lui tournait un peu lorsqu'elle se mit à ses tâches matinales. Comme elle n'aurait pas à chercher du bois dans la forêt, elle décida de se préparer un petit déjeuner chaud.

Inconsciemment, elle commença à fredonner la mélodie de la flûte tout en ranimant les braises, ajouta quelques bûches dans le poêle et y posa une bouilloire remplie d'eau tiède. Elle souriait de plaisir.

L'un des cadeaux de Ray comprenait un sac de café. Kate n'en avait pas eu depuis deux ans, mais elle savait encore comment le préparer.

Bien vite, la cabane fut parfumée de l'odeur de biscuits, de bacon, de café et de feu de bois.

Une fois le café passé, elle en versa dans un gobelet cabossé et sortit à la rencontre de l'homme dont la présence ne l'effrayait plus.

Ray se penchait pour ramasser une nouvelle bûche quand il la vit tout près de lui, du givre dans les cheveux, une tasse fumante à la main.

Et elle la lui tendait.

Il la prit en faisant bien attention de ne pas toucher la jeune femme. Il ne voulait surtout pas effaroucher son joli mustang.

Pas maintenant.

Pas alors qu'elle était près de lui manger dans la main.

– Merci, dit-il d'une voix profonde.

Kate retint son souffle un instant.

– De rien, Ray.

Son intonation était douce, un peu voilée, comme l'homme se la rappelait. En entendant son nom sur ses lèvres, il fut envahi d'une délicieuse chaleur.

L'impression s'intensifia quand il la regarda.

Ses yeux étaient deux saphirs, sa chevelure soyeuse, qui refusait de se laisser emprisonner par les tresses, s'échappait par endroits pour venir caresser sa joue, son cou fragile.

Quand il sentit le parfum de la jeune femme, il prit une profonde inspiration, heureux de cette intimité, si ténue fût-elle.

Kate rougit, et ce n'était pas en réaction au froid de l'aube. Lorsqu'il se rendit compte qu'il ne cessait de la contempler, Ray porta la tasse à ses lèvres, conscient de se comporter comme un adolescent en train de regarder une jolie fille pour la première fois.

– Attention ! l'avertit Kate en interrompant son geste.

Il se liquéfia, non pas à cause de l'avertissement mais parce que les doigts de la jeune femme avaient glissé sur le gant pour se poser sur la peau nue, au-dessus de son poignet. Tièdes, incroyablement doux, ils sentaient un peu la menthe, comme son souffle.

Il eut envie de l'attirer dans ses bras afin de lui montrer combien il appréciait cette odeur.

Il n'en fit rien, évidemment. Il n'était pas arrivé jusque-là pour l'effrayer.

– Le café est horriblement chaud, expliqua Kate.

Ray sourit, révélant des dents aussi saines et blanches que celles de la jeune femme.

– C'est comme ça que je l'aime. Brûlant et sucré.

Le sourire de Kate vacillait un peu, son cœur s'affolait. Ray dégageait une intense chaleur qui irradiait jusqu'à elle, et c'était bon.

– Je suis désolée, dit-elle, j'ai oublié de le sucrer.

– Inutile.

– Mais vous venez de dire que vous l'aimiez brûlant et sucré.

– J'ai dit ça ?

La jeune femme hocha la tête, et Ray eut un fin sourire.

– Je devais avoir l'esprit ailleurs.

Il avala une gorgée, ferma les yeux de plaisir.

– Il est parfait comme ça, vraiment parfait. Et aucun sucre au monde ne saurait me rendre l'instant plus doux.

Kate se détourna légèrement, gênée.

– Le petit déjeuner sera bientôt prêt, annonça-t-elle. Je laisserai de l'eau tiède près de la porte pour que vous puissiez vous laver les mains.

– Je le prendrai ici.

Elle leva vers lui un regard franchement surpris. Les sourcils froncés, elle repoussa une mèche rebelle derrière son oreille.

– Inutile de manger dans le froid. Je suis pauvre comme Job, mais j'ai tout de même une table et deux chaises !

– Ce n'est pas le problème. J'ai peur de vous rendre nerveuse, si j'entre chez vous.

Kate jeta un coup d'œil au long fouet enroulé autour d'une bûche, à portée de main de Ray.

– Ma cabane n'est pas aussi grande que le magasin de Murphy, dit-elle avec humour. A l'intérieur, vous ne pourriez pas vous servir de votre fouet. Et puis Lobo est vigilant.

Ray baissa les yeux sur sa tasse afin de dissimuler une lueur d'amusement. On ne se battait pas seulement avec un fouet, il l'avait appris durant ses nombreux voyages. Quant à Lobo, il était suffisamment rapide et énorme pour venir à bout d'un homme imprudent.

Mais Ray était tout sauf imprudent.

Toutefois, il n'était pas assez stupide pour faire part de ses remarques à Kate. Il ne voulait pas la troubler et lui voir cette expression tendue qu'elle avait lorsqu'elle exécutait des tâches qui auraient rebuté plus d'un solide gaillard.

– Alors je serai fort honoré de partager votre repas, dit-il. Appelez-moi quand vous serez prête.

Il posa le gobelet avant de ramasser une nouvelle bûche.

– Entendu, répondit la jeune femme.

Elle s'attarda encore, dans l'espoir de croiser son regard argenté, mais il s'était remis au travail, avec sa grâce énergique.

Kate le contemplait, fascinée. Ce devait être grisant de se sentir si fort, si sûr de soi, d'exhaler la puissance à chaque mouvement.

Puis elle se rendit compte qu'elle le fixait avec insistance et, toute rouge, elle s'enfuit vers la cabane comme si elle avait le diable à ses trousses.

Ray fendit encore quatre bûches avant de risquer un coup d'œil par-dessus son épaule.

Kate avait disparu.

Il poussa un long soupir. Il avait mal de la tête aux pieds, et de savoir qu'elle aimait le regarder ne l'aidait pas à s'apaiser.

Pourtant, il fallait qu'il se calme.

Plus il l'approchait, plus Ray comprenait que Kate était bien différente des veuves avec lesquelles il avait partagé quelques jours, ou quelques semaines. Elle rougissait, détournait les yeux dès qu'elle croisait son regard, pourtant ce n'était pas de la coquetterie. Elle ne s'y entendait pas plus pour flirter que pour traquer le gros gibier.

« Le Silencieux ne devait pas être très doué avec les femmes, se dit-il. Elle se comporte comme une jeune mariée et non comme une femme qui connaît la chanson. Bon sang, je me demande à quel point elle est inexpérimentée dans un lit ! »

Cette pensée le taraudait, et il leva sa hache avec plus d'ardeur encore. La bûche se fendit, mais elle roula hors de portée.

Il pestait contre sa maladresse en s'apprêtant à recommencer quand Kate l'appela depuis la cabane.

Cette fois, il manqua complètement son coup.

– Quel imbécile ! marmonna-t-il entre ses dents. Je ne suis vraiment bon à rien !

Il leva sa hache plus doucement, et la bûche tomba docilement à ses pieds.

« Que cela me serve de leçon ! Avec les bûches ou avec les femmes, la finesse l'emporte toujours sur la brutalité. »

Il se débarrassa de ses gants qu'il fourra dans la poche-revolver de son pantalon et, par habitude, glissa son fouet sur son épaule.

Quand il ôta son chapeau devant la cabane pour se laver le visage, le givre était mêlé à ses cheveux. La cuvette exhalait une odeur de menthe, et non de lavande, pourtant cela raviva des souvenirs en lui.

La salle de bains de Sarah... Toute chaude, grâce à la source tiède que Steven et Reno avaient canalisée pour leur usage. Riche, minérale.

Il prit de l'eau dans ses mains et y plongea le visage avec un petit grognement de plaisir.

Si seulement il en avait profité le matin ! Se raser à l'eau du ruisseau était un véritable cauchemar, même si la lame était bien affûtée.

Il releva la tête, soudain intrigué, et scruta les alentours. Il n'avait jamais remarqué de source chaude, dans les environs, et on ne voyait nulle part de colonne de vapeur qui en indiquerait une. Donc il y avait forcément une grotte.

– Dépêchez-vous, avant que je donne tout à Lobo ! s'exclama Kate.

– Vous n'oseriez pas !

Il s'aspergea rapidement avant de se savonner, puis de se rincer. Quand il releva la tête, la jeune femme était à côté de lui.

– Tenez, dit-elle doucement.

Ray prit le linge qu'elle lui tendait. Bien que le tissu fût élimé, on distinguait encore un motif de fleurs et d'oiseaux, aussi féminin que la main tendue vers lui. C'était sans doute le reste de sa robe préférée. Ou peut-être de sa seule robe. Il ne l'avait jamais vue autrement que dans de vieux vêtements d'homme sommairement ajustés à sa taille.

– Merci.

Il eut l'impression de sentir ses doigts effleurer les siens, mais il ne l'aurait pas juré.

Kate, elle, en était sûre. Ses yeux s'agrandirent, sa respiration s'accéléra.

– Je... je vous attends à la porte, souffla-t-elle.

– Ce n'est pas la peine, dit Ray en plongeant le visage dans le tissu. Je ne mords pas.

– Mais Lobo, si. C'est pourquoi je le laisse à l'intérieur pour l'instant. Il n'est pas habitué à une présence masculine.

– Quel âge a-t-il ?

– Oh, un peu plus de deux ans, je suppose.

Ray releva vivement la tête.

– Et John, c'est un homme, non ?

Kate cligna des yeux, se mordit la lèvre.

– John est une exception, bien sûr, répondit-elle en fixant ses mains.

Ray avait la nette impression qu'elle mentait, mais il ignorait dans quel but.

« Sans doute ne tient-elle pas à ce que l'on sache que le Silencieux s'absente souvent. Et longtemps. »

Soudain, la lumière se fit dans son esprit : John était si peu là que le chien n'avait pas eu l'occasion de s'accoutumer aux hommes !

Kate avait eu de la chance, jusqu'à présent, d'échapper aux chercheurs d'or et aux hors-la-loi. Mais elle ne parviendrait pas à tenir indéfiniment les Culpepper à distance.

Avant de reprendre sa vie itinérante, il faudrait que Ray ait un entretien avec ces vauriens.

Distraitement, il s'essuya les mains et se dirigea vers la porte de la cabane.

– Attendez ! fit Kate.

Ray la fixa, les yeux plissés.

– Vous avez changé d'avis ?

– A quel sujet ?

Kate lui avait pris le linge mouillé des mains, et elle tamponnait sa moustache, juste au-dessus de la lèvre.

– Voilà. Comme ça, les biscuits n'auront pas le goût de savon.

Puis elle leva les yeux vers lui. De près, ses iris

étaient d'un gris incroyablement lumineux, cerclés de noir, pailletés de vert et de bleu.

Il regardait sa bouche avec une intensité qui la bouleversait.

– Vous aviez laissé un peu de mousse, expliqua-t-elle d'une voix mal assurée.

– Et il n'en reste plus du tout ?

Elle secoua la tête.

– Vous en êtes sûre ? insista-t-il.

Son intonation chaude, un peu rauque, éveillait de curieux frémissements dans tout le corps de la jeune femme.

– Sûre de quoi ? murmura-t-elle.

– Qu'il n'y a plus de mousse du tout.

Kate observa le visage viril avec un plaisir évident.

– Sûre, confirma-t-elle.

– La prochaine fois, peut-être.

– Je vais rentrer la première. Sinon, Lobo risque de ne pas comprendre.

Sa voix trahissait son affolement.

« Le Silencieux ne l'a pas gâchée, songea Ray, soulagé. Il y a une réelle sensibilité en elle. »

Un réel désir.

Lorsqu'elle ouvrit la porte, deux crocs luisants apparurent dans l'ombre, et elle se plaça aussitôt entre le chien et Ray. Grondant, les babines retroussées, l'énorme animal bloquait l'entrée.

– Ça suffit ! Arrête, Lobo ! Ray est un ami. Ami, Lobo, *ami !*

Le chien cessa de montrer les dents, mais il grognait toujours, menaçant.

– Ça va, Lobo, insista-t-elle fermement. Ami !

Ray lut de la haine dans les yeux de l'animal. De toute évidence, le molosse n'envisageait pas un instant de se lier d'amitié avec un homme !

– Je ne m'étonne plus que vous ne l'emmeniez pas en ville, dit-il. C'est un dur ! De quelle race est-il ?

– Dogue, principalement. Mâtiné de loup, je pense. Désolée qu'il se montre si agressif.

– Ne vous excusez pas. Je connais ce genre de caractère par cœur, j'ai un frère comme ça. Et un beau-frère.

Kate ouvrit de grands yeux, surprise.

– A bien y réfléchir, reprit-il en souriant, on m'a parfois reproché de ne pas lâcher prise facilement, moi non plus.

La jeune femme tenta de demeurer impassible, comme si l'idée d'un Ray têtu ne lui était pas venue à l'esprit, mais elle eut un rire étouffé.

Le grand chien regarda sa maîtresse, surpris de sa réaction.

Quant à Ray, il découvrait le plaisir de susciter la joie dans les yeux clairs de la jeune femme.

– Couché, Lobo ! déclara Kate en désignant au chien son coin de prédilection. *Couché !*

Il obéit à contrecœur en se retournant à chaque pas pour surveiller Ray.

Celui-ci souriait, pourtant il ne quittait pas l'énorme bête des yeux.

On aurait pu croire l'animal ombrageux, mais durant la dernière semaine, Ray l'avait vu demeurer immobile, docile, pendant que Kate lui retirait des chardons fichés dans ses pattes ou ses oreilles.

Il était possessif, mais pas ombrageux.

– Se comporte-t-il de la même façon avec le sorcier ? demanda Ray.

– Cherokee ?

– Oui.

– Bien sûr que non, répondit la jeune femme distraitement tout en disposant les biscuits sur une assiette. Il ne déteste que les hommes.

– Alors le sorcier serait-il... un eunuque ?

Kate se rattrapa en marmonnant :

– J'imagine que Cherokee doit avoir une odeur différente. *Il* est tellement vieux. En tout cas, il ne perturbe pas Lobo.

– Je pourrais peut-être utiliser les herbes de cet homme pour changer d'odeur.

– Les herbes de cet homme ?

– Cherokee.

– Oh, oui ! Cherokee. Eh bien, c'est une idée.

Kate se tourna vers le poêle pour cacher son amusement. Comme si une poignée d'herbes pouvaient atténuer la virilité de Ray au point de calmer le chien !

Elle posa les biscuits sur la table au bois entaillé et désigna une chaise à son invité.

– Asseyez-vous.

Au lieu de ça, Ray resta derrière la chaise de Kate en attendant qu'elle s'installe. Elle le fixa, désorientée, puis se rappela les bonnes manières d'un temps lointain.

– Euh... merci.

Comme elle s'asseyait, Lobo bondit à ses pieds en grondant, furieux.

– Non ! Couché, Lobo !

Le molosse continua d'avancer, redoutable.

Ray effleura la poignée de son fouet.

– Eloignez-vous de moi, supplia la jeune femme. Vite ! Il a horreur de vous voir entre lui et moi.

Un instant, Ray envisagea de régler sur-le-champ son problème avec le chien, puis il y renonça. Avec le temps, l'animal se calmerait peut-être.

« Espérons que tout se passera bien. J'aurais bien du mal à remettre cette bête à sa place sans la tuer. »

Il aurait volontiers parié tout ce qu'il possédait que Lobo n'accepterait pas son autorité sans lutte préalable.

Très lentement, il s'éloigna de la chaise de Kate sans quitter le chien des yeux.

– Maintenant, sage ! ordonna sèchement la jeune femme.

– Qui ? Moi, ou le chien ?

Kate tressaillit à son intonation, puis elle se rappela ce qu'il avait dit un instant plus tôt.

« On m'a parfois reproché de ne pas lâcher prise facilement. »

Pourtant, il avait obtempéré lorsque Kate lui avait conseillé de reculer.

– Je suis navrée, dit-elle. Lobo est seulement...

– Jaloux ?

– Protecteur.

– Je ne crois pas. Un chien protecteur obéit à son maître. Un chien jaloux se comporte comme Lobo. Il ne supporte pas de voir quelqu'un s'approcher de vous, même avec votre autorisation.

– Il n'a pas eu beaucoup l'occasion de rencontrer des étrangers.

– Il faudrait que vous trouviez un moyen de l'obliger à accepter vos amis. Sinon, ce sont vos amis qui s'en chargeront à votre place. Voulez-vous du café ?

Le changement de sujet déconcerta la jeune femme. Avant qu'elle eût compris ce qui se passait, Ray lui avait servi une tasse de café et lui tendait l'assiette de biscuits et de bacon.

Quand elle se servit, le grand chien gronda de nouveau.

– Non, Lobo ! dit-elle, sévère. Tout va bien. Tais-toi.

Le chien aux yeux de loup gémit et demeura immobile, continuant de fixer l'étranger.

Ray et Kate mangèrent en silence tant ils avaient faim. Puis la jeune femme resservit du café et s'appuya au dossier de son siège, savourant ce luxe rare.

Ray reprit des biscuits et soupira de bien-être en mordant dans la pâte parfumée et croustillante.

– J'ai toujours cru que personne ne pourrait rivaliser avec les gâteaux de ma sœur, dit-il, mais je me trompais. Ceux-ci sont une pure merveille.

Kate regardait les grandes mains de Ray prendre la nourriture avec empressement. Son comportement disait plus que des mots à quel point il appréciait le repas.

Et c'était pour elle un plaisir inattendu. Comme si un peu d'elle-même participait à chaque bouchée... devenait une partie de lui. Sans une parole, elle le contemplait, le sourire aux lèvres, une lueur tendre dans les yeux.

– Cessez de me regarder de cette façon, ou je vais faire quelque chose qui relancera Lobo sur le sentier de la guerre.

Un peu tard, Kate s'aperçut qu'elle mettait trop de chaleur dans son regard.

– Excusez-moi, marmonna-t-elle. Je ne suis pas habituée à avoir des visiteurs.

Ray eut un sourire aussi ardent que le regard de la jeune femme.

– Je vous taquinais. Observez-moi tant que vous voudrez. J'aime que vos beaux yeux me fixent et qu'ils aiment ce qu'ils voient !

Kate rougit, se détournant un instant, puis elle dévisagea à nouveau l'homme. La chevelure de Ray captait la lumière à chacun de ses mouvements. Kate mourait d'envie d'y plonger les mains pour voir si elle était aussi soyeuse qu'il y paraissait.

Lorsque Ray comprit que la jeune femme était fascinée par sa présence, son pouls s'accéléra.

Seigneur ! Les choses allaient vite, terriblement vite !

Au prix d'un gros effort, il s'obligea à se soustraire au regard lumineux.

– Comment avez-vous atterri à Echo Basin ? demanda-t-il.

Pendant un court moment, Kate ne parut pas comprendre la question. Puis elle cligna des yeux et fixa sa tasse de café.

– John m'y a amenée voilà sept ans.

– Mais vous étiez encore une enfant !

– J'avais l'âge d'être mariée et aucune famille ne me réclamait. Beaucoup d'enfants orphelins, dans ma situation...

– Eve, la femme de mon frère, était dans ce cas. Elle est venue dans l'Ouest avec une caravane d'orphelins et a été achetée par deux vieux joueurs... Echo Basin a dû vous sembler rude, non ?

Surprise, Kate secoua la tête, faisant naître des reflets acajou dans ses cheveux.

– C'est mieux que là d'où je viens. Ici, je ne dépends de personne.

Ray attendait qu'elle en dise davantage, mais elle ne désirait pas évoquer son passé ni sa vie à Echo Basin.

– Et vous, Ray ? Comment êtes-vous arrivé ici ?

Il eut un demi-sourire. C'était une question que peu de gens dans l'Ouest osaient poser à un homme. A part lui.

– Vous me renvoyez la balle, c'est ça ?

– A moins que cela ne vous ennuie de me répondre.

– Pas si c'est vous qui le demandez. Je suis venu à Echo Basin parce que je ne connaissais pas cette région.

Kate fronça les sourcils.

– On dirait qu'il y a peu d'endroits où vous ne soyez jamais allé.

– En effet. J'aime voyager, et j'ai bourlingué partout dans le monde.

– Vraiment ?

– Vraiment.

– Avez-vous vu les pyramides en Egypte ?

– Oui.

– Comment sont-elles ?

– Immenses. Elles se dressent dans le désert, usées par le temps. A côté, il y a une ville dans laquelle les femmes se déplacent voilées, on ne voit que leurs yeux.

– Seulement leurs yeux ?

Ray hocha la tête.

– Vous auriez un succès fou auprès d'un sultan, ma douce, avec votre regard bleu.

« Et une démarche plus torride que l'enfer », ajouta-t-il en lui-même.

Il se garda bien d'exprimer sa pensée. Si la jeune femme savait à quel point il la désirait, elle ne resterait pas tranquillement assise en face de lui.

– Paris, reprit Kate. Vous connaissez ?

– Paris, Londres, Madrid, Rome, Shanghai... et bien d'autres cités encore. Vous aimez les grandes villes ?

– Je ne sais pas. Il y a des années que je n'en ai pas vu.

Kate posa les yeux sur les bandes de soleil qui filtraient à travers les persiennes mal fermées.

– Mais je crois, reprit-elle lentement, que je n'aimerais pas beaucoup avoir tant de gens autour de moi.

– Avez-vous envie de voyager ?

– Non. Je parlais des villes parce que les histoires dans les livres se passent toujours à Paris, à Londres ou à Rome. Ce sont les seuls endroits auxquels je pensais. Avec la Chine, évidemment.

Le regard de Ray se fit lointain.

– La Chine est un pays à part, dit-il. Un pays qui a connu plusieurs empires, un art et une philosophie bien avant la naissance du Christ. La civilisation chinoise a une autre vision de la vie, depuis la musique jusqu'à la façon de se nourrir ou de se battre.

– Vous aimez ce pays ?

– Aimer, détester... Ces mots n'ont pas de véritable sens, en Chine, répondit Ray en haussant les épaules.

– Je ne comprends pas.

En avalant une gorgée de café, Ray se demandait comment exprimer à Kate ce qu'il ne s'était jamais expliqué à lui-même.

– Une fois, commença-t-il lentement, j'étais sur la rive d'un fleuve à minuit, et j'ai vu des hommes pêcher avec des lanternes et des oiseaux noirs en guise de filets et d'hameçons.

– Et ça marchait ? s'étonna la jeune femme.

– Oh, oui ! Ça marche depuis des milliers d'années. J'ai observé longtemps la lumière dorée de la lampe qui dansait sur l'eau chaque fois qu'un oiseau plongeait, la rivière noire au courant rapide, les pêcheurs qui sifflaient pour rappeler les oiseaux dans la nuit... J'avais l'impression d'appartenir à un autre temps.

Les yeux de l'homme semblaient revivre la scène qu'il évoquait, et Kate ressentit une émotion qui la fit frissonner.

– Y a-t-il d'autres lieux semblables à celui-ci ? demanda-t-elle, incapable de supporter la distance qui s'était installée entre eux.

– Semblables à Echo Basin ?

– Au territoire du Colorado.

Ray se passa la main dans les cheveux.

– Je n'en ai encore jamais trouvé un qui le vaille, avoua-t-il enfin.

– Dans le monde entier ?

– Oh, l'Irlande est verte, mais ses sommets sont beaucoup moins élevés. La Suisse possède de hautes montagnes, mais elles sont inhabitées, faites de glace et de pierre.

Kate, fascinée, se pencha en avant, attentive au récit.

– En Amérique du Sud, il y a de solides chaînes de montagnes séparées par de vertes vallées. Cependant les plaines sont si hautes que l'on est fatigué après avoir marché un kilomètre. L'Australie a des montagnes arborées avec des pics neigeux, pas très élevées, mais l'odeur des forêts de caoutchoucs ne m'a jamais plu comme celle des montagnes Rocheuses.

– Alors, ici, ce doit être le plus bel endroit du monde, puisque vous y êtes.

Ray éclata de rire, puis redevint sérieux en regardant Kate. Il devinait la question qu'elle n'osait lui poser : Resterez-vous dans ces montagnes qui ne ressemblent à rien d'autre sur terre ?

– Les Rocheuses m'ont retenu plus que n'importe quel endroit, dit-il doucement, pourtant un jour je serai appelé par un autre lever de soleil, une aurore qui m'apportera ce dont j'ai toujours eu envie. Alors je partirai, parce que rien n'est plus important que l'aube qu'on n'a jamais vue. Rien.

Kate luttait contre une tristesse soudaine.

Pourtant Ray était à peine plus qu'un étranger pour elle. Que lui importait qu'il restât ou qu'il disparût dans l'heure suivante ?

Cependant... c'était comme un fer qui se retournait dans la plaie. Elle ferma les yeux sur cette douleur inattendue.

– Je vous l'ai dit, ma douce, je suis un vagabond.

Kate plongea ses yeux dans le regard gris qui avait vu tant de paysages, tant de levers de soleil, et qui repartait sans cesse à la recherche d'autre chose.

Toujours.

« J'ai entendu votre mise en garde, le vagabond. Ne pas essayer de vous retenir. Ne pas vous aimer. »

Pour Kate, l'avertissement arrivait trop tard. Tout au fond d'elle, un sentiment qu'elle n'avait jamais encore ressenti venait de s'éveiller.

Et elle pria pour que ce fût seulement du désir.

6

Une semaine plus tard, Kate fut réveillée dès le lever du soleil par le choc d'une hache contre un tronc d'arbre. Une vague de bien-être la submergea.

Rien n'avait changé pendant son sommeil. Il était toujours là.

Si les Culpepper se risquaient jusqu'à la cabane, ils trouveraient Kate le fusil à la main, un chien hargneux à ses pieds... et un homme nommé Ray à ses côtés.

« J'étais sûre qu'il serait encore là ce matin », se dit-elle.

La veille au soir, elle n'avait pas entendu la flûte, et elle s'était demandé s'il n'avait pas sellé son cheval pour quitter Echo Basin sans espoir de retour. Mais non. Il était là, se chargeant des tâches quotidiennes si difficiles pour la jeune femme.

Il avait réparé l'appentis où Razorback passait la période de l'hiver la plus pénible, il avait ferré l'animal, ce que John n'avait jamais pris la peine de faire. Il avait redressé la porte de la cabane qui fermait désormais sans qu'on eût besoin de lui donner des coups de pied. Il s'était aussi employé à calfeutrer les murs de façon que les courants d'air ne puissent passer. Et il était en train d'abattre son neuvième arbre.

Non seulement Kate aurait du bois pour se chauffer à la mauvaise saison, mais en plus le soleil lui permettrait d'entretenir un petit jardin potager, ce dont elle avait toujours rêvé. Elle avait abandonné cette idée quatre ans auparavant, quand elle s'était aperçue qu'il lui fallait six jours pour abattre un arbre et que, de surcroît, il était tombé du mauvais côté, manquant de l'écraser.

John avait éclaté de rire quand elle lui avait raconté sa mésaventure, mais Ray, lui, n'avait pas trouvé cela drôle du tout. Il avait juré entre ses dents avant de lui déclarer fermement que s'il la trouvait en train de s'acharner sur un tronc, ils le regretteraient tous les deux... mais surtout elle.

Et puis, la veille, les arbres au sud de la cabane avaient commencé à tomber les uns après les autres, abattus par un homme qui s'y attaquait comme s'il s'agissait de ses pires ennemis.

En chantonnant, Kate entreprit de préparer le petit déjeuner, le cœur léger. Bientôt, elle appellerait Ray, elle poserait une cuvette d'eau chaude près de la porte. Ensuite, elle le regarderait se laver et se raser.

Avec un peu de chance, il oublierait une trace de savon sur sa moustache ou dans la fossette de son menton. Elle viendrait l'essuyer... et lèverait les yeux vers le brûlant regard, vers l'homme qui adorait son parfum de menthe.

« Kate Smith, cet individu devient bien trop intime ! » pensa-t-elle.

Pourtant, elle aurait aimé le sentir plus proche encore. Elle avait pour lui un sentiment aussi ancien que le désir, aussi neuf que le lever du soleil.

Elle se pencha sur le poêle pour allumer le feu, et les flammes s'élevèrent aussitôt, s'enroulant autour des bûches avec une harmonie qui lui rappela l'aisance des gestes de Ray. La chaleur se répandit rapidement dans la petite pièce tandis que feu et bois se nourrissaient l'un l'autre.

Serait-ce ainsi avec Ray ? Se nourriraient-ils l'un l'autre jusqu'à ce qu'il ne reste plus rien que le souvenir de la chaleur ?

Un frémissement la parcourut, l'enflamma aux endroits les plus secrets de son corps.

– Le plaisir, marmonna-t-elle. Ce n'est que l'attrait du plaisir.

Lobo grattait à la porte.

– Oh, d'accord ! Mais si tu aboies quand Ray viendra faire sa toilette, je te préviens, je prends un bâton et je te frappe !

Le chien remua la queue en découvrant une rangée de dents blanches, sa manière de sourire.

– Tu as raison, moi non plus, je n'y crois pas, avoua la jeune femme. Mais il faut que j'agisse. Tu regardes Ray comme si tu cherchais l'occasion de lui sauter dessus. Il s'en ira un jour de son plein gré. Bien trop tôt. Alors tu n'as pas besoin de le chasser.

Kate ouvrit la porte, et le chien bondit à l'extérieur, humant l'air frais du matin à la recherche de quelque piste. Bien que Ray ait tué plusieurs cerfs, il préférait sa chasse personnelle.

Le gibier qui n'était pas consommé frais était séché, fumé, ainsi que les truites. Ray s'assurait que la jeune femme aurait toutes les provisions nécessaires pour l'hiver.

Elle se dirigeait vers le placard aux conserves pour prendre de la farine quand elle vit sur la table un nouveau bouquet de fleurs sauvages. Emue, elle en caressa les pétales odorants.

Ray lui apportait toujours un cadeau, de petites choses qui égayaient la sombre cabane. Des fleurs, un galet bien rond poli par la rivière, un papillon à peine sorti de son cocon.

Kate n'oublierait jamais l'expression de Ray contemplant l'insecte. Le papillon avait pris son envol vers le ciel bleu, et l'homme avait eu un sourire où l'on pouvait lire plaisir, envie, compréhension.

« Je sais qu'il partira un jour. Mais s'il Vous plaît, mon Dieu, pas aujourd'hui. »

Nerveuse, la jeune femme renversa de la farine qu'elle remit soigneusement dans la jatte.

Il ne fallait pas qu'elle pense au départ de Ray. Elle devait se contenter de le regarder manger, d'essuyer le savon sur ses joues, de profiter de son sourire qui lui réchauffait l'âme.

Au lieu de s'inquiéter du lendemain, elle devrait remercier le Seigneur de lui avoir envoyé un homme si tendre, si correct, si généreux. Un homme grâce à qui ses placards étaient pleins, sa réserve de bois bien rangée le long de la cabane.

Kate rechargea le poêle, coupa quelques tranches de bacon et les mit à frire pendant que les biscuits cuisaient.

Enfin, elle ouvrit les volets. La lumière inonda la pièce, et avec elle les promesses d'une journée toute neuve.

– Les biscuits sont presque prêts ! cria-t-elle. J'apporte de l'eau.

Le martèlement de la hache se tut. D'un coup d'œil, Ray estima qu'il lui faudrait plus de temps pour finir d'abattre l'arbre qu'il n'en faudrait pour que les biscuits soient dorés à point.

Il planta fermement l'outil dans le bois afin d'en protéger le tranchant et se retourna. Kate, à la fenêtre, peignait sa longue chevelure.

Le soleil allumait des reflets d'automne dans ses cheveux or et fauve.

« Un jour, c'est moi qui vous coifferai, promit Ray en silence. Bientôt, très bientôt. Vos cheveux seront doux et chauds entre mes doigts, mais bien moins que votre fleur secrète quand vous vous ouvrirez pour moi. Car vous vous épanouirez, fille dorée, j'en ai la certitude absolue. Mais d'abord, il faut que je mate ce chien de malheur ! »

– J'arrive ! répondit-il.

Lobo était vraiment une plaie pour lui ! Bien qu'il n'eût que peu l'apparence d'un loup, il en avait le caractère. Le chien refusait de le considérer autrement que comme un intrus, et bien souvent Ray avait envie de lui infliger une bonne leçon. C'était la seule façon de se faire comprendre.

La peur.

Les loups cédaient devant la force physique. Une fois que Ray aurait établi sa supériorité, le molosse le respecterait, et alors l'homme pourrait lui montrer que tous les êtres humains n'étaient pas des monstres.

Avec le temps, l'animal l'accepterait, il lui vouerait la même fidélité, la même confiance qu'à la jeune femme qui l'avait trouvé, presque mort, sur le chemin de Holler Creek.

Mais il fallait du temps.

De combien de temps disposait Ray avant que l'aventure l'appelle de nouveau ?

Il n'existait pas de réponse à cette question. Il n'y en avait jamais eu. Quand la tentation était trop forte, Ray faisait ses paquets, il partait. Et il ne revenait jamais deux fois au même endroit.

Mais avant de quitter Echo Basin, il entendait bien laisser la cabane de Kate en bon état, les placards regorgeant de provisions, avec assez de bois pour l'hiver. C'était ce qu'il avait toujours fait pour les veuves au grand cœur, même si elles ne lui offraient en échange que de bons repas, du linge propre et la chaleur de leur cuisine.

Le monde était rude pour une femme seule, Ray le savait mieux que quiconque. Et c'était la raison pour laquelle il frémissait en imaginant Kate en difficulté.

« Elle est veuve, qu'elle le veuille ou non. Et elle me regarde comme si elle n'avait jamais vu d'homme de sa vie ! Moi aussi, je la regarde comme si je n'avais jamais vu de femme... »

Les sourcils froncés, Ray ôta ses gants de travail et s'empara de son fouet, qu'il gardait toujours à portée de main. Comme il se dirigeait vers la cabane, le chien jaillit du sous-bois, les crocs sortis, le grognement menaçant.

– Bonjour, sale cabot ! dit Ray d'un ton aimable.

– Arrête, Lobo ! cria la jeune femme.

Le grand chien se mit à aboyer, et Kate sortit en courant de la cabane, tandis que sa tresse se dénouait. Le contraste entre sa somptueuse chevelure et le bleu passé de sa chemise de flanelle jeta Ray dans un grand trouble.

– Arrête ! répéta-t-elle en regardant son chien droit dans les yeux.

Avant de se soumettre, Lobo lança un regard meurtrier à l'homme.

Ray lui rendit son regard au centuple, puis il alla vers la cuvette fumante que Kate avait déposée pour lui devant la porte, ainsi que son rasoir, du savon et le vieux morceau de tissu à fleurs. L'odeur de menthe lui monta au visage.

Soudain, le désir l'envahit, brutal, irrésistible, et il s'obligea à respirer lentement, jusqu'à ce que son corps se détende.

Jamais il n'avait eu envie d'une femme avec cette force, cette intensité, et son esprit lui disait que c'était une excellente raison pour rassembler ses affaires, quitter cette région. Il ne sortirait rien de bon d'une aventure avec Kate.

Pourtant, Ray n'était plus capable d'écouter la voix de la raison, ni celle de sa conscience. Il devinait avec beaucoup trop de clarté la magie de l'extase qu'il connaîtrait avec Kate. Il ne partirait pas avant d'avoir goûté à sa sensualité.

Il ne pouvait pas.

Il avait besoin d'elle.

Quoi qu'il arrive, il la lui fallait.

L'intensité de ce désir l'avait heurté de plein fouet. Au cours des derniers jours, il était passé du simple désir à une passion plus complexe, qui ne pouvait connaître de fin qu'en faisant l'amour avec Kate.

Le désir le taraudait de nouveau, et il frotta énergiquement le savon entre ses grandes mains avant de s'en couvrir le visage.

Tandis qu'il se rasait, avec des gestes d'une précision exceptionnelle, la jeune femme le regardait, fascinée.

– On dirait que vous n'avez jamais vu un homme se raser ! s'écria Ray, flatté et en même temps irrité par l'effet que produisait sur lui ce regard d'un bleu sombre.

– John portait la barbe, répondit-elle.

Ray continuait à passer la lame sur sa joue.

– Vous parlez toujours de lui au passé, dit-il au bout de quelques secondes.

– De qui ?

– De votre mari.

Kate resta sans voix et serra les bras autour d'elle comme si elle avait soudain froid.

– Je serai plus prudente à l'avenir, promit-elle. Les Culpepper sont bien assez dangereux comme ça !

– Vous pensez que John est mort ?

C'était à peine une question.

– Je ne pense pas le revoir un jour, avoua Kate à voix basse. Mais je vous en supplie, n'en parlez pas à Holler Creek. Murphy est tout juste plus courtois envers moi que les Culpepper. S'ils pensaient que John ne reviendrait pas...

Pas besoin de finir la phrase, Ray avait parfaitement compris ce qu'elle voulait dire.

– Vous feriez peut-être mieux d'envisager de quitter Echo Basin, déclara-t-il.

Un instant, la jeune femme nourrit le fol espoir qu'il lui proposait de partir avec lui quand il s'en irait.

– Pour aller où ? demanda-t-elle doucement.

– Je l'ignore, mais je sais que l'un des Culpepper a établi son campement à environ trois kilomètres d'ici.

– Pour quoi ?

– Pour attendre mon départ. Quand...

– Mais... coupa-t-elle.

Ray poursuivit :

– ... Quand je partirai, ils recommenceront à vous importuner.

Kate se détourna afin qu'il ne puisse lire la déception dans ses yeux.

« Quand je partirai.

» Pas : si je pars.

» Quand. »

Jusqu'à cet instant, la jeune femme ne savait pas à quel point elle espérait voir Ray rester. Chaque jour, il la contemplait avec plus d'intensité, plus de désir. Toutefois, il la respectait suffisamment pour ne jamais lui parler grossièrement, pour ne pas agir envers elle comme elle avait vu un homme le faire avec Clémentine.

– Je me débrouillerai, dit-elle lentement. Je m'en suis toujours sortie jusqu'à présent.

– Vous aviez John.

– Lobo me protège, maintenant.

– Ça ne suffit pas, vous le savez bien.

– Ce n'est pas votre affaire, répliqua-t-elle, tendue. C'est la mienne. Venez prendre le petit déjeuner.

Ray s'aspergea pour se rincer, puis il tendit une main dans l'attente de la serviette.

Mais son geste n'eut pas de réponse.

A travers l'eau qui ruisselait sur son visage, il vit que Kate était rentrée dans la cabane. Avec un juron étouffé, il prit lui-même le linge sec et s'essuya avec plus d'énergie que de soin.

« Tu es vraiment un imbécile de discuter avec elle au lieu de la dorloter, de la caresser, se dit-il, sarcastique. Un imbécile, peut-être, mais pas tout à fait. Il ne serait pas prudent qu'elle reste ici après mon départ. »

Cependant quand il serait parti, comme elle l'avait dit, ce ne serait plus son affaire.

Si cette réponse ne satisfaisait pas Ray, il n'en avait aucune autre à proposer.

« Peut-être devrais-je rencontrer ces types et leur inculquer à ma manière les principes de la Bible, afin de leur faire comprendre leurs erreurs. »

Cette idée lui plaisait énormément.

Avec un mauvais sourire, il rajusta son fouet à son épaule et pénétra dans la petite maison. Il aimait les petits déjeuners avec Kate, assise de l'autre côté de la table, assez proche pour effleurer sa jambe chaque fois qu'elle bougeait.

Depuis son coin favori, Lobo gronda, les babines retroussées sur des crocs acérés.

– Qu'est-ce qui vous a poussée à sauver cette créature du diable ? demanda Ray, irrité au plus haut point.

– Vous seriez passé devant lui sans rien tenter pour soulager sa douleur ? rétorqua la jeune femme.

Ray regarda l'animal dont les nombreuses cicatrices se devinaient à travers l'épaisse fourrure.

– Non, reconnut-il. Je l'aurais peut-être abattu afin de mettre un terme à ses souffrances.

– Vous êtes un voyageur. Moi, j'ai un domicile fixe, et il y avait de la place pour lui dans ma vie.

– La plupart des femmes auraient préféré un bébé à ce monstre aux yeux de loup.

La porte du four se ferma avec un bruit métallique.

– Attention, le plat est chaud, dit Kate en le déposant devant Ray.

– Pas vous ?

– Pas moi quoi ?

– Vous ne voulez pas d'enfant ?

– John avait déjà du mal à faire vivre deux personnes, répondit-elle, évasive. Il ne serait rien resté pour une troisième bouche à nourrir.

Ray prit un biscuit.

– Les bébés ont la spécialité d'arriver même s'ils ne sont pas désirés.

– Vraiment ? Combien en avez-vous ?

Ray s'étrangla avec son biscuit, et but une gorgée de café pour faire passer la bouchée en fixant Kate, incrédule.

– Quelle curieuse question !

– Vous l'avez bien cherchée !

– Ah bon ?

– Oui. Alors, combien ? insista-t-elle.

– Pas un seul !

– A votre connaissance... ajouta Kate.

– Que voulez-vous dire ?

– Il faut une minute pour faire un enfant, et quatre mois pour s'en rendre compte. Etes-vous déjà resté assez longtemps pour être au courant ?

– Je suis sûr de moi, affirma Ray.

– Comment est-ce possible ?

– J'utilise certainement la même méthode que John puisque vous n'avez jamais été enceinte. Avez-vous l'intention de me faire profiter de ce pot de confiture, ou bien continuerez-vous à le couver comme une mère poule ?

Le changement brutal de sujet laissa Kate bouche bée.

« J'utilise certainement la même méthode que John, puisque vous n'avez jamais été enceinte. »

John était trop âgé pour ce genre de distraction, et de toute façon, il ne se serait pas attaqué à sa petite-nièce. Le mariage avait été seulement un moyen efficace de la protéger contre la salacité d'individus sans scrupules comme les Culpepper.

– Euh... la confiture... oui, bien sûr ! Tenez.

– Merci, répondit machinalement Ray.

Il en tartina un biscuit qui disparut aussitôt dans sa bouche.

La jeune femme avait découvert dès le premier jour que Ray pouvait absorber une grande quantité de nourriture sans jamais être rassasié. Elle avait donc pris l'habitude de préparer double ration de biscuits sans espérer qu'il en reste pour le déjeuner.

– Je vais chercher la seconde fournée, murmura-t-elle. Elle devrait être prête.

– Je m'en occupe.

– Merci, ce n'est pas la peine.

Alors ne claquez pas la porte du four, les gonds ne tiennent presque plus. J'en fabriquerai d'autres quand j'aurai terminé de couper le bois.

Toute l'amertume de Kate disparut. Il partirait, il la quitterait, mais pendant qu'il était là, il veillait sur elle avec une tendresse qu'elle n'avait jamais connue.

Si elle en désirait davantage, c'était sa faute, non celle de Ray. Il lui avait toujours dit qu'il était voyageur dans l'âme, qu'il n'avait aucune intention de s'établir de façon définitive.

– C'est gentil, dit-elle. Une fois, j'ai essayé d'en faire

un avec un vieux fer à cheval, mais j'ai eu beau marteler de toutes mes forces...

Elle haussa les épaules.

– Vous avez déjà vu les biceps d'un forgeron ? demanda Ray, amusé.

– Non.

– Ils sont plus gros que les miens, fit-il en souriant.

La puissance de Ray étonnait encore la jeune femme. Au début, elle avait même été embarrassée par le contraste entre leurs forces respectives. A présent, il lisait dans son regard plus d'admiration que de peur quand elle le regardait travailler.

Lobo suivit des yeux sa maîtresse lorsqu'elle se dirigea vers le four. Comme elle revenait vers la table, elle se prit le pied dans une latte du plancher et tenta de retrouver son équilibre, mais déjà Ray l'avait rattrapée pour l'empêcher de tomber.

– Vous êtes-vous...

Il ne put terminer sa phrase, car dans un hurlement sauvage, le molosse avait bondi sur lui.

7

Ray repoussa Kate afin de la mettre hors de danger et se tourna pour faire face au chien. Horrifiée, la jeune femme le vit saisir son fouet. Son bras gauche heurta l'animal à la gueule.

L'homme et la bête roulèrent à terre, et ce fut le chien qui eut le dessus, ses crocs plantés dans la main qui serrait le rouleau de cuir.

– Non, Lobo ! *Non !*

Kate tentait frénétiquement de dégager Ray, mais le chien était déchaîné.

– Ecartez-vous ! ordonna-t-il.

– Mais...

D'un geste puissant, Ray renversa les rôles : il bouscula la jeune femme et se retrouva sur le chien, en position de force.

Elle alla buter contre une vieille malle et chercha désespérément autour d'elle un objet qui pût mater l'animal, mais déjà celui-ci s'était remis sur ses pattes et avait planté ses dents dans la gorge de l'homme.

– Non, Lobo ! hurla-t-elle en vain.

Les combattants heurtèrent les pieds de la table, qui s'écroula contre le lit, poussée par les deux corps mêlés.

Kate ne voyait plus que le dos tendu de Ray et les pattes arrière du chien qui griffaient ses jambes.

– Arrête !

La jeune femme savait que ses cris étaient inutiles, le chien ne renoncerait pas.

A présent, Lobo était sur Ray, qui ne bougeait presque plus.

– Mon Dieu ! Ray !

Pas de réponse.

Kate courut vers la porte, repoussa la table et saisit le fusil accroché au linteau. En larmes, elle visa, prête à abattre le chien qui se croyait en train de la défendre et qui allait tuer Ray.

– Posez ce satané fusil, gronda Ray. Je n'ai pas l'intention d'étrangler votre monstre, mais seulement de lui enseigner les bonnes manières.

La jeune femme était trop secouée de l'entendre parler pour pouvoir lui expliquer que c'était le chien qu'elle visait. Elle s'essuya nerveusement les yeux d'un revers de manche.

Pourtant, Ray était bien sous le chien, et il remuait

à peine, tandis que le museau de l'animal était toujours pressé contre son cou.

Et soudain elle s'aperçut que les crocs étaient plantés dans le manche du fouet et non dans la gorge de Ray. Mais sa main gauche était prise dans la gueule du chien. De l'autre, il lui coupait la respiration.

Il était en train de l'étouffer !

– Vous allez le tuer !

– Sûrement pas ! Il se débat encore comme un beau diable !

– Lâchez-le ! Il ne bouge presque plus.

– Beaucoup trop encore à mon goût !

Les dents serrées, il appuya davantage sur le cou du chien.

– *Ray !*

Il l'ignora, même quand elle lui agrippa la main pour dégager le chien.

– Eloignez-vous ! fit-il enfin entre ses dents.

Kate ne le lâchait pas.

Lobo rua faiblement puis s'immobilisa.

Aussitôt, Ray desserra son étreinte. L'animal roula lentement sur le sol où il demeura inerte.

– Vous l'avez tué ! cria la jeune femme. Soyez maudit, Ray, vous l'avez tué !

– Mais non. Si j'avais voulu l'abattre, je lui aurais brisé le cou dès qu'il m'a sauté dessus.

Kate secouait la tête en sanglotant. Comme elle voulait aller vers le chien, Ray lui barra le passage.

– Il n'est pas mort, affirma-t-il sèchement. Regardez, il respire normalement.

C'était vrai, le flanc de l'animal se soulevait à mesure que l'air pénétrait dans ses poumons.

– Merci, mon Dieu, souffla-t-elle.

– Allez près du poêle, dit-il.

– Mais je veux...

– Pour l'instant, ce que vous voulez ne compte pas !

coupa Ray. Vous aviez l'occasion de dresser cette bête, et vous ne l'avez pas fait. Maintenant, c'est à moi de jouer.

– Pourtant...

– Obéissez, insista-t-il doucement.

Trop doucement.

– Ne lui faites plus de mal, supplia Kate tout en reculant vers le poêle.

Ray la suivit d'un regard calme, clair, froid.

Le chien gémit, essaya de relever la tête, mais aussitôt Ray fut sur lui, le maintenant au sol.

– Du calme. Avant de te remettre sur tes pattes, regarde bien qui est le chef, ici.

L'animal gémit de nouveau avant de se tourner vers l'homme. Il cligna des yeux, croisa le regard de Ray, le soutint un bref instant... puis se détourna, vaincu.

Il n'essaya plus de bouger.

– C'est bien, Lobo, dit gentiment Ray en lui caressant la tête. Je savais que tu étais plus malin que tu n'en as l'air. Il fallait simplement te prouver que ce n'était pas toi le maître.

Le chien fourra son museau dans la main de l'homme.

– Alors, mon garçon, nous allons devenir amis, tous les deux, n'est-ce pas ?

Une langue râpeuse vint lécher la main ensanglantée de Ray, qui se mit à rire.

– Tu es un sacré adversaire, Lobo. Maintenant, tu dois aussi apprendre à devenir un bon partenaire.

Il flatta le chien, et celui-ci se raidit mais ne protesta pas, même lorsque Ray effleura le dessous sensible de ses pattes.

Kate était pétrifiée.

– Bravo, Lobo, fit Ray, affectueux. Tu as compris, je vois. Ici, tu obéis, ce n'est pas toi qui fais la loi.

L'homme se releva avec cette souplesse qui le caractérisait, le fouet toujours enroulé dans sa main gauche.

– Debout, mon vieux ! dit-il au chien qui se dressa sur ses pattes, s'ébroua et leva les yeux vers son nouveau maître.

Ray ouvrit la porte.

– Va donc chercher ton repas, au lieu de vouloir me dévorer tout cru, suggéra-t-il.

Lobo se tourna brièvement vers Kate avant de s'éloigner en trottinant, docile. Ray referma derrière lui.

– Vous l'avez brisé ! s'indigna-t-elle.

– Non, j'ai seulement...

– Vous êtes exactement comme les Culpepper ! coupa-t-elle d'une voix rauque.

Elle tremblait sous l'effet de la rage et de la peur.

– Mais enfin, je...

– Vous êtes cruel, et brutal ! Vous forcez les plus faibles à se traîner à vos pieds !

Ray avança vers elle, lentement, le regard glacial. Le sang coulait de ses blessures. Il était dangereux.

Le cœur de Kate se mit à battre encore plus vite, mais elle ne recula pas d'un pouce. D'ailleurs elle n'était pas sûre d'en avoir la force.

– Lobo est un animal sauvage, trop gâté, qui pèse plus lourd que bien des hommes, dit froidement Ray. Il y a trop du loup en lui pour qu'il comprenne autre chose que la force. Alors je l'ai battu sur son propre terrain. Dorénavant, il me respecte.

La jeune femme leva le menton, agressive, mais elle eut la sagesse de se taire. Ray avait raison, ils le savaient tous les deux.

– Quant au reste de votre tirade, reprit Ray, quand vous vous donnerez à moi – et cela arrivera un jour –, ce ne sera pas parce que je vous y aurai obligée. Si c'était ce que je voulais, j'aurais tué cette bête la première fois que j'ai mis les pieds ici, puis je vous aurais jetée au sol et violée.

Ray disait vrai. Elle avait toujours cru que c'était la présence de son chien qui la protégeait de lui, mais elle se rendait compte à présent qu'elle avait fort mal apprécié la situation. L'homme était aussi intelligent et rapide qu'il était fort.

Or il était terriblement fort.

– Mais ce n'est pas ce que je veux de vous, continua Ray d'une voix calme.

– Qu...

La voix de Kate se brisa. Elle s'humecta les lèvres, prit une brève inspiration et fit une nouvelle tentative :

– Que... voulez-vous de moi ?

D'abord, elle crut qu'il ne lui répondrait pas. Puis, d'une enjambée, il fut sur elle, près de la toucher.

Très lentement, il porta les mains à son visage.

Immobile, elle le fixait d'un regard à la fois inquiet et plein de défi.

Il tenait toujours dans la main gauche le fouet dont la lanière effleura sa joue, son front, ses pommettes.

Cette légèreté, à peine une caresse, trahissait le contrôle que s'imposait Ray.

Elle ferma les yeux afin de se concentrer sur les sensations qui frémissaient en elle. Une odeur de fumée et de bois lui monta au visage, ainsi que celle, primitive et troublante, du sang.

– Ray ? murmura-t-elle d'une voix à peine audible.

D'un geste vif du poignet, il se débarrassa du fouet qu'elle entendit tomber à terre.

L'homme lui prit le fusil des mains et alla le remettre à sa place. Kate remarqua vaguement que ses deux mains étaient ensanglantées.

– Ça va, dit-il quand il se retourna vers elle. Je ne vais pas vous faire de mal. J'essaie seulement de répondre à votre question. Mais je ne trouve pas les mots...

Il repoussait doucement les cheveux de son front, suivait la courbe de sa joue, de ses paupières, de ses lèvres tremblantes.

– Vous avez vraiment peur de moi ? demanda-t-il d'une voix voilée.

Elle secoua la tête.

– N... non.

– Vous devriez.

– Pourquoi ?

– J'ai eu envie de vous la première fois que je vous ai vue marcher devant moi.

– Je... je ne comprends pas.

– Moi non plus. Je n'ai jamais désiré une femme de façon si brutale, sans savoir si c'est bien ou mal. Ce désir violent ne me quitte pas de la journée. Et les nuits... Dieu, les nuits sont une véritable torture !

Kate voulait parler, mais les mots refusaient de franchir ses lèvres.

Le pouce de Ray caressait sa bouche, avec l'intimité d'un baiser. Il était bouleversé par sa douceur, par sa chaleur, par le soupir qui lui échappa enfin et qui était aussi son nom.

– Votre démarche est celle d'une reine, dit-il. Une reine dont je devine la sensualité.

Kate étouffa un cri quand la langue de l'homme vint caresser ses lèvres, et sa respiration devint inégale. La tête lui tournait. Elle posa les mains sur ses bras comme pour s'accrocher à quelque chose de solide dans cet univers qui semblait s'effriter autour d'elle.

Les yeux fermés, Ray tenait son visage entre ses mains comme si elle était une fleur fragile et ses lèvres étaient tendres sur celles de la jeune femme.

Pourtant, elle sentait ses muscles bandés, son souffle court. Il aurait pu obtenir ce qu'il voulait d'elle aussi facilement qu'il avait maté le grand chien, elle le savait.

Il le savait aussi.

Cependant, il n'exigeait rien. Il demandait en silence qu'elle le laisse pénétrer dans son intimité.

Elle finit par ouvrir ses lèvres et il y glissa sa langue, lui arrachant un gémissement.

Elle avait compris le message. Ray la désirait intensément, mais il ne serait jamais brutal avec elle. A la pensée de cette infinie tendresse, elle sentit ses genoux se dérober sous elle, et elle s'accrocha davantage aux bras robustes.

– Ray ?

A regret, il releva la tête pour plonger dans le regard bleu désorienté. Comme elle se taisait, il l'embrassa de nouveau et elle sourit, un peu chatouillée par sa moustache. La profondeur du baiser la fit frissonner.

– Qu'y a-t-il ? demanda-t-il. Vous avez peur, finalement ?

– Je... je suis un peu étourdie.

– Etourdie, répéta Ray.

Elle passa le bout de sa langue sur ses lèvres.

– Alors mettez vos bras autour de mon cou, conseilla-t-il. Comme ça, vous ne risquerez pas de tomber.

Tout en parlant, il lui levait les bras, et elle se retrouva sur la pointe des pieds, tout contre lui. Son souffle agit sur Ray comme un alcool puissant.

– Maintenant, nous allons pouvoir le faire correctement.

– Quoi ?

– Humectez-vous les lèvres, je vais vous montrer.

Après une brève hésitation, elle obéit, et Ray prit sa bouche avec passion. Elle demeura un instant crispée, puis elle se détendit, s'offrant à sa caresse.

Il la serra davantage et elle répondit ardemment, avide de le découvrir, elle aussi.

Ray caressait ses épaules, son dos, ses hanches, tandis que ses seins se pressaient contre sa poitrine. N'y tenant plus, il remonta vers les bouts tendus, gonflés, et un gémissement lui échappa quand il constata qu'elle était plus féminine encore qu'il ne l'avait imaginé, sous ses vêtements d'homme.

Kate poussa un cri de surprise et de plaisir mêlés quand le désir la traversa, fulgurant. Elle se cambra, à la recherche des caresses de Ray, de ses baisers, de lui tout entier.

En l'embrassant, il la souleva pour lui montrer son désir.

La jeune femme avait du mal à reprendre son souffle, pourtant elle le serrait plus fort encore, comme si elle ne pouvait mettre un terme à la passion de ce baiser.

Soudain, Ray se rendit compte qu'il mimait l'amour avec elle, comme si elle était une fille de joie qu'il prenait dans une ruelle sombre.

En tremblant, il se détacha d'elle, la laissa glisser au sol.

Les yeux de Kate étaient immenses dans son visage pâle, et elle recula en vacillant jusqu'au mur où elle s'appuya.

– Ça va ? demanda-t-il.

Il avait voulu se montrer gentil, mais la question était sortie brutalement, lourde encore du désir qui le taraudait.

– Je me sens... étrange. J'ai du mal à respirer, je tremble comme si j'avais froid, pourtant je brûle et je veux... je veux... Oh, je ne sais pas ce que je veux ! Qu'avez-vous fait, Ray ?

Il la fixa un long moment, incrédule.

– Combien de temps avez-vous été mariée ? dit-il enfin.

– Quel rapport avec ce que je ressens ?

Ray serra les dents.

– Votre mari n'était pas du genre à vous réchauffer par les froides nuits d'hiver, n'est-ce pas ?

– John n'était pas – n'*est* pas – un homme ardent.

– Vous voulez dire que jamais vous n'avez ressenti de désir sexuel ?

Kate leva vers lui son regard profond.

– Du désir ? C'est cela, le désir ?

– Vous parlez sincèrement ?

Elle hocha la tête.

– Innocente comme l'agneau qui vient de naître. Bon sang, le Silencieux devait être à peu près aussi attirant au lit qu'un serpent à sonnette ! Je comprends que vous ne regrettiez pas d'être veuve. Pour vous, il est mort depuis des années !

Kate tressaillit devant le mépris de Ray. Elle croisa les bras sur sa poitrine pour se protéger.

« Innocente comme l'agneau qui vient de naître. »

Ray n'avait pas le droit de se sentir supérieur sous prétexte qu'en amour elle n'en savait pas autant que Clémentine ou Betsy !

– Ne me traitez pas de veuve !

– Pourquoi ? C'est sûrement vrai, et vous le savez parfaitement.

– Mais si tout le monde le sait, qui me protégera contre les Culpepper, une fois que vous serez parti ? Or vous ne tarderez pas à vous en aller, n'est-ce pas ?

– En effet, rétorqua Ray, blessé par la distance qu'elle mettait soudain entre eux. Un jour. Mais pas avant d'avoir trouvé un endroit où vous serez en sécurité.

– Tant que je suis la femme de John, je ne risque pas grand-chose.

– Foutaises ! Vous êtes sa veuve, pas son épouse, et cet endroit n'est pas sûr pour une femme seule. Surtout aussi naïve que vous !

– Il y a sept ans que cela dure.

– Seulement parce que John était censé vivre avec vous. Sans lui, vous ne tiendrez pas deux mois.

Kate se tut. Dire la vérité à Ray n'apporterait que des ennuis.

– Je vivrai où il me plaira ! lança-t-elle sèchement.

– Seule ?

– Oui.

– Impossible !

– Possible ! cria-t-elle. Et en quoi cela vous regarde-t-il ? Vous n'avez pas le droit de me donner des ordres.

Ray était horrifié à l'idée que Kate pût passer l'hiver à Echo Basin, dans ce désert glacé, sans personne pour veiller sur elle. En jurant entre ses dents, il se passa la main dans les cheveux.

Il avait encore les doigts tachés de sang, et la jeune femme sentit tout à coup sa rage s'évanouir.

– Venez, dit-elle en tournant les talons. Nous pouvons bien partager un secret.

– Pardon ?

Sans un mot, Kate marcha vers le placard à provisions, l'ouvrit, appuya sur l'étagère du milieu et pénétra dans l'ombre.

L'instant d'après, elle avait disparu.

L'odeur tiède, humide d'une source se fit sentir, en même temps que la voix de Kate lui parvenait.

– John m'avait défendu d'en parler à quiconque, mais...

Elle craqua une allumette, et il distingua la lumière d'une lampe.

– Eh bien, approchez ! s'impatienta la jeune femme. John ne jurait – ne *jure* – que par les pouvoirs curatifs de cette source, et vos mains sont plutôt abîmées !

– Par le diable ! s'écria Ray en pénétrant à l'intérieur du placard. C'est la raison pour laquelle cette cabane est construite directement contre la montagne !

Kate haussa les épaules.

– Tout ce que je sais, c'est que grâce à cette source je fais cuire la viande, je lave les vêtements et la vaisselle de ce côté-là du bassin, et la température est parfaite pour se baigner de l'autre côté. Et puis cela me tient chaud quand il fait trop mauvais pour que j'aille ramasser du bois.

Kate posa la lampe sur une vieille caisse de munitions, et les rubans de vapeur se teintèrent d'or.

Ray avait dû se pencher pour traverser le placard mais, dans la grotte, il pouvait se tenir debout. La lumière faisait danser les ombres sur la muraille de pierre, sur le sol inégal.

La casserole de métal heurta le roc quand la jeune femme puisa de l'eau pour Ray. Elle la posa près de la lampe avec un morceau de savon, puis s'écarta pour lui laisser la place.

Il demeurait à l'entrée de la grotte, immobile.

– Vous n'avez tout de même pas peur ? demanda-t-elle sèchement.

– Non, mais vous devriez, vous !

– Pourquoi ? Je suis venue ici des milliers de fois !

– Pas avec moi. Pas quand la lumière souligne vos formes, dessine le bout de vos seins encore gonflés de désir.

Kate rougit jusqu'à la racine des cheveux. Mais elle ne se laisserait pas bercer par ses paroles. Il s'était bien assez amusé à ses dépens !

– Allez au diable, le vagabond !

Elle tremblait de frustration, et Ray le savait. Il en

connaissait aussi le remède, et il était certain que la naïve petite veuve serait la plus ardente des femmes qu'il ait jamais connues.

Il ferma les yeux, incapable de la contempler plus longtemps sans la toucher.

Et s'il la touchait, il la prendrait.

Or il ne fallait pas que cela se produise. Pas déjà. Il voulait qu'elle se donne de son plein gré, en toute conscience et non dans l'aveuglement de la découverte du plaisir.

– Je compte jusqu'à trois, dit-il, la voix altérée. Quand j'ouvrirai les yeux, il vaut mieux pour vous que vous soyez...

– Mais...

– Retournez dans la cabane, ou bien je déchire vos vêtements et je vous montre tout ce que votre époux aurait dû vous apprendre sur les hommes et les femmes.

Kate sursauta, choquée. S'il n'avait été blessé, elle aurait saisi la lanterne et l'aurait laissé seul dans le noir !

– Il faut vous soigner, marmonna-t-elle.

– Mes mains sont moins douloureuses que d'autres parties de ma personne. Voudriez-vous les guérir aussi ?

– Vous êtes un individu grossier, insupportable...

– Filez immédiatement ! s'écria Ray avec une sorte de sauvagerie, ou je vais faire quelque chose que nous regretterons tous les deux. Un !

La tentation de lui lancer l'eau de la casserole à la figure était telle que la jeune femme se retrouva la main sur le manche sans même s'en rendre compte.

Puis elle revint à la raison. Il aurait été absurde de provoquer un homme dangereux comme Ray, surtout après avoir été avertie de ce qui l'attendrait !

Elle lâcha la casserole et fit un pas vers la sortie.

– Deux !

Il hésita un instant avant de continuer, mais il n'entendit que le sifflement de la flamme dans le verre de la lampe et le murmure de la source.

– Trois ! lança-t-il enfin.

Quand il ouvrit les yeux, Kate avait disparu, silencieuse comme la vapeur qui s'élevait dans la grotte.

Bon Dieu ! Il avait espéré qu'elle serait assez furieuse pour lui lancer la casserole d'eau au visage, alors il aurait pris plaisir à se sécher avec les vêtements de la jeune femme.

Ou, mieux encore, il l'aurait trempée aussi.

« C'est mieux ainsi. Elle est trop inexpérimentée. »

Mais il avait beau se le répéter à l'infini, cela ne le calmait absolument pas ! Son désir de posséder Kate demeurait intact.

Il plongea les mains dans l'eau chaude, espérant que la souffrance lui changerait les idées.

En vain.

Pestant, il entreprit de se savonner énergiquement, non sans se rappeler les conseils de Lisa, la femme de Steven. Il fallait toujours nettoyer soigneusement les blessures afin qu'elles cicatrisent rapidement.

Le savon le laverait-il du désir en même temps que du sang et de la poussière ?

Il en doutait.

Et il avait raison d'en douter.

8

Durant la fin de la journée, Ray et Kate se montrèrent aimables l'un envers l'autre. Elle fit la cuisine, il fendit du bois, remplaça un rondin pourri dans le mur de la cabane. Elle lava ses vêtements, il planta un piquet pour la mule dans un nouvel endroit de la clairière et pêcha une demi-douzaine de truites. Elle reprisa sa chemise, il commença à tanner de la peau pour lui fabriquer des mocassins.

Il ne fut plus question de passion ou de mort, ni de John. La conversation se cantonnait à quelques banales remarques sur le temps.

Lobo était la seule créature visiblement heureuse de vivre. Il venait mendier quelques miettes auprès de Ray et de Kate, tendait la tête en quête de caresses et s'adressait indifféremment à l'un ou à l'autre pour qu'on lui ouvre la porte.

Kate aurait dû être ravie du comportement de son chien, mais elle ne pouvait s'empêcher de se demander s'il la quitterait pour suivre Ray quand il s'en irait.

Le lendemain matin, elle dormit plus longtemps que d'habitude, car elle avait passé une fort mauvaise nuit à se retourner dans son lit, en proie à des envies inexprimables. Un bruit devenu familier la réveilla : Ray coupait du bois.

– Bon, marmonna-t-elle. Qu'il passe donc sa mauvaise humeur sur les bûches plutôt que sur moi. D'ailleurs, je ne sais pas ce que je lui ai fait, sauf...

Les souvenirs sensuels vinrent la caresser telles de petites langues de feu.

Elle rejeta les couvertures et bondit hors du lit comme si les draps la brûlaient.

Ce n'était pas le lit mais son corps qui se consumait.

Elle comprit pourquoi Ray s'acharnait sur le billot.

Vivement, elle se mit à ses tâches quotidiennes, prépara le petit déjeuner, rangea la pièce, puis ouvrit les volets pour laisser pénétrer l'air frais.

Ray avait fendu une pile impressionnante de bois, depuis l'aube.

Saisie d'une émotion qu'elle ne comprenait pas, Kate observa Ray qui maniait la hache avec son aisance habituelle. Il ne regarda pas un instant vers la cabane, se contentant d'effectuer sa besogne comme si son énergie était illimitée.

« A ce rythme, je vais bientôt me retrouver enfouie sous les bûches », se dit-elle.

A force de contempler Ray, elle sentit son trouble augmenter, et elle tourna le dos à la fenêtre.

Kate soupira. Elle ne s'était pas sentie aussi seule depuis que sa mère était morte, la laissant à la merci d'une tante sans affection. Curieusement, elle n'avait pas vraiment souffert de la solitude à Echo Basin jusqu'à cet instant. Le souvenir des journées merveilleuses partagées avec Ray lui rendait son indifférence actuelle très douloureuse.

Elle se rappela soudain ses baisers, et une curieuse chaleur l'envahit. Pourvu qu'il recommence, une fois que sa colère serait tombée, qu'il l'embrasse encore, qu'il la caresse, qu'il...

– Qu'en dis-tu, Lobo ? Qui aura le dernier mot, Ray ou les bûches ?

Le chien bâilla.

– Tu as raison. Vu son humeur, il va sûrement abattre tous les arbres de la forêt.

– Vous pouvez y compter !

Kate sursauta en entendant la voix de l'homme

juste derrière elle. Il était dans l'encadrement de la fenêtre, et elle rougit d'avoir été surprise.

Les bras croisés, il éclata de rire.

Le sourire que lui rendit Kate était aussi radieux qu'un matin d'été.

« Ne me regardez pas comme ça, fille dorée, sinon mes bonnes résolutions vont être réduites en cendres. »

– Cela veut-il dire que vous me pardonnez ? ne put-il s'empêcher de demander.

– Vous pardonner ? Mais de quoi ?

– D'avoir enseigné à votre molosse des manières convenables et d'avoir ensuite oublié les miennes.

– Je ne vous en veux pas.

– On aurait pu s'y tromper. Quand je vous ai vue me viser avec un fusil chargé...

D'abord, la jeune femme crut que Ray plaisantait, mais les yeux gris ne contenaient plus le moindre amusement, et elle fut brusquement contrariée.

– C'était sur Lobo que j'avais l'intention de tirer, dit-elle sèchement.

– Quoi ?

– J'ai cru qu'il allait vous tuer. Vous ne bougiez plus, et j'avais l'impression que ses crocs étaient plantés dans votre gorge.

L'horreur de cette image lui serrait le cœur et elle se détourna.

– C'est pour ça que j'ai décroché le fusil, dit-elle distinctement.

– Pour me sauver la vie ?

– Je ne vois rien d'étonnant à cela, marmonna-t-elle.

Pourtant... Ray savait à quel point elle aimait son chien. Et aussi combien elle dépendait de lui.

Elle avait donc été prête à l'abattre pour sauver un homme qui ne lui avait rien promis.

Rien du tout.

– Je comprends, dit-il.

– Vraiment ? Ce serait bien la première fois.

Kate fut surprise de sa propre dureté.

– Excusez-moi, balbutia-t-elle. Je ne sais pas pourquoi je suis si susceptible ces derniers temps.

– Moi, je sais... à cause de votre désir inassouvi.

Ray tendit la main et, par la fenêtre, il caressa la nuque de Kate.

Tout son corps frémit.

– Nous survivrons, fille dorée.

– Seulement parce que les vagabonds ne courtisent pas les agneaux innocents, dit-elle en se dégageant. Venez quand vous serez prêt, les biscuits sont presque cuits.

Pendant qu'il procédait à ses ablutions, elle alla jeter un coup d'œil à ses réserves. Les provisions qui auraient dû lui durer des mois disparaissaient à une vitesse surprenante.

Cet homme dévorait comme quatre ! Mais il travaillait comme six !

Elle se mordit la lèvre. Ray chassait et pêchait, elle ramassait des légumes verts, mais dans la nature on ne trouvait pas de farine, de riz, ou de haricots, sans parler des produits de luxe comme le café ou la cannelle.

« Il faudra que j'aille en chercher à Holler Creek », se dit-elle.

Mais avec quoi paierait-elle ?

Elle pensa à l'or de John, caché dans la grotte. Une fois cette modeste réserve dépensée, elle se retrouverait complètement démunie, seule, sans personne qui se soucierait d'elle.

« Je ne toucherai pas à cet or. Je ne suis pas encore réduite à cette extrémité. »

Mais cela ne tarderait pas, hélas !

Quand elle aurait dépensé le legs de John, elle n'aurait plus qu'à compter sur elle-même pour arracher de l'or aux rochers. Et jusqu'à présent, elle avait eu à peu près autant de chance comme chercheuse d'or que comme chasseresse !

Elle ferma le placard avec détermination.

Derrière elle, Ray l'observait.

– Demain, j'irai faire des courses à Holler Creek, dit-il.

– Non, merci. Vous m'avez déjà beaucoup trop donné.

– C'est moi qui ai presque tout mangé, protesta-t-il.

– Mais pour qui coupez-vous du bois ? Quelle maison réparez-vous ? A qui appartient la mule que vous avez ferrée ? Je devrais vous payer des gages.

– Je gagne à peine ma pension.

– Vous méritez non seulement d'être nourri, mais aussi de gagner de l'argent. Vous n'arrêtez pas de la journée !

– J'aime travailler.

– Je trouverai un moyen de vous payer.

– Jamais je n'accepterai d'argent venant de vous !

– Mais vous l'avez gagné ! insista-t-elle.

– Non.

– Vous êtes aussi entêté qu'une mule ! s'écria-t-elle.

– Merci. J'ai souvent pensé la même chose de vous. Néanmoins je le suis davantage encore, ma petite veuve, comptez sur moi.

Kate sentit l'irritation la gagner.

– Non, le vagabond. Mon seul espoir est qu'un jour je me réveillerai et que vous serez parti. Peut-être serez-vous plus têtu que moi d'ici là, mais j'en doute.

Sans un autre mot, elle se mit en devoir de servir le petit déjeuner.

Au bout d'un moment, elle revint à une attitude plus courtoise.

– Que faites-vous comme métier depuis que vous êtes devenu un vagabond ? demanda-t-elle.

Ray serra les dents. Il détestait ce mot de « vagabond » dans sa bouche.

– Charretier, marin, géomètre, professeur, tireur d'élite, répondit-il, tendu. Il n'y en a guère que je n'aie pas exercés.

– Qu'est-ce qu'un jackaroo ?

– En Australie, c'est ainsi qu'on nomme les conducteurs de troupeaux.

– Oh... et avez-vous déjà cherché de l'or ?

– De temps à autre.

– Vous en avez trouvé ?

– De temps à autre, répéta l'homme en haussant les épaules.

– Suffisamment pour exploiter une concession ?

– Les concessions sont comme les épouses, elles vous attachent.

– Vous voulez dire que vous avez renoncé à l'or simplement pour ne pas être lié ?

– Oui.

Kate avala sa salive.

– Je vois...

– Vous croyez ?

– Mais oui. Vous renoncez à avoir un foyer, une famille, des amis, de l'or, une terre. Et pour quoi, le vagabond ? Qu'est-ce qui vaut mieux que tout ça ?

– Le lever du soleil sur de nouveaux horizons, répondit Ray. Pour moi, rien n'est plus beau ni plus fascinant.

Kate venait d'assimiler une vérité qui lui brisait le cœur.

– L'amour est plus fascinant, murmura-t-elle. L'amour est comme le soleil, il brûle dans l'ombre... Il brûle sans cesse, merveilleux.

Ray ouvrit la bouche pour répondre, mais il se tut

devant l'amertume que trahissaient le sourire de la jeune femme et l'intense tristesse de son regard.

– Comme le soleil, l'amour est toujours hors de portée, poursuivit-elle. On ne peut pas plus l'attraper que la lumière elle-même. L'amour vous touche, mais vous ne pouvez le toucher.

Mal à l'aise, Ray reprit un biscuit.

– Pour vous peut-être, rétorqua-t-il sans bien savoir d'où lui venait cet agacement. Pour moi, l'amour est une cage.

– On ne construit pas une cage avec de la lumière.

L'homme avala une gorgée de café pour se donner une contenance.

– Et vous, qu'attendez-vous de la vie ? L'amour ?

– Je ne sais pas.

– Vous voulez dire que vous n'avez pas de rêves ?

– Des rêves ?

Elle eut un petit rire qui contenait toute la désillusion du monde, et Ray dut lutter contre l'impression qu'il ressentait sa peine comme si elle était sienne.

– Autrefois, je rêvais d'avoir une maison, un jardin, des enfants, et surtout un homme qui m'aimerait avec...

Sa voix se brisa.

Ray aurait voulu abandonner le sujet, mais il en était incapable.

– Autrefois, plus maintenant ?

– Non, plus maintenant.

– Pourquoi ? Cela peut encore se réaliser, Kate. Il existe beaucoup d'hommes honnêtes et travailleurs qui seraient ravis d'épouser une jolie veuve comme vous.

– M'épouser ? Tous ces hommes « honnêtes et travailleurs » attendent de moi la même chose qu'un certain vagabond, et...

– Ce n'est pas parce que je refuse de m'attacher que...

– ... et une maison, un jardin, l'amour n'ont rien à voir avec ce que désirent les hommes, poursuivait Kate sans s'interrompre. Quant aux enfants, ils n'en veulent pas non plus, mais ils ne se soucient guère d'en faire aux « jolies veuves » avant de repartir, en leur laissant le soin de les élever.

Ray sentit le feu lui monter aux joues.

– Je vous l'ai déjà dit, je suis certain de ne pas en avoir !

– Quel est le rapport avec ce que l'on vient de dire ? Nous étions en train de parler d'hommes honnêtes, travailleurs, qui seraient prêts à épouser une veuve. Nous savons vous et moi que vous ne faites pas partie de cette catégorie.

– Je ferais un bien piètre mari.

– Ai-je dit le contraire ?

– Non !

– Alors pourquoi criez-vous ?

– Je ne crie pas !

– Tant mieux. Je ne supporte pas qu'on hurle.

Ray lui lança un regard mauvais, mais elle était trop occupée à manger son bacon pour le remarquer.

– Bon, où en étions-nous ? reprit-elle. Ah, oui ! Nous constations que ni l'un ni l'autre n'étions pressés de nous marier.

– Moi, je peux vivre seul, affirma Ray. Pour vous, c'est différent.

– Vraiment ? Et en quoi ?

– Vous ne pouvez pas subvenir à vos besoins, et vous le savez parfaitement !

– Oh, bon ! Voilà un sujet sur lequel nous ne nous disputerons pas. Voulez-vous me passer la confiture, s'il vous plaît ? Le temps est divin, n'est-ce pas ?

Ray jura à mi-voix.

Kate feignit de ne pas l'avoir entendu et tendit le bras pour prendre la confiture.

– Vous préférez le grésil ou la neige ?

– Kate...

– Je sais, coupa-t-elle. Le choix est difficile. Et que pensez-vous de la grêle ? Croyez-vous que nous pourrions en parler sans hurler ?

– J'en doute, répliqua-t-il. Mais je ne crierais certes pas si vous m'offriez une autre tasse de café.

Dissimulant un sourire, la jeune femme fit pivoter sa chaise pour saisir la cafetière sans se lever. Comme elle se retournait, elle surprit le regard de Ray sur ses seins.

Sans un mot, il tendit son gobelet. Elle le servit puis reposa la cafetière sur le poêle.

– Et partager ce que vous trouveriez sur les concessions de John, cela vous ferait crier aussi ?

– Quoi ?

– John avait – *a* – plusieurs concessions le long d'Avalanche Creek.

Ray haussa les épaules.

– Il les exploitait pour pouvoir acheter la nourriture qu'il ne chassait pas, expliqua Kate.

– Racontez-moi ça, fit l'homme, ironique.

– J'essaie de le faire, le vagabond. J'essaie.

– Je m'appelle Ray ! s'écria-t-il.

– Pourquoi n'aimez-vous pas que j'utilise le mot « vagabond » ? C'est bien ce que vous êtes, non ? Je ne m'énerve pas quand vous me traitez de veuve, pourtant vous n'êtes même pas sûr que j'en sois une.

Ray renonça à discuter plus avant et, avec un soupir, se concentra sur ce qu'il avait dans son assiette.

Kate voulait lui faire dire qu'il n'avait aucune raison d'être agacé, mais elle préféra calmer le jeu pendant qu'elle avait l'avantage.

– Ma sœur Sarah faisait comme vous, dit enfin Ray.

Mes frères et moi sommes persuadés que les mères le leur apprennent en même temps que les recettes de cuisine.

– Apprendre quoi ?

– A ligoter les hommes par des mots.

Cette fois, Kate ne put réprimer un sourire.

– Mais nous nous en sortons quand même, reprit-il.

– Ah oui ? Et comment ?

Il se contenta de sourire, lui aussi.

– Maintenant, parlez-moi de ces concessions.

– Il n'y a pas grand-chose à raconter.

– Commencez par me dire où elles se trouvent, alors.

– En amont d'Avalanche Creek.

– A quel embranchement ?

– Celui de l'est. Très haut, là où la rivière sort d'une paroi rocheuse.

– Dure région, marmonna Ray. L'une des plus dures que je connaisse.

– C'est bien vrai. Chaque fois que j'y monte, j'ai le vertige et je suis sûre que je vais tomber.

– Mais vous ne devez en aucun cas grimper dans un endroit aussi dangereux !

Kate ignora la remarque.

– Lors du deuxième été que j'ai passé à Echo Basin, continua-t-elle, un grizzli a attaqué l'une des mules. Alors John a ramené Razorback à la maison et il est reparti à pied.

– Vous alliez toujours avec lui ?

– Parfois. Sinon je restais à la cabane. Je ne savais jamais à l'avance ce que j'allais faire le lendemain. John le voulait ainsi. Il disait qu'un chasseur ne peut tuer un gibier qui n'a pas d'habitudes régulières.

– Un homme prudent.

– C'était sa nature.

– Avait-il une autre activité que celle de prospecteur ? demanda Ray, curieux d'apprendre si Kate savait que son mari était aussi chasseur de primes.

– Non.

– Pourtant, il ne trouvait pas beaucoup d'or, compte tenu de ses longues absences, non ?

– Nous n'avons jamais manqué de rien.

– Il ne louait jamais ses services ?

– John ? Sûrement pas ! Il détestait les gens. Et puis, qui l'aurait engagé ? Il était sec, mais pas très costaud, et il était vieux.

– Certains métiers n'exigent aucune force physique.

Kate fronça les sourcils.

– Jamais John n'aurait tenu un bar, ni un magasin. Il avait de très mauvais rapports avec ses semblables.

Devant le regard clair de la jeune femme, Ray comprit qu'elle ignorait absolument que John était l'un des chasseurs de primes les plus redoutés de tout le territoire du Colorado.

– Vous avez parlé de plusieurs concessions. Quelle était la meilleure ?

– Rifle Sight.

– Laquelle est-ce ?

– La plus élevée. Tout en haut de la paroi rocheuse, une ravine à peine plus grosse que le cran de mire d'un fusil, et la pente est abrupte.

– La pierre est dure ?

Kate hocha la tête.

– Bon sang ! Des galeries ?

– Une seule.

– C'est une de trop. Depuis que j'ai sorti Reno d'une mine éboulée, l'année dernière, je n'ai pas tellement d'attirance pour les expéditions de ce genre.

– Alors nous pourrions essayer la Chute.

– De quoi s'agit-il ?

– D'une autre concession. Au cœur d'une avalanche...

Ray regarda par la fenêtre les sommets encore enneigés de l'hiver précédent.

– Non, merci, dit-il. Il y a trop de risques.

– En effet, John s'y rendait à la fin de l'été, approuva Kate. Quand presque toute la neige avait fondu.

– Et les autres ?

– Je n'en connais plus qu'une.

– Comment est-elle ?

– Froide. Humide. Une malheureuse fente dans le roc où l'eau s'accumule.

– Le Silencieux ne tenait guère à son confort, apparemment.

Ray réfléchit, le regard dans le vague.

– Tout cela ne me tente guère ! marmonna-t-il. Il est vrai que si j'avais aimé chercher de l'or, je serais resté dans l'Ouest avec Reno, au lieu de partir pour la Chine. Les chevaux peuvent-ils se nourrir à Rifle Sight ?

– Il y a une prairie à environ cinq cents mètres de la mine.

– Des grizzlis ?

– C'est là que l'autre mule est morte.

– Je ne pense pas que Pecos risque quelque chose de ce côté-là.

– Pecos ?

– Mon cheval. Il a été châtré trop tard, alors il se prend toujours pour le roi de la montagne.

Le regard de l'homme s'égara vers des paysages que lui seul pouvait voir. Kate observa la ligne de ses sourcils blonds, ses yeux gris en amande, l'angle énergique de sa mâchoire. Il y avait une légère trace de café sur ses lèvres.

– A quoi pensez-vous ? demanda-t-il doucement.

– Il y a du café sur votre bouche, j'aimerais le lécher, répondit-elle spontanément.

Elle devint aussitôt écarlate.

Ray émit un soupir qui pouvait bien cacher un juron.

– Dangereuses paroles, ma douce !

– Je suis... désolée. Je ne me suis pas rendu compte de...

– Donnez-moi votre main.

Après une brève hésitation, elle obéit et il y enfouit son visage.

– De la menthe, murmura-t-il. Dieu, je mourrai avec le souvenir de ce parfum !

– Ray...

Kate arrivait à peine à parler.

Il embrassa doucement sa paume offerte.

– Je vous donnerais volontiers le baiser dont nous avons envie tous les deux, dit-il, mais si je sentais votre bouche s'ouvrir sous la mienne... (Il continuait à taquiner sa main.)... je vous déshabillerais.

Il la mordilla tendrement, lui arrachant un léger cri de surprise.

– Et si je vous déshabillais, je vous prendrais aussitôt, assise sur mes genoux.

Il l'emprisonna dans son regard d'argent.

– Cela vous plairait, mon ange ?

– Je... je...

– ... Vous ne savez pas ?

– Je n'arrive pas à réfléchir quand vous me touchez, dit-elle d'une voix entrecoupée. Et quand vous ne me touchez pas, je ne pense qu'au moment où vous me toucherez de nouveau.

Ray frissonna, et glissa la langue entre les doigts de la jeune femme.

– Votre franchise m'enflamme, dit-il contre sa

peau. Quand vous brûlerez autant que moi, venez à moi. J'attendrai aussi longtemps que je le pourrai.

– Ensuite vous partirez ? murmura-t-elle, malheureuse.

– Non. Je viendrai à vous.

9

– J'insiste, nous partagerons l'or que nous trouverons ! lança Kate, par-dessus son épaule.

Razorback avançait d'un pas étonnamment sûr le long de la pente abrupte. Ray suivait, sur son grand cheval gris. Ils chevauchaient en direction des concessions du Silencieux.

– Ray ?

Ignorant la jeune femme, il se retourna pour vérifier que le cheval de bât ne souffrait pas trop de l'altitude. Le bras est d'Avalanche Creek dessinait sur le flanc de la montagne une trace zébrée, semblable à un éclair qui sautait de ravin en cascade, de cascade en ravin.

– Vous avez perdu votre langue ? fit Kate.

– Je me contenterai de gages, comme n'importe quel homme de main.

– Vous feriez une bonne mule, grommela la jeune femme, sûre de ne pas être entendue.

– Si vous avez envie de me chevaucher, il suffit de demander, rétorqua Ray.

– Et en plus, vous en avez les longues oreilles !

Kate avait rougi, et l'homme éclata de rire.

– J'adore vous taquiner ! Ça me grise !

– C'est l'altitude.

– Pas du tout. C'est bien vous qui m'enivrez.

Elle secoua la tête avec vigueur, mais ses yeux pétillaient d'amusement. Les tendres plaisanteries de Ray lui étaient une source perpétuelle d'étonnement.

– Je ne sais jamais quand vous êtes sérieux, soupira-t-elle. Jusqu'à présent, je n'ai pas rencontré d'homme qui ne soit pas obsédé par l'or, ou la bagarre, ou...

Elle comprit trop tard où ses paroles allaient la mener.

– ... le sexe ? suggéra Ray.

Elle acquiesça.

– Oh, mais je suis obsédé par le sexe ! assura-t-il.

– Vous avez une étrange façon de le montrer, marmonna-t-elle.

Il eut son éblouissant sourire.

– Ainsi, vous avez remarqué.

– Quoi ?

– Que je ne vous ai pas touchée depuis le petit déjeuner d'avant-hier.

– Pourquoi l'aurais-je remarqué ? demanda-t-elle sèchement.

Cette fois, Ray éclata de rire franchement.

– Vous brûlez déjà, mon ange ?

– J'ignore de quoi vous parlez.

– Je sais. C'est pourquoi je vous ai laissée tranquille.

Kate se mordit la lèvre.

– Comment deviendrai-je moins naïve, si vous ne m'enseignez rien ?

– Bonne question. Quand vous aurez trouvé la réponse, prévenez-moi.

Avec un grognement exaspéré, elle se retourna vers la montagne.

Le grand chien attendait plus haut, à la croisée des chemins. Celui de gauche, encore couvert de neige, menait vers la Chute, l'autre montait en direction de

Rifle Sight, en passant par l'endroit que John appelait la Clairière des Grizzlis.

– A droite, Lobo ! cria la jeune femme avec un grand geste du bras.

Le chien obéit aussitôt, et Kate se retourna pour voir si Ray était impressionné par sa docilité. Mais il ne la regardait pas. Les yeux plissés, tendu, il examinait le sentier derrière eux.

– Ray ?

Il leva la main pour lui imposer le silence.

Mal à l'aise, Kate scruta les environs, mais ne discerna aucun mouvement suspect. Seulement celui des arbres bercés par la brise et l'ombre des nuages qui courait sur le flanc de la montagne.

– Ce n'était rien, fit-il enfin. Juste un oiseau dérangé par un cerf, sans doute. Les Indiens n'ont aucune raison de grimper si haut, et les hors-la-loi sont trop paresseux pour ça.

– Un grizzli ?

– Ce n'est pas impossible. Nous sommes sur une piste de gibier, et les ours les suivent aussi. Ils ouvrent rarement de nouvelles routes, sauf pour chercher des baies. A cette période, ils feraient n'importe quoi pour en manger.

Kate examinait la paroi montagneuse couverte d'épicéas, de pins, de trembles. Vers le haut, la forêt s'éclaircissait, annonçant la Clairière des Grizzlis, dernier endroit de pâturage pour les cerfs. Ensuite, la végétation se raréfiait avant de disparaître tout à fait au profit des rochers.

– Avez-vous vu des traces de grizzlis ? demanda la jeune femme, inquiète.

– Regardez cet arbre, sur votre droite.

Très au-dessus de sa tête, Kate aperçut une balafre dans l'écorce du pin.

– Ça ?

Ray hocha la tête.

– Mais c'est à plus de deux mètres du sol !

– Deux et demi, sans doute.

– Alors, quel rapport avec les grizzlis ?

– John ne vous a pas appris grand-chose, on dirait.

– Non. Tout ce que je sais, je l'ai lu dans les livres qu'il m'apportait de temps à autre afin que je ne l'ennuie pas avec mon bavardage.

– Quand un ours mâle marque son territoire, expliqua Ray, il se dresse sur ses pattes arrière et vient griffer un arbre aussi haut que possible.

– Pourquoi ?

– Un vieux trappeur m'a dit que c'était un message pour les autres mâles. Si un ours errant est incapable de surpasser en hauteur le mâle résident, il s'en va vers d'autres horizons sans faire d'histoires.

Kate regarda de nouveau la marque, essayant d'évaluer la force d'un animal capable de se dresser si haut.

– D'après ce que je vois, poursuivit Ray, il y a un ours de taille fort respectable qui a élu domicile dans le coin pour l'été.

Machinalement, la jeune femme effleura la crosse de son fusil accroché à sa selle.

– Ne vous inquiétez pas, dit Ray. Il est rare que les grizzlis se risquent à cette altitude si tôt dans la saison.

– Peut-être. Après la mort de la mule, John m'a raconté que les ours sont des créatures fantasques. Comme les Indiens, ils obéissent à leurs caprices. Et les femelles qui ont des petits sont particulièrement dangereuses. Si vous en apercevez une, filez le plus vite possible dans la direction opposée.

Kate adressa un sourire en coin à Ray.

– Je crois qu'il ne m'en a jamais autant dit d'une

seule traite. C'était sa manière de me faire comprendre l'importance de son propos.

L'idée que Kate ait pu être solitaire à ce point depuis sept ans perturbait profondément Ray.

– Rassurez-vous, dit-il. Ces marques ne datent pas d'hier. Et, la plupart du temps, les ours ne se soucient guère des hommes, sauf pour leur voler de la nourriture s'ils ont l'imprudence d'en laisser traîner.

Comme l'avait fait remarquer John, les grizzlis étaient des créatures imprévisibles.

Ray ne cessait d'observer les alentours. Il admirait la beauté du paysage avec ses pics rocheux offerts au vent, ses hautes vallées verdoyantes, ses trembles chuchotants, tandis que des nuages d'orage s'amassaient dans le ciel encore clair.

– Pourriez-vous faire accélérer votre mule ? demanda-t-il après quelques instants de silence.

– Je vais essayer.

– Il tombera de la neige fondue avant longtemps.

– Plutôt de la grêle, à mon avis, rétorqua Kate en talonnant Razorback.

Celle-ci obéit sans se faire prier. Elle aussi avait senti l'orage porté par le vent.

Une fois arrivés à la prairie, ils se hâtèrent d'installer leur campement. Tandis que la jeune femme s'occupait de la vieille mule et de Pecos, Ray conduisit le cheval de bât, Mago, à l'extrémité sud de la clairière, là où se trouvaient des cendres indiquant que le Silencieux y avait campé de temps à autre.

Mais pas récemment.

– Comment avez-vous su que c'était le coin le mieux abrité ? demanda Kate en le rejoignant.

– J'y suis déjà venu.

– Quand ?

– Lorsque je cherchais à savoir si John était toujours dans la région.

Kate craignait que Ray n'ait découvert la preuve de la mort de John.

– Et... ?

– Je n'ai trouvé aucune piste. Autant que je puisse en juger, personne d'autre que moi n'est passé par ici, et j'ai laissé bien peu de traces.

– Vous êtes monté jusqu'à Rifle Sight ?

– Oui.

La jeune femme ouvrit de grands yeux.

– Y avez-vous découvert quelque chose ?

– Rien de récent. Une pioche brisée. Une boîte de conserve pleine de paraffine avec, en guise de mèche, un morceau de tissu qui n'avait pas été brûlé. Il y a aussi des traces d'avalanche et un éboulis ancien au milieu duquel poussent des fleurs sauvages.

Kate avala sa salive, en refoulant l'image de John pris sous la coulée de pierres.

– Et la Chute ? demanda-t-elle.

– Elle est de l'autre côté de cette crête, en obliquant vers le nord. Encore enfouie sous la neige. Il y a d'autres endroits où l'on a creusé, en amont, mais les traces sont anciennes et...

– Pourquoi ne me l'avez-vous pas dit ? coupa Kate, irritée.

– Que je cherchais John ?

Elle acquiesça sans mot dire.

– Vous ne me parliez pas, à cette époque-là, répondit Ray, un peu sec.

– Alors pourquoi vous étiez-vous lancé sur ses traces ?

– Parce que je déteste l'infidélité.

Kate ne s'attendait pas à ça. Elle n'avait jamais pensé à cette situation entre John et elle, puisque leur mariage n'avait pas été consommé.

Ray se tourna carrément vers elle. Il lui parut

immense, avec ses larges épaules et son épais manteau de laine au col relevé.

– Pendant les premiers jours, reprit-il, j'ai essayé de m'en aller, de disparaître sans espoir de retour. Mais je vous désirais trop pour garder mes mains dans mes poches.

– Vous vous êtes fort bien débrouillé pour surmonter ce problème, dit Kate, ironique. Je suis fière de vous.

– Vous êtes fière, un point c'est tout, rétorqua l'homme avec un sourire furtif. J'aime ça. Un peu de piment dans le miel !

Incapable de supporter davantage le désir qu'elle lisait dans le regard de Ray, la jeune femme détourna la tête et se mit à vaquer à diverses tâches.

Une fois installé le campement, il y eut un violent éclair, suivi d'un roulement de tonnerre. La grêle se mit à tomber.

Aussitôt, Ray improvisa un auvent de toile goudronnée et attira la jeune femme entre ses genoux, le dos contre sa poitrine.

– Pliez les jambes, sinon vous aurez les pieds trempés.

Sous l'abri, il régnait une lumière crépusculaire, sauf quand une bourrasque soulevait un coin de la bâche, ou qu'un éclair plus fulgurant l'illuminait.

– Tenez ça ! dit Ray.

Kate prit le coin de toile qu'il lui tendait.

– Et ce bout là !

Elle prit un autre morceau de la main gauche.

– Vous tenez bon ?

– Oui.

Parfait. Quoi qu'il arrive, ne lâchez pas la toile, ou vous prendrez la douche la plus froide de votre vie.

Kate hocha la tête. Dans le mouvement, son chapeau glissa. Instinctivement, elle leva la main pour le remettre en place, et une bouffée d'air glacé pénétra sous la toile. Vivement, elle agrippa le tissu et le plaqua au sol.

– Désolée, s'excusa-t-elle.

– Rapprochez-vous de moi.

La jeune femme recula jusqu'à ce qu'elle se sente prisonnière des cuisses de l'homme.

– Encore, insista-t-il.

Elle obéit.

– Là, ça va ?

– Non. Je ne peux toujours pas atteindre votre chapeau sans laisser entrer la grêle.

Kate planta ses talons dans le sol et recula encore vers lui.

– Et maintenant ?

Ray prit une profonde inspiration. Le contact des hanches ondulantes avait éveillé en lui un désir presque douloureux.

– Plus près, souffla-t-il.

– C'est impossible, il n'y a plus de place.

– Mais si. Vous seriez surprise de constater à quel point deux corps peuvent s'approcher l'un de l'autre.

Kate se balança encore en arrière. Elle entendit comme un gémissement, sentit la tension de Ray.

– Ray ? Ça va ?

– J'ai un peu froid, fit-il, les dents serrées. Et vous ?

– Beaucoup moins que tout à l'heure. Vous êtes plus efficace comme chaufferette qu'un feu de camp !

Il eut un petit rire amusé.

– Mais mon chapeau est toujours de travers, ajouta-t-elle. Il me chatouille le nez.

– Ne bougez pas. Je vais essayer de le redresser sans que nous soyons trempés.

Avant qu'elle pût répondre, il se mouvait doucement contre elle.

– Que faites-vous ?

– J'essaie de m'asseoir sur un coin de cette maudite bâche afin de libérer une de mes mains. Pourquoi ?

– Pour rien.

Kate souffla afin de repousser une mèche de cheveux qui lui tombait sur le front. La grêle martelait leur abri, tonnerre et éclairs se succédaient à une cadence infernale, pourtant c'était un autre orage qui grondait dans les veines de la jeune femme.

– Voilà, annonça Ray. Ça devrait aller.

Kate essayait de se détendre, mais elle en était incapable quand elle se trouvait si proche de Ray.

– Appuyez-vous contre moi.

– Pourquoi ?

– Vous voulez que je redresse votre chapeau, oui ou non ?

En ronchonnant, elle obéit et sentit enfin son chapeau à sa place.

– Alors ? demanda-t-il.

– C'est mieux. Mais à présent, j'ai les cheveux dans la figure.

– Vous êtes plus embêtante qu'une portée de chiots !

En souriant, Ray saisit la mèche incriminée et la lui glissa derrière l'oreille.

– Ça va, cette fois ?

– Oui. Je vous remercie.

– Rien d'autre ne vous dérange ?

– Non.

– Tant mieux. J'aimerais que vous vous concentriez sur ce que vous ressentez.

– Pour l'instant, je sens... Ray !

– Ne lâchez pas cette toile, mon ange. La grêle est sacrément froide !

Kate l'entendit à peine. Il avait glissé une main sous

sa veste et caressait un de ses seins dont la pointe se dressa aussitôt.

– Il y a des moments où les gants sont bien encombrants ! dit-il. Aidez-moi. Prenez le mien entre vos dents et tirez.

– Mais...

– Je m'efforce seulement de répondre à votre question : comment apprendrez-vous si je ne vous touche pas ? Si vous n'aimez pas la façon dont je m'y prends, dites ce qui vous gêne.

Kate se mordit la lèvre pour ne pas exprimer son plaisir tandis que Ray continuait à jouer avec son sein.

– Kate ?

C'était son nom, c'était une question, c'était une caresse contre sa nuque.

– Voulez-vous que j'arrête ?

– Oui. Non. Je ne sais pas.

Elle prit une brève inspiration, et ce geste la poussa davantage dans la main de l'homme. Un frisson de plaisir la parcourut.

– Oui, murmura-t-elle. Touchez-moi. Apprenez-moi.

Ray tentait en vain de maîtriser la réponse de son corps à ce doux chuchotement.

– Aidez-moi à ôter mon gant, pria-t-il. Ça sera beaucoup mieux pour nous deux.

Il remonta la main vers sa bouche et, à l'aveuglette, elle saisit un doigt entre ses dents, puis un autre, et soudain il fut libéré. Aussitôt il revint à elle, à travers la chemise de flanelle.

– Vous préférez ? Moi aussi. Vous me faites penser à du satin.

Kate réprima un cri de plaisir quand Ray lui mordilla la nuque. Elle inclina la tête pour s'offrir davantage à lui.

Eblouie, elle se rendit à peine compte que les boutons de sa chemise s'ouvraient un à un. Elle savait seulement qu'elle était en feu, que les doigts de l'homme étaient délicieusement frais et tendres sur sa peau.

Avec un gémissement étouffé, Ray glissa la main sur son sein gauche, déjà durci, qu'il sentit pointer, tendre velours, sous sa paume.

– Ils répondent délicieusement au moindre contact, dit-il.

– Je ne... en général, ils ne... sauf quand il fait froid... ou humide...

Ray sourit, heureux d'entendre Kate balbutier comme une femme en proie au désir qui montait en elle. Ses reins étaient douloureux de la sentir s'arquer contre lui.

– Le désir, dit-il d'une voix rauque.

Quoi ?

C'était plus un soupir qu'une question.

– C'est le désir qui durcit vos seins.

Ce sont... vos doigts.

Avec un petit rire, Ray mordilla de nouveau la nuque de la jeune femme qui gémit doucement.

– Vous aimez ?

Le mouvement des hanches contre lui fut une réponse plus que suffisante, et il glissa la main entre les jambes de Kate.

Elle se raidit, comme traversée par la foudre.

– Doucement, murmura-t-il, autant pour lui que pour elle.

La grêle redoublait de violence, mais ni l'un ni l'autre ne s'en souciaient.

– Je ne vous ferai pas de mal. Je veux juste sentir le feu que j'ai allumé. Je veux que vous le sentiez aussi.

Frissonnante, la jeune femme s'appuya davantage contre lui.

Il la caressa, puis il s'immobilisa.

Mais ce n'était pas assez. Kate ondulait, elle en voulait davantage.

– Ray... Votre main...

– Oui. Ma main, votre corps. Dieu, que vous êtes douce ! J'aimerais...

« Pas encore. Elle est trop innocente. Il faut qu'elle soit consciente de ce qu'elle veut, qu'elle me le demande. »

Kate poussa un cri quand il approfondit sa caresse, tandis que le plaisir montait en elle.

– Je ne voulais pas... Je suis désolée... Je n'ai pas... pu m'en empêcher...

– Empêcher quoi ?

Il bougeait de nouveau et de nouveau elle répondit.

– Ça, murmura-t-elle.

– Ça, c'est le plus doux des miels, ma chérie.

– Je ne devrais pas... vous laisser...

– Ce n'est qu'un avant-goût... Une façon de découvrir si vous avez envie d'aller plus loin.

Il continuait à la caresser, et elle se raidit.

– Je vous ai fait mal ?

– Non. Ça fait... drôle.

– Drôle agréable, ou drôle désagréable ?

Ray n'eut aucun mal à obtenir la réponse.

– Votre corps dit que c'est agréable, souffla-t-il contre son cou.

Kate épousait les gestes de l'homme, et le plaisir se déroulait en elle, l'emportant vers des sommets inconnus.

– Ray, je ne peux plus... ! Arrêtez ! Arrêtez, j'ai peur !

– Tout va bien, ma chérie. Laissez-vous aller.

Incapable d'en dire davantage, Kate sentait la tension monter en elle, intolérable, dans une quête désespérée de quelque chose qu'elle ne savait nommer.

Mais Ray, lui, sut exactement quand arriva l'extase

qui la secoua tout entière, tandis qu'elle psalmodiait inlassablement son nom.

Il lui fallut toute sa volonté pour cesser de la caresser, pour s'empêcher de goûter lui-même à sa douceur.

Avec un son étranglé, elle se serra davantage contre lui. L'atmosphère sous la bâche était mystérieuse, chaude, affolante.

Il serra les dents pour résister à la tentation que représentait cette jeune femme abandonnée, offerte. Lentement, il s'obligea à la lâcher.

Mais il fut plus rapide pour sortir de sous la toile, la refermer autour de Kate afin de la protéger de la tempête.

– Ne bougez pas jusqu'à la fin de l'orage, dit-il.

– Et vous ?

– Je brûle suffisamment pour faire fondre tous les glaçons du monde !

Battu par la grêle, il alla voir comment se comportaient leurs montures, espérant que cela éteindrait son feu intérieur.

Ce ne fut pas le cas.

10

– Ça a mieux marché ? demanda Kate en levant les yeux du feu de camp.

Comme hier, répondit Ray qui caressait le chien entre les oreilles.

Afin de cacher sa peur, la jeune femme se tourna vers la Clairière des Grizzlis où broutaient tranquillement la mule et les deux chevaux. Le soleil couchant dorait le paysage, apportant la première véritable chaleur de l'été.

Six jours.

Depuis six jours, Ray montait à Rifle Sight pour creuser la pierre pendant qu'elle restait seule au campement.

Depuis six jours, tout ce qu'il avait obtenu, c'était la sueur qui dégoulinait sur son front.

– Vous aurez plus de chance demain, dit-elle. Ou après-demain.

Ray ne répondit pas. Il se contenta de caresser encore le cou du gros chien.

Kate vit les taches sombres sous les yeux de l'homme et les rigoles laissées par la transpiration dans la poussière qui le recouvrait de la tête aux pieds.

Chaque après-midi, elle se lavait dans un baquet, se rinçait au ruisseau, puis elle faisait chauffer de l'eau pour le bain de Ray. A son retour, chaque soir, elle nettoyait ses vêtements.

– Vous devriez prendre un peu de repos, dit-elle doucement. Vous semblez épuisé. Vous travaillez trop dur, toute la journée. Vous prenez à peine le temps de manger.

– Ainsi, je dors mieux la nuit.

D'une certaine manière, c'était vrai, mais il ne tenait pas compte du nombre de fois où il se réveillait en sueur, tétanisé par une fièvre inhabituelle.

Et il se demandait si Kate ressentait la même chose.

Toutefois, il ne lui posait pas la question. Six jours auparavant, il avait suscité le désir en elle. Il ne s'imposerait pas si elle ne voulait pas en apprendre davantage.

Désormais, c'était à elle de prendre l'initiative. Fini le temps des regards énamourés et des accès de pudeur, bons pour les vierges qui ne savent pas ce qu'elles recherchent et moins encore comment l'exprimer. Les jolies veuves en connaissaient assez sur les hommes pour discerner les signes d'une ardeur virile.

– Asseyez-vous sur cette souche, dit-elle. J'ai fait chauffer assez d'eau pour que vous preniez un bain.

– Vous sous-entendez que je sens aussi mauvais que cette vieille Razorback ?

Kate observa Ray, les yeux plissés. Plaisantait-il, ou était-ce une simple question ? Depuis le soir de l'orage, leurs relations avaient changé, et elle n'y comprenait rien. Ray ne la taquinait plus comme avant.

Et il avait cessé de l'embrasser, de la caresser jusqu'à ce plaisir qu'elle avait ressenti, exprimé.

– Pour moi, vous sentez toujours bon, répondit-elle un peu timidement. Mais je sais que cette poussière est très inconfortable.

– C'est John qui vous l'a dit ?

Elle secoua la tête.

– Non, je l'ai appris comme vous, par expérience, le manche d'une pioche à la main.

Ray en resta bouche bée. Il n'imaginait pas ces bras minces en train de manier le lourd instrument.

– Ne faites pas cette tête ! protesta-t-elle. Je ne suis pas si maladroite qu'il y paraît.

– Vous n'êtes pas aussi habile que *vous* le pensez, grommela-t-il.

– Je n'ai pas votre force, répliqua-t-elle sèchement, mais je sais aller au bout d'un travail si je l'ai décidé, et c'est tout ce qui compte.

Irritée, elle retourna vers le feu. Ces derniers jours, elle était toujours au bord de la colère... et elle ignorait pourquoi.

– Et vous avez trouvé de l'or, avec vos outils ? insista Ray.

– Non, mais je travaillais sur la Chute. Rifle Sight est un filon plus riche.

– ... D'après John.

– J'ai vu le minerai qu'il rapportait. Il y avait tant d'or mélangé au quartz qu'il s'effritait dans la main.

– Eh bien, il a dû épuiser la veine. D'après ce que j'ai vu, vous pourriez vous échiner tout l'été à Rifle Sight sans en extirper de quoi payer vos modestes provisions.

Kate frémit. Les concessions étaient synonymes de liberté. Sans elles, elle perdrait son indépendance.

– Il y a certainement de l'or ici, s'entêta-t-elle.

Du coin de l'œil, elle vit Ray s'étirer pour soulager ses muscles noués par la journée de travail. Sa chemise trempée de sueur lui collait à la peau.

« Il est vraiment superbe ! Rien qu'à le regarder, j'ai le souffle coupé. Et quand je songe à ses mains sur moi... »

Un délicieux frémissement la parcourut au souvenir de l'épisode de la bâche. Le paradis...

Cette expérience l'avait rendue timide vis-à-vis de Ray. Et comme il n'en avait absolument pas reparlé, comme il ne l'effleurait même pas par hasard, elle devenait de plus en plus nerveuse.

Et exaspérée.

Elle ne comprenait pas vraiment ce qui s'était passé quand il l'avait touchée, mais elle désirait que cela se reproduise. Et bientôt.

Mais visiblement, lui ne le souhaitait pas.

« Peut-être devrais-je essayer de prendre les devants. »

– Désirez-vous que je vous lave les cheveux ? Ce n'est pas très commode, dans un baquet.

A la pensée du contact de ses mains, Ray, malgré la fatigue, sentit le désir monter en lui et, agacé, il serra les dents. Il détestait l'impression qu'il avait de ne plus dominer son corps, même lorsqu'il travaillait jusqu'à l'épuisement.

– Non, maugréa-t-il. Je me débrouille depuis pas mal de temps sans femme de chambre.

– Eh bien, allez au diable ! lança-t-elle, furieuse.

Il saisit le baquet et le porta vers un bouquet d'arbres près du ruisseau, suivi du molosse qui bondissait comme un chiot. Ce dernier adorait jouer avec l'eau que lui lançait Ray quand il se lavait.

– C'est ça, Lobo ! s'écria Kate, rancunière. Abandonne-moi ! Suis-le donc !

L'homme et le chien l'ignorèrent superbement.

En pestant, elle chercha du regard quelque chose pour passer ses nerfs, et ne découvrit que la pioche appuyée à la souche, près de son fusil.

– Non, je n'irai pas creuser la pierre... pas encore !

L'eau chauffait sur un trépied au-dessus du feu, et elle y trempa le doigt. A peine tiède.

– Qu'elle prenne donc la journée entière pour chauffer ! grommela-t-elle.

Elle remit du bois sur le brasier. A la cabane, elle avait la source, il lui suffisait d'aller puiser l'eau chaude.

En soupirant, elle plongea les doigts dans l'eau pour la quinzième fois. La température était enfin acceptable.

– Bon ! Je vais pouvoir faire la lessive. Je comprends maintenant pourquoi des hommes ont des vêtements si sales qu'un Comanchero en aurait honte. C'est une vraie plaie d'obtenir de l'eau chaude !

Kate se penchait pour soulever le seau quand le chien se mit à aboyer avec une rage féroce.

Il y eut un coup de feu.

Elle lâcha le récipient pour s'emparer de son fusil.

Un autre coup de feu

Le cri de Ray lui parvint alors qu'elle courait vers le bouquet d'arbres. Elle comprit soudain ce que ses oreilles avaient saisi avant son esprit : les détonations étaient provoquées par la lanière du fouet, pas par des coups de feu.

Il claquait, claquait encore, fendant l'air comme un éclair. Ray cria de nouveau, mais Kate ne saisit pas ce qu'il disait.

Et puis il y eut un vacarme terrifiant où se mêlaient des martèlements sourds, des rugissements...

Un grizzli.

– Ray ! cria-t-elle en courant à toutes jambes. Ray ! Vous n'avez même pas d'arme !

Elle sauta par-dessus un tronc abattu, reprit son équilibre et se remit à courir tout en chargeant son fusil.

Elle vit l'ours avant d'apercevoir Ray. L'animal se tenait sur ses pattes arrière, plus grand que l'homme, plus lourd, terrifiant de puissance. Il faisait claquer ses crocs, et de la bave lui sortait de la gueule. Les pattes massives heurtaient le fouet qui s'enroulait sans cesse autour de son cou.

Torse nu, Ray tournait le dos à un bosquet trop dense pour qu'il pût s'y réfugier. De toute façon, l'ours l'aurait suivi, abattant les trembles sur son passage. Il ne pouvait pas non plus se sauver en courant, car les grizzlis étaient plus rapides que des chevaux.

Derrière l'ours, Lobo s'élança pour le mordre aux jarrets, mais, avec une vivacité terrifiante, le grizzli se retourna et le frappa de ses griffes longues comme la main.

Le fouet claqua, l'ours se raidit, poussa un grognement de fureur, les mâchoires grinçantes. Il y avait une trace de sang sous son œil droit, preuve que la lanière l'avait atteint malgré l'épaisseur de la fourrure.

Mais le fouet, au lieu de l'effrayer, l'exaspérait davantage.

Tôt ou tard, les pattes massives s'accrocheraient à

la lanière, rendant le fouet inutilisable. Le combat inégal ne durerait guère.

Kate ne ralentit pas sa course. Il lui fallait s'approcher suffisamment pour être sûre de tuer l'ours. Un grizzli blessé était l'animal le plus dangereux de la Création.

Ray levait le bras pour frapper une nouvelle fois quand il aperçut la jeune femme.

– Allez-vous-en ! hurla-t-il.

Si Kate l'entendit, elle l'ignora.

Ray maniait son arme avec une rapidité stupéfiante, et l'attention de l'ours fut un instant retenue par le claquement, tandis que le molosse tentait de lui mordre les pattes.

A présent, Kate était si proche du plantigrade qu'elle aurait pu le toucher. Elle visa un point sous le bras et tira.

Elle n'avait pas eu le temps de se camper solidement sur ses jambes avant de tirer, et le choc de recul l'envoya à terre. Le grizzli, avec un rugissement furieux, lança une patte à l'endroit précis où se trouvait la tête de la jeune femme une seconde auparavant.

Le fouet meurtrier claqua de nouveau, s'enroulant autour du cou de l'ours. Les muscles bandés, Ray entraîna l'animal blessé, à demi étranglé, loin du corps inerte de la jeune femme. La bête sauvage s'effondra enfin, battant l'air de ses pattes devenues impuissantes.

Et puis soudain, dans un sursaut, il s'immobilisa.

On n'entendait plus que le souffle rauque de Ray et les grondements de Lobo qui s'avançait vers son ennemi.

– Recule ! ordonna Ray.

Le grand chien obéit.

D'un simple mouvement du poignet, Ray fit claquer

le fouet au-dessus des yeux ouverts de l'ours. Celui-ci ne broncha pas. Il était bien mort.

Ray courut près de Kate et poussa un immense soupir en voyant qu'elle respirait.

– Où avez-vous mal ?

Elle secoua faiblement la tête.

– J'ai vu le grizzli vous frapper, insista-t-il.

Durant le combat, il avait eu la main sûre, mais à présent, il tremblait en tâtant doucement la tête de Kate à la recherche d'une blessure.

– Je... Ça va, souffla-t-elle, secouée.

– Ne bougez pas. Laissez-moi voir ce que vous avez.

– C'est le coup de fusil. Il m'a coupé la respiration.

Ray plongea son regard dans les yeux bleus.

– Le recul ?

Elle acquiesça, tout occupée à reprendre son souffle.

Très doucement, Ray explorait la chevelure de la jeune femme. Rassuré, il passa les mains sur tout son corps pour n'y découvrir qu'une chaleur qui le troubla profondément.

Il se redressa brusquement, la contempla longuement, gisant à terre.

Enfin il lui tendit la main.

– Pouvez-vous vous lever ? demanda-t-il, très calme, trop calme.

Kate l'observait, méfiante. Dans les yeux si tendres, si inquiets un instant auparavant, elle ne voyait plus que le gris d'un ciel d'orage, presque opaque.

Elle lui avait vu une fois ce regard : quand les Culpepper s'étaient montrés si grossiers envers elle. Cela l'avait mis en rage.

Il était dans le même état à présent.

Kate se releva péniblement, repoussant la main offerte.

– Ça va, dit-elle.

– Vous avez risqué votre vie !

– Mais vous étiez...

– Je vous ai dit de vous en aller ! explosa Ray sans hésiter à lui couper la parole. Vous avez entendu ? Bien sûr que non ! Vous continuiez à galoper en braquant cette antiquité sur les fesses du grizzli !

– C'était son bras, pas ses...

– Si le recul ne vous avait pas jetée au sol, vous seriez morte, à l'heure qu'il est ! Vous comprenez, petite idiote ? *Vous seriez morte sans que j'aie rien pu tenter pour vous sauver !*

La colère prit le pas sur le bon sens de Kate. Les poings sur les hanches, elle lança à Ray son regard le plus noir.

– Alors, que devais-je faire ? s'écria-t-elle. Rester là à ravauder vos chaussettes pendant que ce grizzli vous transformait en serpillière ?

– Oui !

– Vraiment ! Et c'est vous qui avez le toupet de me traiter de folle ! Eh bien, laissez-moi vous dire une bonne chose, le vagabond : au concours de la folie, non seulement vous gagneriez la première place, mais aussi la seconde, la troisième, la qua...

La tirade de Kate se termina en un son étouffé quand Ray la souleva de terre pour l'embrasser sur la bouche. Elle se débattit un instant, juste un instant, avant de lui rendre son baiser avec une passion débridée.

Le chien tournait autour de l'ours en grondant, puis il planta ses crocs dans la fourrure, et secoua l'animal mort de toutes ses forces.

Ni Ray ni Kate ne firent attention à lui.

Un long moment s'écoula avant qu'il la laisse reposer les pieds au sol, et le glissement le long du corps de l'homme confirma ce que le baiser avait exprimé.

Ray avait envie d'elle.

De tout son être.

– Ô mon Dieu, dit-elle d'une voix entrecoupée en s'accrochant à lui, les jambes faibles. J'espérais ce baiser depuis le jour de l'orage.

Ray laissa échapper un long soupir.

– Pourquoi ne l'avez-vous pas dit ? Je croyais que vous ne vouliez plus de mes mains sur vous.

– J'aurais dû venir à vous et vous dire que j'avais envie de... de...

– Oui, déclara-t-il simplement.

Kate rougit, se mordit la lèvre, puis elle leva vers Ray un regard aussi bleu que le ciel d'été.

– Vous avez perdu votre langue ? la taquina-t-il.

Avec une petite grimace, elle fit mine de lui donner un coup de poing à l'épaule.

Il se mit à rire et la berça tendrement entre ses bras, le menton posé sur ses cheveux.

– Je me demande comment on peut être à la fois si courageuse et si timide ! dit-il.

– Je ne suis pas courageuse. Ni timide.

– Certes, rétorqua-t-il avec le plus grand sérieux. Vous êtes une petite souris craintive qui court se mettre à l'abri au moindre danger. Et une créature impudente qui se jette à la tête des hommes.

– Vous me taquinez !

– Pas encore, mais j'y songe.

Ray avait l'air gourmand d'un chat qui vient de trouver une jatte pleine de crème.

– J'y pense même très fort, à vrai dire, ajouta-t-il.

Kate ne voyait pas le sourire de Ray, mais elle l'entendait dans sa voix et, ravie, elle frotta son nez contre sa poitrine.

Cela la chatouilla.

Elle se rappela qu'il était torse nu.

– Qu'y a-t-il ? Vous avez mal quelque part, finalement ? dit-il, les yeux soudain fixés sur elle.

Elle secoua la tête.

– Alors ?

– C'est vous.

– Moi quoi ?

– Vous ne portez pas de chemise.

– J'allais me rhabiller quand l'ours a surgi. Si cela peut vous paraître plus équitable, ôtez donc la vôtre.

Kate, un moment déconcertée, finit par éclater de rire.

– Cette fois, vous me provoquez !

– Cela vous ennuie de me voir à demi nu ? demanda doucement Ray.

– Non, avoua-t-elle. Mais toute cette fourrure me donne envie de vous caresser.

– De la tête aux pieds et des pieds à la tête ? suggéra-t-il.

La jeune femme le regarda longuement, entièrement, et à cette idée, elle fut comme étourdie.

– Si vous pouviez vous voir ! dit Ray en riant. Venez. Laissons Lobo se déchaîner sur l'ours.

Il la prit dans ses bras pour l'emmener vers la partie du campement où il avait installé ses propres quartiers, séparés de ceux de la jeune femme.

– Je voulais vous demander pourquoi, dit Kate en regardant le sac de couchage. Mais vous étiez tellement irritable que je n'ai pas osé.

Visiblement, il n'avait pas compris le sens de sa question.

– Pourquoi vous êtes-vous installé ici, au lieu de rester près de moi, à côté du feu de camp ? s'enquit-elle plus clairement.

– Là, je suis assez proche pour vous entendre si vous appelez, et assez loin pour ne pas passer la nuit à vous écouter respirer, bouger, à imaginer votre corps sous les couvertures.

Le regard posé sur elle lui ôtait l'usage de la parole. Une intense chaleur l'envahissait.

– Vous n'arriviez pas à dormir, vous non plus ? parvint-elle enfin à murmurer.

– Le désir est à double sens. Vous ne le saviez pas ?

Comme elle secouait la tête, Ray faillit se lancer dans un commentaire sur les piètres qualités d'amant du Silencieux, mais il préféra s'abstenir.

– Dites-le-moi encore, souffla-t-il. Dites-moi encore que vous avez envie de moi.

– Oui, oh, oui ! Je ne savais même pas que cela existait.

Le désir de Ray s'exacerba. Pourtant, il se sentait plus maître de lui que la première fois qu'il avait vu les hanches de Kate onduler contre lui.

L'attente avait pris fin, elle allait être sienne, il n'y avait plus d'obstacle, désormais.

– Ça sera bon, fille dorée, murmura-t-il en l'allongeant sur le duvet. Si bon !

– Comme la dernière fois ?

– Meilleur !

– Alors, j'en mourrai.

Ray sourit.

– Ne bougez pas. J'ai rêvé de vous déshabiller, de vous admirer, de vous toucher. Maintenant, je n'aurai plus à me nourrir de rêves.

Un frisson traversa Kate. A travers ses cils, elle vit l'homme s'agenouiller près d'elle, lui retirer ses bottes et ses chaussettes rapiécées, enfermer les petits pieds dans ses grandes mains.

– Vous êtes toujours propre comme un sou neuf, dit-il.

– C'est grâce à la source chaude.

– Les Culpepper passent tous les jours devant des sources chaudes, et ils sont répugnants.

Ray contemplait les cheveux brillants, la peau si fine.

– Au début, j'ai cru que vous vous laviez sans arrêt pour me plaire, puis j'ai compris que c'était tout simplement votre habitude. Menthe et eau fraîche, miel et crème.

Il caressait la plante sensible de ses pieds, et elle émit un petit son étranglé.

– Chatouilleuse ?

– Pas... vraiment.

Ray se pencha et mordilla doucement l'endroit qui avait réagi.

– Je vous fais mal ?

– Non. Je ne savais pas que les hommes embrassaient les pieds des femmes, dit-elle, ses grands yeux plus lumineux que jamais.

– Vous aimez ?

– Oui...

– Il y a tant de choses que vous ignorez, en amour. Je vais tout vous apprendre, mon ange. Et quand vous serez lasse, je m'endormirai près de vous. Puis je me réveillerai et nous recommencerons encore et encore, nous nous nourrirons l'un de l'autre.

Kate ne comprenait guère ce que Ray disait, mais ça n'avait pas d'importance. Son regard, la douceur de ses mains étaient assez explicites.

Il était fort, il la désirait intensément, pourtant elle n'avait pas peur.

Elle le laissa déboutonner sa chemise, la faire glisser le long de ses bras, et ses seins étaient déjà dressés avant même qu'il les effleure. Quand il prit un bout gonflé entre ses lèvres, elle tressaillit tout entière.

Elle enfouit les mains dans ses cheveux, cambrée contre lui, le souffle court. Plus rien n'existait que cette bouche sur elle, ce désir qui la torturait délicieusement.

Elle ondulait sous lui, gémissante.

Enfin il releva la tête pour la contempler.

– J'ai fait trois fois le tour du monde, dit-il d'une voix enrouée, et vous êtes ce que j'ai vu de plus beau. On ne vous a jamais embrassée de cette façon ?

Kate secoua la tête, sans quitter la bouche de Ray des yeux.

– Cela vous ennuie que je sois innocente comme l'agneau qui vient de naître ?

– Non. Vous voir répondre à mes caresses donne au plaisir une force que j'ignorais.

Il joignit le geste à la parole, et elle découvrit que le plaisir pouvait grandir au point de devenir une brûlure. Elle le supplia de mettre un terme à ce divin tourment.

– Pas tout de suite, ma chérie. Il reste tant à explorer...

Quand il prit de nouveau ses seins, elle poussa un cri.

– Ray ?

– Oui ?

– Je... je n'en peux plus.

– Bien sûr que si.

– Mais moi, je ne vous embrasse pas.

– Pas maintenant, j'ai trop envie de vous. La prochaine fois, je vous montrerai comment me faire trembler de désir. Et c'est ce qui va vous arriver, reprit-il en finissant de la déshabiller : vous allez trembler de plaisir.

Il caressait ses jambes, ses cuisses, l'obligeait doucement à s'ouvrir. Enfin il s'immobilisa.

– Je croyais que vos seins étaient le plus beau spectacle du monde, murmura-t-il. Je me trompais.

Instinctivement, elle voulut se couvrir, mais il lui tenait les poignets dans une main.

– Trop tard. Vous avez libéré en moi quelque chose

qu'aucune autre femme n'a jamais suscité. Je ne sais pas de quoi il s'agit, mais j'ai bien l'intention de le découvrir.

Il touchait la fleur qui s'était offerte à lui, et Kate ne put retenir un gémissement.

– Dites-moi encore que vous avez envie de moi.

– Oui, souffla-t-elle. Oui.

Elle se soulevait vers lui, vers sa caresse, incapable de se dominer.

Comme il pénétrait lentement en elle, elle eut de nouveau la respiration coupée. Le plaisir se déroulait, s'amplifiait, l'envahissait tout entière. Elle n'était plus que sensations, désir, elle en voulait davantage.

– Vous n'êtes pas prête, ma chérie. Prenons notre temps.

Kate gémit de nouveau tandis que le désir renaissait, plus exigeant encore. Cependant, il refusait de la mener à cette extase qu'elle avait connue une fois.

Quand elle le supplia, Ray ferma les yeux, torturé. Il approfondit sa caresse et, soudain, se retira, furieux.

– Vous êtes vierge !

La jeune femme ouvrit de grands yeux déconcertés tandis que Ray se relevait.

– Innocente, hein ? cria-t-il sauvagement. Rusée comme un renard, oui, la jolie petite veuve. Vous avez voulu me forcer à vous passer la bague au doigt en m'incitant à prendre votre virginité !

Perdue, tremblante, Kate aurait voulu protester, pleurer, hurler, mais elle n'en avait pas la force.

– Quelle sorte de perversité avez-vous connue avec ce vieux chasseur de primes ?

– Je ne comprends pas...

– Ça m'étonnerait ! Le Silencieux était un piètre chercheur d'or, mais il n'avait pas son pareil quand il s'agissait de pister des hommes et de les tuer avant d'aller récupérer la récompense pour leur misérable dépouille.

Kate n'en croyait pas ses oreilles.

– Il n'a jamais dit...

– Bon Dieu ! coupa Ray. Il ne disait jamais rien, n'est-ce pas ? Silencieux comme une tombe. C'est comme ça qu'on l'appelait, parfois. John la Tombe. Et il méritait bien ce deuxième surnom.

Le regard de l'homme la brûlait, et elle eut soudain honte de sa nudité. A l'aveuglette, elle récupéra sa chemise qu'elle enfila et boutonna de ses doigts tremblants.

– Cet homme devait avoir de l'eau à la place du sang, gronda-t-il en voyant les seins magnifiques de Kate disparaître sous la flanelle usée. Il vous a eue pendant sept ans, et il vous touchait à peine.

– Il ne m'a *jamais* touchée.

– Jamais ?

Ray eut un ricanement incrédule.

– Même un vieux tueur comme lui devait avoir envie de vous déshabiller et...

– John était mon grand-oncle ! coupa Kate avec violence. Il ne m'a jamais touchée. Jamais ! Pas une poignée de main quand j'ai abattu mon premier cerf. Pas une caresse sur la tête quand il passait derrière ma chaise. Pas un geste affectueux quand j'ai réussi à faire les biscuits comme il les aimait. Personne ne m'a touchée avec tendresse depuis la mort de ma mère.

Elle avait saisi une couverture pour la draper sur ses hanches.

– Et puis vous êtes arrivé, avec votre sourire, vos yeux ardents, vos mains si douces, murmura-t-elle.

Elle ferma les yeux pour ne plus voir l'expression de mépris et de colère sur le visage de Ray.

– Pourquoi ne pas m'avoir dit que vous étiez vierge ? demanda-t-il sèchement.

– Je l'ai fait.

– Foutaises !

– Allez au diable, le vagabond !

Il regarda la jeune femme, enroulée dans une vieille couverture, la chemise mal boutonnée. Elle n'avait plus rien d'une séductrice, maintenant. Elle ne le suppliait plus, elle ne gémissait plus de plaisir...

Il serra les dents. Kate ne savait pas ce qu'elle manquait.

Mais lui, si !

– Et quand m'avez-vous dit que vous étiez vierge ? insista-t-il plus doucement.

– Quand nous parlions de ne pas avoir d'enfant.

Il fronça les sourcils.

– Nous n'avons pas évoqué le problème de la virginité, à ce moment-là.

– Je vous ai demandé comment vous pouviez être sûr de ne pas avoir laissé de bâtards derrière vous, et vous m'avez répondu : « J'utilise certainement la même méthode que John. » Or le moyen qu'il employait, c'était...

– ... de ne jamais vous toucher, termina Ray à sa place. Vous êtes vraiment intacte. Seigneur !

– Bravo ! déclara Kate, sarcastique. Quand on rabâche suffisamment les choses, même les vagabonds obtus finissent par comprendre.

Ray ne quittait pas des yeux la jeune femme vierge qui avait fondu sous ses mains.

– Jamais il ne m'est venu à l'esprit que John et vous n'aviez pas été pleinement mari et femme.

– Comme il ne m'est jamais venu à l'esprit que vous n'aviez pas compris pourquoi je n'avais pas d'enfant ! rétorqua Kate.

– La plus vieille méthode : l'abstinence !

La colère de Kate s'atténua quelque peu, laissant la place à une lassitude si grande qu'elle avait envie de sangloter. C'en était trop. Le grizzli, sa peur pour Ray, la colère de celui-ci parce qu'elle était intervenue, puis ses mains si tendres, et enfin cet accès de rage...

– Kate, que pensiez-vous qu'il se passerait, si nous avions fait l'amour ?

– Penser ? Quand vous me touchez, le vagabond, je ne pense à rien du tout.

– Vous ne m'auriez pas obligé à vous épouser ?

Kate leva la tête, les cheveux défaits, le regard insondable.

– Pourquoi, mon Dieu, aurais-je eu cette idée saugrenue ?

Pour la seconde fois, elle réduisait Ray au silence.

– A quoi peut bien servir un homme qui vous fait un bébé puis qui parcourt le monde jusqu'à ce qu'il ait envie de revenir vous en faire un autre ?

– Jamais je ne vous quitterais si vous étiez enceinte, vous me connaissez assez pour le savoir, répliqua froidement Ray.

Elle acquiesça à contrecœur.

– En effet, vous n'êtes pas du genre à fuir vos responsabilités.

– Et c'est là-dessus que vous comptiez ? Attendre un enfant, afin que je reste ?

– Je suis innocente au sujet du sexe, dit-elle, mais pas en ce qui concerne la vie.

– Ce qui veut dire ?

– Enceinte ou non, jamais je n'épouserai un homme qui a moins envie de moi que d'une aurore nouvelle.

– Mais vous vous seriez donnée à moi ! lança-t-il, irrité.

Elle frissonna au souvenir de leurs étreintes.

– Oui.

– Pourquoi ?

– En quoi cela vous intéresse-t-il ?

– Je crains que vous ne soyez assez naïve pour vous croire amoureuse de moi ! déclara-t-il, brutal.

Son regard était indéchiffrable.

– Ce n'est pas votre problème mais le mien.

– Je ne veux pas que vous m'aimiez ! insista Ray en détachant chaque syllabe.

– Je sais.

– L'amour est une cage.

– Oui, je sais cela aussi. Et après ? Un jour, je vous remercierai de m'avoir montré comment construire une cage de lumière, mais pas aujourd'hui.

Elle posa son front sur ses genoux, voulant oublier Ray.

– Kate ?

– Allez-vous-en, le vagabond. Vous ne voulez pas de mon corps, vous ne voulez pas de mon amour, vous ne voulez rien d'autre que l'aurore que vous n'avez jamais vue. Partez à sa recherche et laissez-moi vivre.

11

Ray planta la pioche dans le rocher et sentit le choc se répercuter dans tout son corps, jusqu'aux chevilles. La pierre éclata, le couvrant de petites esquilles.

Rien d'intéressant n'apparaissait au bout du tunnel qu'il avait creusé. Les faibles traces d'or qu'il poursuivait comme un beau diable depuis deux jours étaient effacées. Aucun signe n'indiquait dans quelle direction il valait mieux chercher.

Reno aurait été capable de tirer quelque chose de ce sinistre filon, mais pas lui.

Pas étonnant que John eût préféré devenir chasseur de primes plutôt que de s'échiner sur la pierre !

Malgré ces réflexions amères, Ray continuait de balancer la pioche de toutes ses forces. S'il travaillait assez longtemps, avec assez d'énergie, il ne se redresserait pas en grinçant des dents chaque fois qu'il lui semblait entendre Kate gémir de désir, offerte.

La pioche heurta la montagne.

« Une vierge ! »

Ray cogna plus fort, et la pierre vola en éclats.

« La plus ardente, la plus douce des femmes. »

L'acier contre le roc produisait le son d'une cloche d'airain.

« Une satanée vierge ! »

Il essayait de noyer le cercle infernal de ses pensées dans le vacarme assourdissant, mais c'était impossible. Il n'avait plus aucun contrôle sur son esprit. Il en avait appris davantage sur la sensualité auprès d'une innocente jeune fille que depuis l'âge de quatorze ans, quand il avait fait ses premières armes avec une jolie veuve qui l'avait engagé pour réparer sa grange à foin.

La pierre éclatait, et de nouvelles couches se découvraient, encore moins prometteuses que les anciennes.

Avec un juron de lassitude, Ray essuya la poussière et la sueur de son visage avant de lever de nouveau la pioche. Il refusait de retourner une fois de plus auprès de Kate avec de mauvaises nouvelles. Il ne voulait pas la voir dissimuler sa peur de se retrouver seule, sans ressources. Il refusait de lutter contre son envie de la prendre dans ses bras, de la rassurer, de l'embrasser afin qu'elle oublie ses angoisses.

Les éclats de pierre égratignaient la peau de

l'homme, mais il s'en rendait à peine compte tant il était occupé à se battre contre sa conscience, contre ses sens avides de cette femme prête à donner ce dont il avait besoin, et qui prendrait ce qu'il avait à lui offrir.

Et qui ne demanderait jamais rien de plus.

C'était cela qui le taraudait douloureusement. Si Kate avait simplement essayé de se faire épouser, Ray aurait parfaitement su entrer dans le jeu sans tomber dans le piège.

La pioche siffla dans l'air, heurta la pierre, le choc lui remonta le long du bras.

Non, Kate n'essayait pas de le prendre au piège en jouant les coquettes. Elle ne s'attendait pas au mariage, elle ne le souhaitait même pas, en tout cas pas avec Ray Moran.

« A quoi peut bien servir un homme qui vous fait un bébé puis qui parcourt le monde jusqu'à ce qu'il ait envie de revenir vous en faire un autre ? »

« Jamais je n'épouserai un homme qui a moins envie de moi que d'une aurore nouvelle. »

Il la croyait. Il avait vu le chagrin dans son beau regard, une douleur que la meilleure des simulatrices n'aurait pu feindre.

Or Kate n'était pas une comédienne. Son honnêteté était aussi solide que la terre.

« Un jour je vous remercierai de m'avoir montré comment construire une cage de lumière, mais pas aujourd'hui. »

Elle ne comprenait peut-être pas pourquoi Ray la quitterait, mais elle savait que cela se produirait, il le devinait au tremblement de ses mains, de sa voix quand elle en parlait.

Ray n'avait pas cherché son amour, et pourtant...

Maintenant, elle le refusait, elle aussi.

« Allez-vous-en, le vagabond. Vous ne voulez pas de

mon corps, vous ne voulez pas de mon amour, vous ne voulez rien d'autre que l'aurore que vous n'avez jamais vue. Partez à sa recherche et laissez-moi vivre. »

C'était bien l'intention de Ray, mais auparavant il devait s'assurer qu'elle serait en sécurité après son départ.

La pioche attaquait le roc sans relâche, pourtant Rifle Sight était toujours aussi stérile.

Enfin, à bout de souffle, Ray jeta l'outil, saisit son fusil et retourna vers le campement bien que le soleil fût encore haut dans le ciel. Il n'en pouvait plus de s'échiner sur une concession dont il n'y avait rien à tirer.

Le fusil sur une épaule, le fouet enroulé à l'autre, il descendit le long de la gorge froide où convergeait l'eau qui dégringolait vers la Clairière des Grizzlis.

Quand Ray arriva en bas du ravin, les rochers laissèrent la place à un spectacle grandiose. Les saules, les trembles, les pins se mêlaient dans une symphonie de verts. Le torrent était rejoint par d'autres filets de fonte des neiges pour former le petit ruisseau qui traversait la clairière parsemée de fleurs sauvages multicolores.

En souriant de plaisir, Ray émergea dans ce tapis vert baigné de soleil, sûr que la jeune femme l'attendait. Comme il n'entendait rien, il fronça les sourcils et accéléra l'allure.

Il arrivait plus tôt que d'habitude, mais Kate aurait dû se trouver là !

Il scruta les lieux, plein d'appréhension.

Sans même s'en rendre compte, il se retrouva le fouet à la main, la lanière déroulée à ses pieds, la main droite sur la détente de son fusil. S'il devait tirer, il n'aurait pas besoin de changer de main, car il avait appris bien longtemps auparavant à se servir indifféremment de la gauche ou de la droite.

« Là-bas. Au fond de la prairie. Quelque chose bouge. »

Ray pivota pour faire face à ce qui l'avait alerté.

Un rire de femme s'éleva, aussi pur et joyeux que le chant du ruisseau. Soudain Kate jaillit de sous les peupliers, le chien sur les talons. Celui-ci la rattrapa en trois bonds et se posta devant elle pour l'obliger à s'arrêter. Rapide comme un chevreuil, elle fit demi-tour et courut de nouveau vers les arbres. L'animal lui bloqua encore le passage et la poursuivit quand elle changea de direction.

Le jeu continua jusqu'à ce que la jeune femme n'en puisse plus de rire et de courir. Elle s'écroula sur le gros chien qu'elle serra contre elle le temps de reprendre son souffle. Alors elle lui ordonna de ne pas bouger et s'éloigna sur la pointe des pieds vers le bouquet de trembles. Les babines retroussées sur un rire silencieux, le molosse obéit et regarda Kate disparaître sous les branches.

Ray regardait aussi, en proie à une émotion indicible.

Un caillou jaillit des arbres pour atterrir près du chien. Ce devait être le signal de reprise du jeu, car Lobo s'élança, la truffe au ras du sol, à la recherche de sa maîtresse.

Ray observait la scène en souriant. Il devinait ce qui allait se passer : l'approche, le rire étouffé, l'instant de la découverte.

En effet, quelques minutes plus tard, il entendit le rire, aperçut un mouvement sous les arbres. Et soudain Kate fila à travers la prairie à toute vitesse.

Pas étonnant qu'elle soit arrivée si vite quand le grizzli avait attaqué Ray ! Le chien et elle se maintenaient mutuellement en forme.

Malgré sa rapidité, Kate ne tenait pas la distance. Le chien fut sur elle en quelques foulées, lui coupa la route, engagea de nouveau la poursuite quand elle vira sur elle-même.

En riant, Ray s'avança vers la jeune femme et l'énorme animal qui jouait avec elle comme un chiot.

« Je parie qu'elle s'entendrait bien avec Sarah. Elles ont toutes les deux du caractère, et le goût du rire quelle que soit la situation. Kate pourrait l'aider à la cuisine, à s'occuper des enfants, Cal veillerait sur la sécurité de son petit monde. Même les Culpepper ne sont pas assez stupides pour s'attaquer à un type comme Caleb Black. »

Et puis il y aurait toujours Reno ou Steven, ou bien les deux si le combat devenait trop dur pour un seul homme. Kate serait en sécurité, auprès d'eux. Elle aurait pour compagnes Sarah, Lisa, Eve, elle ne dépendrait plus d'étrangers. Elle serait... en famille.

Quant à lui, il pourrait reprendre sa vie itinérante sans se demander tout le temps si la jeune femme allait bien, si elle était fatiguée ou même blessée, si elle avait besoin d'aide...

Soulagé à l'idée de cette possibilité, il accéléra le pas.

Kate l'aperçut, et elle en ressentit une grande joie. Elle l'avait peu vu, depuis deux jours. Il était déjà parti quand elle s'éveillait, à l'aube, et il rentrait seulement lorsqu'il faisait trop sombre pour travailler. Alors il était si las qu'il s'endormait dès qu'il avait soupé.

– Je suis heureuse que vous rentriez si tôt ! s'écria-t-elle.

– Vous êtes sûre ?

Elle hocha la tête, presque timidement.

– Même si ma compagnie est moins agréable que celle de votre chien ? demanda-t-il, un peu penaud.

De nouveau, elle acquiesça.

Ray contempla ses joues roses d'excitation, la douce courbe de ses lèvres, le bleu intense de ses yeux, et il se dit qu'il était vraiment content d'avoir trouvé une solution pour elle. Une solution dans laquelle il n'était pas question de mariage.

Avec aucun homme.

– Ray ?

– Oui ?

– Qu'y a-t-il ? Vous avez l'air triomphant d'un coq au milieu de la basse-cour.

Ray éclata de rire. Il avait envie de serrer Kate dans ses bras, mais il ne le fallait pas. S'il la touchait, cela ne pourrait se terminer que d'une seule manière : elle perdrait sa virginité, et il aurait toutes les peines du monde à s'éloigner d'elle.

– Je ne veux pas vous faire de mal, dit-il, soudain grave.

Elle fronça les sourcils.

Avait-il décidé de la quitter ? Etait-ce la raison de son retour anticipé ?

Kate ne formula pas les questions qui la déchiraient. Inutile de parler. Ray partirait quand il en aurait envie. Il ne servirait à rien de connaître le moment exact de son départ. Au contraire, cela lui briserait le cœur.

– Je sais que vous ne voulez pas me faire de mal, dit-elle d'une voix qu'elle s'efforçait de rendre paisible. Ne vous inquiétez pas pour ça, le vagabond.

– Bon sang...

– Je suis une grande fille, coupa-t-elle, et vous m'avez suffisamment expliqué que vous refusiez tout lien. Si je souffre, ce sera ma faute, non la vôtre.

– Mais...

– Retournez au campement vous laver, fit-elle, bien déterminée à ne pas aborder le sujet de son départ. Vous devez être horriblement mal à l'aise, dans cette chemise sale. Vous voulez dîner de bonne heure ?

– Ce n'est pas ma chemise qui me tracasse, rétorqua Ray. C'est vous. Ma conscience m'interdit de vous laisser à la merci de vauriens comme les Culpepper.

« Alors restez ! »

Ce cri du cœur, Kate le retint aussi. Ray s'en irait, malgré ses scrupules. Et elle ne voulait pas qu'il y renonce si cela devait le rendre malheureux.

Il aimait son « aube inconnue » plus qu'il n'aimerait jamais aucune femme.

– Dites à votre conscience que je me portais fort bien avant de vous connaître, déclara-t-elle.

– C'est faux !

– Qu'en savez-vous ? Vous n'étiez pas là.

– Enfin, Kate...

Déjà la jeune femme se mettait en route vers le campement, tandis que l'homme et le chien lui emboîtaient le pas.

– Comment s'est passée la journée ? demanda-t-elle.

– Pire qu'hier, et meilleure que demain, grommela Ray. Je ne trouverai pas d'or à Rifle Sight ! C'est certain !

– Il y a d'autres concessions, fit Kate d'une petite voix.

– Celle-ci est la plus riche, d'après vous.

– Je peux me tromper.

– C'est possible, en effet. Mais il m'est venu une meilleure idée.

– Laquelle ? Voler la concession de quelqu'un d'autre ? demanda-t-elle, amère.

– Non, ça, c'est bon pour les Culpepper. Quant à dévaliser des diligences et des banques, je laisse ça aux frères James.

Kate ne put s'empêcher de sourire.

– Alors, de quoi s'agit-il ?

– La seule façon pour vous d'être en sécurité serait d'habiter une jolie petite ville avec des clôtures autour des jardins, les cloches de l'église qui sonnent les heures et un bon mari bien stable. Mais...

– Je ne veux pas me marier ! lui rappela-t-elle sèchement.

– ... mais il n'existe pas d'endroit de ce genre dans le Colorado, continua Ray.

– Dieu merci ! marmonna Kate.

– L'endroit où vous seriez en sécurité, c'est le ranch de Caleb.

La jeune femme le regarda à la dérobée.

– C'est au-delà de ces montagnes, poursuivit-il en désignant l'ouest. A environ une journée de votre cabane, avec un bon cheval et par beau temps. Deux jours sur le dos de Razorback. Quatre à pied.

– Et rien du tout si on reste à la maison, précisa Kate.

– Cal et Sarah... c'est ma sœur, vous vous en souvenez ? poursuivit-il comme si elle n'avait rien dit.

– Cal est votre sœur ? Je croyais que c'était un homme.

– Sarah est ma sœur et Caleb est son mari, expliqua lentement Ray. Ils ont un petit garçon et ils attendent un autre enfant. Pour toute aide, elle dispose de la femme de Double-Lune qui ne parle qu'indien.

– Ils devraient aller voir à Canyon City, ou à Denver. A moins que l'une de vos autres veuves ne souhaite occuper ce poste. Moi, ça ne m'intéresse pas.

Avec un juron, Ray se passa nerveusement la main dans les cheveux, dérangeant son chapeau qu'il remit en place d'un geste sûr. Si seulement son humeur était aussi facile à maîtriser !

– Ils ne vous traiteraient pas comme une domestique, dit-il prudemment. Vous seriez... de la famille.

– Après l'expérience avec ma tante, je préférerais être considérée comme une servante, riposta Kate.

– Bon Dieu, je veux seulement que vous viviez en sécurité, entourée de gens agréables, d'enfants, et...

– ... leur maison, leurs enfants, coupa-t-elle. Non, merci. J'aimerais mieux avoir mon propre foyer, mes propres bébés.

A l'idée qu'elle pût porter les enfants d'un autre homme, il sentit la rage s'emparer de lui. Mais qu'est-ce que cela pouvait lui faire, du moment qu'il ne s'agissait pas des siens ?

Cette question raisonnable ne le calma pas un instant. Les dents serrées, il se détourna de celle qui excitait sa colère.

« Ça suffit ! se dit-il. Il est temps de mettre un terme à cette histoire avant qu'elle ne m'ait ligoté au point que je ne puisse plus bouger du tout. »

Mais d'abord, il devait s'assurer que cette tête de mule était en sécurité, de gré ou de force.

Sans un mot, Ray se détourna d'elle et se dirigea à grandes enjambées vers le campement.

Kate regarda ses mains qui tremblaient légèrement. Ray avait failli perdre son sang-froid, elle le savait.

Mais pourquoi ?

– Si seulement tu pouvais parler, Lobo ! Toi, le mâle, tu pourrais m'expliquer en quoi je l'ai contrarié.

Le grand chien vint fourrer son museau contre sa maîtresse. Il sentait que quelque chose n'allait pas.

Troublée, à la fois irritée et triste, elle se hâta derrière Ray.

Quand elle arriva au campement, Ray était en train de rassembler ses affaires.

« Non ! Oh, Ray, ne me quittez pas déjà ! »

Elle enfonça les ongles dans ses paumes tandis

qu'elle tentait de ravaler les larmes qui lui brûlaient les paupières.

« Je ne pleurerai pas. Je savais que le moment viendrait. Mais je ne pensais pas que cela se passerait dans la colère. »

Elle ouvrit la bouche pour parler, se ravisa. Sa voix la trahirait. Sans mot dire, elle se dirigea vers son propre coin.

Quand elle entendit le cheval s'approcher du feu de camp, elle avait retrouvé un semblant de calme. Ray mit pied à terre.

– Vous partez ? demanda-t-elle d'une voix neutre.

– Je vous avais prévenue.

– Oui.

Kate s'efforça de sourire.

– Merci pour tout, Ray. Si jamais vous revenez dans la région... oh, c'est vrai, vous ne poursuivez jamais deux fois la même aurore.

Elle eut un geste vague de la main.

– Eh bien, merci encore. Vous êtes sûr de ne pas vouloir être payé ? Vous avez tellement travaillé ! Il me reste un peu d'or, et...

Ray regardait la jeune femme si pâle, aux mains tremblantes, et il avait envie de la consoler et de la secouer en même temps. Sans rien dire, il passa devant elle pour commencer à ranger ses affaires.

– Que faites-vous ? demanda-t-elle, déconcertée.

– A votre avis ?

Son intonation la fit frémir.

– On dirait que vous rassemblez mon matériel.

– Bravo !

Ray fourrait un peu de nourriture séchée dans une besace, et il regarda autour de lui pour voir s'il n'oubliait rien.

– Pourquoi rangez-vous mes affaires ? demanda-t-elle distinctement.

– Parce que vous venez avec moi.

– Vous m'avez mal écoutée, dit-elle. Je n'irai nulle part, sauf à Rifle Sight.

– Vraiment ? Et vous mangerez de l'herbe pendant que vous piocherez ?

– Non.

– Alors, vous feriez mieux de venir avec moi, au moins jusque chez vous. Il n'y a plus assez de provisions ici pour garder en vie une femme stupide et entêtée.

– Rassurez-vous, il n'y a pas de « femme stupide et entêtée » pour les manger. Toutefois, il y a un aveugle aux larges épaules et à l'esprit étroit, avec l'appétit et les envies d'un grizzli affamé qui...

Kate se rappela un peu tard qu'elle s'était promis de ne pas perdre son sang-froid.

– Il reste assez de nourriture pour une journée, reprit-elle.

Ray jeta un coup d'œil au ciel menaçant.

– Demain, à cette heure-ci, ce sera le déluge, dit-il. Une fille sensée se dépêcherait d'aller se mettre à l'abri.

– Une fille sensée ne se trouverait pas ici...

– Je ne vous le fais pas dire !

– ... avec un homme à la tête si dure !

– Emballez vos affaires, ordonna-t-il.

Kate ne bougeait pas, et il poussa un énorme juron.

– Vous m'accusez d'être têtu, mais c'est l'hôpital qui se moque de la charité !

– Donc vous reconnaissez que vous l'êtes aussi ?

– Pour l'instant, nous ne pouvons tomber d'accord sur quoi que ce soit, mais cela ne change pas les faits. Il n'y a pas d'or à Rifle Sight. Et vous n'avez pas assez de provisions pour attendre la fin de l'orage qui menace.

Kate aurait aimé argumenter, mais il avait raison,

elle le savait. Elle avait été si occupée à jouer avec Lobo, puis à se disputer avec Ray qu'elle n'avait pas pris le temps de regarder le ciel.

Elle se leva avec une grâce toute féminine, malgré ses vieux vêtements d'homme.

– Très bien, acquiesça-t-elle à contrecœur. Je viens avec vous jusqu'à la cabane.

– Je vous remercie de votre bonté.

– Je ne le fais pas pour vous, le vagabond !

Malgré leur méchante humeur, ils s'employèrent de leur mieux à lever le camp.

Quand Mago fut chargé et Razorback sellée, la colère de Kate était tombée, laissant place à une morne tristesse. Mais il n'en allait pas de même pour Ray qui avait le visage fermé, les yeux durs.

Le chien gambadant autour d'eux, ils reprirent le chemin de la cabane. Le trajet s'effectua rapidement, dans un silence qui brisait le cœur de la jeune femme.

Ray ne prit la parole qu'une fois arrivé devant la porte.

– Rassemblez quelques provisions pendant que je vérifie le pied gauche de Mago. Il me semble qu'il boite.

Kate pénétra dans la cabane. Il ne restait presque plus rien dans le placard. Elle garda seulement ce qui lui était indispensable pour une journée et mit le reste dans un sac de toile qu'elle confia à Ray.

– Tout est réglé ? demanda-t-il.

Elle hocha la tête. A cet instant, sa douleur était visible.

– Eh, dit-il en lui relevant le menton, souriez ! Les gens aussi têtus que nous se disputent de temps en temps, c'est normal.

Kate eut un faible sourire et caressa des lèvres la main gantée.

– Merci, murmura-t-elle.

– De quoi ?

– De ne pas partir fâché. Je... je crois que je ne l'aurais pas supporté. Ne pas savoir où vous êtes... savoir seulement que vous étiez en colère au moment de votre départ.

– Vous saurez où je suis, déclara-t-il, puisque vous venez avec moi.

Un éclair d'espoir traversa Kate.

– Et où allons-nous ?

– Au ranch de Cal, comme je vous l'ai dit.

Elle ferma les yeux, luttant de toutes ses forces contre le désir d'accepter la proposition de Ray.

– Non, merci, dit-elle enfin, très calme. Il faut que je cherche de l'or, que je m'occupe de Cherokee, que je chasse et...

« Bon sang, elle sait s'y prendre pour pousser un homme à bout ! »

– ... et Lobo n'aime pas beaucoup les inconnus, termina Kate du même ton tranquille. Je reste ici, c'est ma maison.

Ray ne pouvait s'empêcher d'admirer le courage de la jeune femme, même si elle l'exaspérait.

– Qu'est-ce qui pourrait me retenir de vous attacher sur le dos de cette vieille mule et de vous emmener où je veux ? demanda-t-il, les dents serrées.

– Le bon sens.

– Vous allez vous rebeller tout le long du chemin, n'est-ce pas ?

– Comme je n'irai nulle part avec vous, je n'aurai pas à me rebeller.

Soudain elle se sentit soulevée de terre. Serrée contre lui, elle fut à nouveau infiniment troublée.

Il l'était aussi, elle le voyait à ses pupilles dilatées, à la tension de son corps, à la passion de son baiser qui la laissa tremblante, accrochée à lui.

– Non ! dit-il brutalement, furieux contre lui-même, contre la fille aux yeux si bleus. Je ne resterai pas. Je ne veux pas vous aimer !

– Je n'ai jamais demandé...

– Ah, vraiment ?

Ray la posa sur le sol si rudement qu'elle vacilla, puis il détacha la longe de Mago, libérant le cheval de bât.

– Je vous désire plus que tout, mais je refuse de perdre mon âme. Aimer, fille dorée, c'est renoncer à son âme.

Il fit faire demi-tour à sa monture et s'élança au grand galop à travers la clairière.

– Ray ! cria Kate. Je n'avais pas l'intention d'exiger votre amour !

Pour toute réponse, elle ne perçut que le martèlement des sabots qui déjà s'éteignait au loin.

Quand Ray fut hors de vue, Kate se rendit compte qu'il avait laissé le cheval de bât. Malgré sa colère, il avait pensé à son bien-être. De toutes ses forces, elle lutta pour ne pas laisser le désespoir la submerger.

– Ray ! Revenez ! Je ne peux pas m'empêcher de vous aimer, même si vous ne m'aimez pas !

Seul le silence lui répondit. Un silence lourd encore des paroles de l'homme.

« Je vous désire plus que tout, mais je refuse de perdre mon âme. Aimer, fille dorée, c'est renoncer à son âme. »

12

Le visage baigné de larmes, Kate était figée sur le pas de la porte. Lobo se frotta contre elle en gémissant sourdement, et elle se ressaisit soudain.

Elle posa une main sous le menton de son chien, et de l'autre lui ébouriffa la tête. Les yeux de loup se voilèrent de plaisir. En souriant, Kate lissa la fourrure.

– Ne t'inquiète pas, Lobo. Va chasser pour ton dîner pendant que je m'occupe de Mago et de Razorback.

L'animal, la tête penchée, ne bougeait pas.

– Allons, mon vieux, je sais que tu as faim. Il n'y avait pas grand-chose pour toi, à la Clairière des Grizzlis. File !

Kate montrait le bois, au-delà de la prairie.

Enfin, le molosse s'éloigna en trottinant, puis se mit à flairer le sol, à la recherche d'une piste.

Kate dessella Razorback, remplaça la bride par un licou, puis elle se tourna vers le cheval. Comme elle détachait le matériel, elle sentit un nouveau flot de larmes lui monter aux yeux. C'étaient les mains de Ray qui avaient serré les nœuds de cuir.

– N'y pense plus ! s'ordonna-t-elle à voix basse.

Pourtant, elle s'attardait là où les doigts de l'homme s'étaient posés. Quand tout fut déchargé, elle conduisit les deux bêtes au bout de la prairie.

Soudain, elle entendit les aboiements furieux du chien.

Lobo ne réagissait ainsi qu'en présence d'étrangers.

Se maudissant de ne pas avoir pris son arme, elle scruta la bordure de la clairière.

Deux mules aux longues jambes apparurent, sortant de la forêt, et s'approchèrent vivement d'elle.

Elle s'élança en direction de la cabane, mais deux autres frères Culpepper se tenaient entre elle et le fusil qu'elle avait bêtement oublié.

Inutile d'appeler au secours. Il n'y avait personne pour l'entendre, hormis Lobo.

Prenant ses jambes à son cou, elle courut vers la forêt, espérant s'y réfugier avant que les vauriens ne l'aient attrapée.

Mais les sabots des mules se mirent à résonner de plus en plus fort à ses oreilles. Elle n'atteindrait pas les arbres avant eux.

Un long bras maigre la saisit par la taille. Jake n'était pas assez robuste pour la soulever jusqu'à la selle, mais il la tenait fermement, bien qu'elle se débattît de toutes ses forces.

– Clint avait raison, croassa-t-il en ralentissant sa monture. Cette fille est un véritable chat sauvage !

Rod grommela. C'était tout ce que l'on pouvait tirer de lui depuis le jour où il avait expérimenté la morsure du fouet.

– Arrête de te tortiller, ma belle, poursuivit Jake. Je suis aussi prêt que toi à m'amuser, mais Rod passe le premier. C'est le plus vieux, tu comprends ? Moi, je suis le troisième, alors garde tes forces pour... Ahhh !

Le grand chien avait bondi sur lui.

L'homme lâcha Kate afin de se protéger et, en une fraction de seconde, il se trouva désarçonné par le choc.

Lobo le plaqua à terre, grondant et montrant les crocs.

Kate, tombée de l'autre côté de la mule, se releva aussitôt, et se mit à courir tout en criant à son chien de la suivre. Comme elle atteignait l'orée du bois, elle se retourna et vit l'homme et la bête en train de lutter furieusement tandis que Rod, toujours en selle, visait le molosse, prêt à tirer.

Lobo était perdu.

En larmes, haletante, Kate s'enfonça dans la forêt, profitant de la chance offerte par son brave chien.

Si seulement elle parvenait à contourner le flanc de la montagne, à se glisser dans la cabane par l'entrée secrète de la grotte et à s'emparer de son fusil avant qu'ils en aient terminé avec lui !

Elle n'était pas à la moitié du chemin quand le coup de feu claqua.

Ray s'arrêta net en haut d'une crête, à l'un des nombreux carrefours d'Avalanche Creek. Le cheval mâcha son mors, mais il ne broncha pas.

Aux aguets, parfaitement immobile, Ray tentait de percer les ombres et la forêt dans toutes les directions. Il ne voyait rien, n'entendait rien qui pût expliquer son impression de malaise.

– Tu te fais des idées, marmonna-t-il.

Pourtant il entendait Kate l'appeler dans chaque souffle de vent, chaque frémissement des arbres, chaque murmure de cascade sur les rochers.

« Ray, je n'avais pas l'intention d'exiger votre amour ! »

Il serra les poings.

– Allez au diable, Kate ! Vous m'avez enchaîné.

« Je vous aime, le vagabond. »

Ray ferma les yeux.

– Je ne veux pas de votre amour, grinça-t-il. Je ne veux pas de lien, je suis incapable de rester en place, mon ange.

Soudain, Pecos dressa les oreilles et, d'un mouvement élégant, tourna la tête vers le chemin derrière eux.

Le cavalier aussi avait entendu.

En bas, quelqu'un avait tiré. Et il s'agissait d'un revolver, arme que ne possédait pas Kate.

Les Culpepper, si.

Ray fit faire demi-tour à son cheval et piqua des éperons, tout en vérifiant que son fusil à répétition était bien à sa place. Parfois, un fouet ne suffisait pas.

Penché sur le cou de sa monture, il la poussait à un rythme infernal. Il aurait vendu son âme au diable pour arriver près de Kate avant que les Culpepper ne la touchent.

Ray ne faisait plus qu'un avec le cheval, jamais déséquilibré, toujours prêt à l'aider d'un geste sur les rênes après un saut particulièrement périlleux.

Soudain, il y eut d'autres coups de feu, tout proches. Un six-coups. Plusieurs six-coups.

Aucun fusil ne répondit.

– Vite, mon beau, vite !

Pecos galopait à travers la forêt à une vitesse impressionnante. Un faux pas, une légère erreur d'appréciation, et l'homme comme le cheval se rompraient les os.

Ray en était conscient, mais il s'en moquait. Il revoyait la façon dont les Culpepper avaient regardé la jeune femme, leurs yeux plus salaces encore que leurs paroles.

Et elle était à leur merci.

Les arbres étaient moins denses, la prairie se trouvait juste après. Ray avait envie de galoper droit sur la cabane, mais ce serait stupide. Il ne serait guère utile à Kate s'il se trouvait pris au milieu d'un feu croisé.

Il tira sur les rênes et le cheval s'arrêta dans une glissade en soulevant la poussière et les feuilles mortes.

La prairie était à peine à une dizaine de mètres. Ray sauta à terre, son fusil dans une main, le fouet à l'épaule, et se mit à courir.

Il n'avait pas atteint la lisière des arbres qu'une corde jaillit de l'ombre pour s'enrouler autour de ses pieds. Il tomba, roula sur lui-même et, d'un geste félin, se débarrassa de l'entrave.

Mais c'était trop tard.

Quand il se releva, il se trouva nez à nez avec le canon du revolver de Floyd Culpepper. Il s'agissait bien de Floyd, car il tenait son arme de la main gauche, tandis que son poignet droit était couvert d'un bandage qui avait connu des jours meilleurs.

Les yeux bleu pâle fixaient Ray avec une joie mauvaise.

– Regarde ça, Clint. Jake avait raison quand il disait que ce type reviendrait à toute vitesse s'il entendait une fusillade.

Clint cracha un jus jaunâtre.

– Et toi, tu pensais que Jake essayait juste de me voler mon tour auprès de la chouette petite veuve.

La rage s'empara de Ray. La rage et une émotion qui le laissèrent glacé jusqu'à l'âme.

– Celui qui touche à elle est un homme mort ! s'écria-t-il.

Floyd eut un sourire cruel.

– Ça part d'un bon sentiment, railla-t-il, mais t'es pas en position de nous menacer. Jette ton fusil, vieux. Et ton fouet aussi.

Ray obéit, sans cesser de mesurer la distance qui le séparait de l'arme de Floyd et de celle de Clint, encore dans le holster.

– Tu vois un couteau sur lui, Clint ?

– Non. En plus c'est pas un costaud de Virginie qui me battrait à ce petit jeu !

– Avance ! ordonna Floyd avec un geste de sa main bandée en direction de la prairie. Un faux pas et je t'abats comme un lapin.

Ray n'en doutait pas un instant !

– Envoie le signal ! ajouta-t-il à l'intention de son frère.

Clint lança trois sifflements stridents, suivis d'un silence.

Au bout d'un moment, un autre sifflement lui répondit.

– Bouge-toi, dit Floyd à Ray. Ils nous attendent, et Rod est pas du genre patient.

Ray avança, les muscles bandés, prêt à profiter de la moindre inattention des vauriens, les mains légèrement écartées du corps.

– J'te l'avais dit, Clint, marmonna Floyd.

– Dit quoi ?

– Que ce type était pas dangereux, sans ses armes. On dirait un bon gros chien.

– Sacrément gros, maugréa Clint. Plus gros que celui que Rod a tué. On aurait la fille, maintenant, si cette sale bête n'avait pas sauté à la gorge de Jake quand il l'a attrapée.

Ray sentit une pointe d'espoir renaître. Ainsi, Kate était parvenue à s'échapper...

– T'inquiète pas. Rod parle pas beaucoup, ces temps-ci, mais il est encore assez malin pour traquer la petite veuve. Bon Dieu, j'vois pas où elle irait, de toute façon !

Clint regardait l'homme qui marchait devant eux. Malgré une apparente docilité, son allure le rendait nerveux.

– Pourquoi tu le tues pas, tout simplement ? demanda-t-il. Comme ça, on serait débarrassés de lui.

– A cause de Rod, répondit Floyd. Il a un compte à régler avec lui. Tu te sens capable de lui ôter son plaisir ?

Clint répondit par un grognement inarticulé.

Ray sortait du couvert des arbres sous le grand soleil de la prairie.

Pour la jeune femme, cachée dans la cabane,

l'apparition de Ray tenait à la fois du rêve et du cauchemar.

« Ça ne peut pas être lui ! Il est parti ! »

Le voir prisonnier des Culpepper lui fit oublier un instant le triste sort de son chien. Il fallait qu'elle trouve un moyen de se sortir de cette situation, car elle représentait la seule chance de salut pour Ray. Elle se colla davantage aux volets mal joints.

Il n'y avait pas d'erreur possible, c'était bien lui, avec ses cheveux plus blonds encore sous le soleil, ses membres souples, son large torse.

Il n'était pas armé.

Kate eut envie de lui crier qu'il n'était pas seul, qu'elle allait l'aider, mais ç'aurait été absurde. Vivement, elle alla décrocher le fusil et s'apprêtait à ouvrir la porte quand elle entendit une voix toute proche.

– J't'avais dit que tu le pincerais !

– Ouais ! Aussi facile que d'attraper un oiseau au nid ! répondit un homme, un peu plus loin.

Le cœur battant, Kate remit la barre de fermeture en place et retourna se poster près de la fenêtre aux planches mal jointes.

Ray traversait la clairière dans sa direction suivi de deux hommes montés sur des mules. Un autre individu, à quelques mètres de la cabane, les regardait approcher. L'état pitoyable des vêtements de ce dernier, ainsi que les marques ensanglantées sur son visage et ses bras indiquaient qu'il s'agissait de celui qui avait été attaqué par Lobo.

Ses doigts se crispèrent sur l'arme tandis qu'elle pensait à son fidèle chien, mais elle s'obligea à se concentrer sur le danger qui les guettait, elle et Ray.

Elle n'avait pas le temps de retourner sur ses pas dans le tunnel pour prendre les Culpepper à revers. Elle devait rester là pour agir.

Et agir vite.

« Je pourrais ouvrir la porte, viser l'homme le plus proche et faire feu. »

Cela méritait réflexion. Elle éliminerait l'un des bandits, mais les deux autres tueraient certainement Ray avant qu'elle ait eu le temps de recharger.

Et puis il y avait le troisième, qui se trouvait forcément dans les parages. S'il entendait un coup de feu, il se précipiterait vers la cabane.

Et si une seule décharge de chevrotine suffisait pour tuer le premier ? Alors, elle pourrait tirer aussitôt sur les autres.

Oui, c'était la meilleure solution. Elle attendrait qu'ils soient à sa portée et leur ordonnerait de libérer Ray.

Très doucement, centimètre par centimètre, Kate entrouvrit les volets et posa le bout de son fusil sur le rebord de la fenêtre. Elle arma l'un des canons, mit le doigt sur la détente et attendit. Avec un peu de chance, Ray s'arrangerait pour s'éloigner des deux vauriens, et elle n'aurait plus à craindre de le blesser quand elle tirerait !

– T'as vu la fille ? demanda Clint en mettant pied à terre.

Jake secoua la tête.

– Elle a filé dans la forêt.

Ray ressentit un immense soulagement.

– Mais Rod est sur ses traces. On l'aura, comme on a eu son sale animal, ajouta Jake.

– On dirait plutôt que c'est le chien qui t'a eu, intervint Ray. Il t'a mordu et recraché. Les chiens n'aiment pas le goût de pourriture.

Jake joua un instant avec sa chique en regardant Ray comme s'il prenait les mesures de son futur cercueil.

– C'est la dernière chose que cette satanée bête ait faite, déclara Floyd. Rod l'a abattue.

– J'aurais dû tuer Rod à Holler Creek, dit Ray. Je le sais maintenant. On en apprend tous les jours, ou alors on meurt idiot... comme ça va vous arriver, les gars.

Jake cracha un jus noirâtre sur les bottes de Ray.

Celui-ci se demandait quel genre d'insulte distrairait suffisamment Floyd pour qu'il ait le temps de lui arracher son six-coups et de le vider sur Jake.

– Qu'est-ce qu'on fait, maintenant ? marmonna Floyd.

– On attend Rod.

– Il me faut du whisky. Mon poignet me fait souffrir le martyre.

Ray sourit.

– Ouais, il n'a pas belle allure. Et cette odeur... C'est insupportable !

Les deux hommes l'ignorèrent.

– Faudra que t'attendes, dit Jake. C'est Rod qui a le tord-boyaux.

Derrière Ray, la mule de Floyd tapa du sabot afin de chasser un taon.

– Bon Dieu ! grogna Floyd. Ça fait mal !

– Alors descends de là et arrête de ronchonner. Je saigne encore à cause de ce satané chien, et tu m'entends pas gémir, hein ?

La selle grinça quand Floyd bougea.

Une poussée d'adrénaline traversa Ray. C'était le moment qu'il espérait. Du coin de l'œil, il vit l'ombre de Floyd sur le sol.

Il tenait toujours le six-coups dans sa main gauche, mais il était naturellement droitier et, tandis qu'il bougeait, le canon du revolver oscilla. Juste un instant, mais cela suffisait.

Rapide comme l'éclair, Ray se retourna en lançant un coup de pied qui vint heurter le poignet blessé de

Floyd. Hurlant de douleur, le vaurien lâcha son arme et Ray lui infligea une manchette à la base du cou.

Le son de l'impact fut noyé dans le cri de rage de Clint qui sortit un long couteau et se jeta sur Ray. Celui-ci esquiva si prestement que Clint perdit l'équilibre et s'écrasa à terre.

Il se releva, bondit de nouveau, mais Ray saisit l'homme à bras-le-corps et le jeta violemment contre le mur de la cabane. La paroi fut ébranlée par la violence du coup... et Clint glissa au sol où il demeura immobile.

Ray se penchait pour vérifier qu'il était bien assommé quand un cri strident s'éleva à l'intérieur, suivi immédiatement d'un coup de feu.

La fenêtre était plus proche que la porte, et Ray l'ouvrit d'un coup de pied avant de sauter dans la pièce, comptant sur l'effet de surprise pour affronter un éventuel danger.

Il se retrouva face à Kate qui brandissait nerveusement son fusil.

– Du calme. Ce n'est que moi.

Elle poussa un cri étranglé et vacilla un peu, les yeux immenses dans son visage exsangue.

– Je...

Sa voix se brisa.

– Un des Culpepper... La grotte... Il...

Ray vit le placard ouvert derrière elle. Des bottes d'homme en sortaient, maculées de sang.

Kate se dirigea vers l'armoire, mais Ray lui prit le fusil des mains et se plaça entre elle et le corps de Rod.

– Vous avez agi comme il fallait, dit-il doucement. Je m'en occupe, maintenant. Sortez et surveillez Floyd.

– F... Floyd ?

– Celui qui a le poignet bandé.

– Et... les deux autres ?

– Je ne pense pas qu'ils posent de problèmes, mon ange, dit Ray en lui rendant son arme. Allez-y, je vous rejoins tout de suite.

Ray ouvrit la porte et la regarda passer devant lui. Ses yeux semblaient plus sombres, elle était affreusement pâle, mais sa main demeurait ferme sur le fusil. Elle se plaça à un endroit d'où elle pourrait voir les trois hommes à la fois.

– C'est bien, Kate Smith, souffla Ray. Vous avez vraiment du cran.

Il alluma la lampe et la tint un instant au-dessus de Rod Culpepper. Un seul coup d'œil, et il éteignit avant de revenir vers la jeune femme.

– Il est mort ?

– Oui.

Kate ferma les yeux, un long frisson la parcourut, mais elle ne lâcha pas le fusil.

– Il avait un couteau dans une main et un six-coups dans l'autre. Ne vous reprochez rien. Il a bien cherché ce qui lui est arrivé. Dommage que ce soit tombé sur vous.

Elle prit une profonde inspiration afin de se calmer.

– Lobo...

– J'irai le chercher quand je me serai occupé de ces vauriens.

Clint vivait encore, mais tout juste. Jake avait eu moins de chance. Quant à Floyd, il commençait à revenir à lui à grand renfort de gémissements.

Ray se dirigea vers une des mules en lui parlant doucement, et l'animal ne fit pas mine de se dérober. Avec les Culpepper, elle devait être habituée aux coups de feu ! Rapidement, il détacha une couverture roulée derrière la selle.

– Je n'ai jamais vu un homme se battre comme vous, dit Kate qui se rappelait ses mouvements vifs, inattendus. Vous avez appris cette méthode en Virginie ?

– En Chine.

Ray prit les armes de Jake, puis il jeta la couverture sur lui.

– Les Chinois ont des techniques de combat à côté desquelles ce que je viens de faire ressemble à un jeu d'enfant, poursuivit-il.

Kate n'en revenait pas.

– C'est vrai, insista Ray. L'homme qui m'a enseigné son art m'arrivait à peine à la poitrine, et il pesait moins lourd que vous. Mais il était capable de m'étendre en moins de cinq secondes !

Tout en parlant, Ray délestait les bandits de leurs armes, récupérait son fouet qu'il remit à son épaule, puis il attacha les poignets et les genoux de Clint. Ensuite, il fit de même pour Floyd, ignorant ses grognements de douleur.

– Où vous ont-ils attrapée ? demanda-t-il quand il se releva.

– Entre ici et la grosse souche, là-bas, au fond de la prairie.

Ray s'approcha d'elle, lui releva le menton et déposa un léger baiser sur ses lèvres.

– Surveillez ces malfrats, dit-il. Je vais vous ramener Lobo.

Kate acquiesça et retourna à son poste.

Ray, monté sur une mule, s'éloigna à travers la prairie et, arrivé à l'endroit désigné par la jeune femme, il chercha le chien parmi l'herbe haute et les fleurs des champs. Il ne tarda pas à le découvrir.

Le molosse tenait un morceau de tissu ensanglanté entre ses dents. Il avait une longue blessure à la tête, une autre en travers de la poitrine, et une troisième à la hanche.

Ray mit pied à terre, s'agenouilla près de l'animal

dont les yeux étaient presque vitreux. Toutefois son flanc se soulevait régulièrement.

– Tu es robuste, hein, mon garçon !

Très doucement, il ausculta tout le corps du chien qui poussa une seule fois un son aigu.

– Là, là... Ils ne t'ont pas raté ! Tu saignes en trois endroits, tu as été sonné, mais tu es jeune, costaud. Tu t'en sortiras et tu pourras retourner jouer dans les prés avec ta maîtresse.

Avant que le chien ait totalement recouvré ses esprits, Ray le prit dans ses bras et, les rênes en main, il se mit en marche. Lobo ne protesta pas tandis qu'ils traversaient la clairière.

Comme ils approchaient de la cabane, Ray vit un inconnu qui se tenait dans la cour et le fixait de ses yeux aux reflets métalliques.

– Kate ? appela-t-il.

– Si vous voulez parler de la jeune fille au fusil, elle est à l'intérieur et elle a bien l'intention de m'expédier dans l'au-delà au moindre geste inconsidéré.

Ray vit en effet le canon du fusil solidement appuyé au rebord de la fenêtre, braqué sur l'étranger.

Prudent, Ray s'éloigna de la ligne de mire.

L'homme aux cheveux noirs hocha la tête, comprenant la manœuvre.

– Occupez-vous de votre chien, dit-il. Je ne bouge pas.

Soudain, son regard se durcit quand il se tourna vers les trois frères Culpepper.

Ray déposa le molosse au sol avec précaution. Quand il se releva, le fouet était dans sa main gauche comme s'il y était venu de lui-même.

– Vous pouvez venir, Kate ! Lobo est blessé, mais il survivra !

Le fusil disparut de la fenêtre et la porte s'ouvrit

brusquement sur Kate qui sortit en courant, inquiète et pleine d'espoir.

– Où est-il ?

– Juste derrière moi. Attention à votre arme, maintenant.

La jeune femme ne prit pas la peine de lui répondre. Elle se précipita vers son chien avec un cri de joie.

Ray ne quittait pas des yeux le grand homme dont la tenue indiquait qu'il avait un jour appartenu à l'armée confédérée.

– Vous connaissez ces types ? demanda-t-il.

– On dirait les Culpepper, à en juger par leurs mules.

– Des amis à vous ?

– Je les pourchasse depuis Appomattox. Tous les onze.

– Pour une raison particulière ? insista Ray.

– On les recherche morts ou vifs, au Texas. Pendant la guerre entre les Etats, ils ont tué trois jeunes femmes texanes et vendu leurs enfants à des Comancheros. Quand les pères sont rentrés de la guerre, ils ont voulu secourir leurs enfants, mais il était trop tard. Ils étaient tous morts.

Ray n'avait pas besoin de l'interroger davantage. L'inconnu était de toute évidence un officier, et l'une des trois malheureuses mères était sûrement sa femme.

– Vous en avez après les Culpepper, hein ? Eh bien, c'est votre jour de chance, mon ami. Voici Clint, Jake et Floyd.

– Morts ?

– Jake, oui. Clint et Floyd, pas encore, mais je ne donnerais pas cher de leur peau. Clint a le cou brisé, et Floyd, une blessure qui empeste.

– Gangrène ?

Ray acquiesça.

– Due à la bagarre de Holler Creek ? demanda l'étranger.

– Ce n'était pas une véritable bagarre. Je les ai pris par surprise, et j'ai essayé de leur inculquer les bonnes manières.

L'homme esquissa ce qui pouvait passer pour un sourire.

– Je pensais bien qu'il s'agissait de vous, dit-il. On vous appelle le Fouet, n'est-ce pas ?

– Ça arrive.

– Moi, c'est Hunter.

– Hunter, répéta Ray avec un signe de tête.

– J'ai entendu dire que Rod était avec eux, reprit Hunter.

– En effet.

– Alors il s'en est sorti encore une fois ! s'écria Hunter avec rage. Ce salaud ne le mérite pas ! Pardonnez-moi, madame...

– Ne vous excusez pas, répliqua Kate sans quitter son chien des yeux. Je ne suis pas une gentille dame du Sud. Je viens de tuer un homme.

Hunter haussa les sourcils.

– Un Culpepper ?

La jeune femme fit un bref signe de la tête.

– Eh bien, madame, beaucoup de gens prétendraient que les Culpepper ne comptent pas pour des hommes. En particulier ceux qui ont enterré les dépouilles de trois jeunes femmes.

Hunter s'adressa à nouveau à Ray.

– Quelle direction Rod a-t-il prise ?

– Tout droit celle de l'enfer, j'imagine.

– Il est mort ?

Hunter cherchait autour de lui.

– Dans la cabane.

L'étranger désigna Kate du regard, et Ray hocha la tête.

Hunter parut soudain se détendre, et Ray comprit à cet instant que l'homme avait été tout le temps sur la défensive.

– Je vous suis reconnaissant, dit-il simplement. On offre cinq cents dollars pour la tête de Rod, deux cents pour Floyd et Jake et cent pour Clint. Je veillerai à ce qu'on vous les remette.

– Non ! coupa Kate. Pas le prix du sang ! Nous ne les aurions pas tués si nous avions pu faire autrement.

Hunter échangea un coup d'œil avec Ray : dès l'instant où les Culpepper avaient touché Kate, ils avaient signé leur arrêt de mort.

– Si vous voulez bien m'aider à les hisser sur les mules, dit-il, je les donnerai au premier chasseur de primes que je rencontrerai.

– Vous n'avez pas l'intention de les ramener vous-même aux autorités ?

– Douglas, Horace, Billy, Larry et Jeremiah sont encore en vie. On raconte que Jeremiah et Larry sont en route pour Virginia City. Maintenant que ceux-là sont éliminés, je vais m'occuper des trois premiers.

– Et les autres ?

– Mon frère Case est aux trousses de Larry et de Jeremiah. Quand les Culpepper se sont séparés, nous en avons fait autant. Case a tiré la mauvaise carte, et il n'a eu que deux de ces enfants de garce à pourchasser. Mais il se rattrapera, j'en suis sûr. Il pourrait bien me battre sur le coup de Virginia City.

– Onze, vous avez dit ? Il n'y en a pas d'autres ?

– Pas qui vaillent la peine qu'on en parle, rétorqua Hunter. Mais Pappy Culpepper était un chaud lapin, et je ne serais pas surpris qu'il ait laissé quelques œufs dans d'autres nids avant que mon père l'envoie en enfer.

– Onze ! répéta Ray. J'ai des chances de les rencontrer bientôt ?

– Ça m'étonnerait ! Ils sont enterrés au Texas.

Inutile de demander qui s'en était chargé ! Quelque chose dans Hunter rappelait Caleb Black. Un homme bon mais inflexible.

– J'espère que vous aurez les derniers, dit Ray.

– Vous pouvez y compter.

Ray sourit, heureux de ne pas s'appeler Culpepper.

– Prenez une de ces mules, dit-il à Kate, et allez chercher le sorcier. Il soignera Lobo en notre absence.

– Où allez-vous ? demanda la jeune femme.

– J'ai dit : *notre* absence. Nous nous rendons au ranch de ma sœur.

Kate voulut protester, mais Ray prit les devants.

– Vous m'accompagnerez, cette fois, même si je dois pour ça vous ligoter sur votre selle !

13

Kate se réveilla en sursaut et regarda autour d'elle, le cœur battant. Le jour n'était pas levé, mais les étoiles pâlissaient à l'est. Couchée dans une petite chambre, elle entendit un homme appeler à voix basse depuis le porche. Une autre voix répondit.

Ray.

Et Caleb Black.

C'était cet échange de paroles qui l'avait réveillée. Bien que trois jours se soient écoulés depuis le brutal affrontement à la cabane, elle demeurait nerveuse, elle sursautait pour un rien, regardait sans cesse par-dessus son épaule pour s'assurer qu'on ne la suivait pas.

Elle respira un bon coup et une délicieuse odeur de

café, de biscuits et de bacon lui parvint. Elle avait une faim de loup. Ils étaient arrivés si tard, la veille au soir, que Sarah leur avait simplement souhaité la bienvenue avant de leur montrer leurs chambres et d'aller se coucher. Le voyage avait été long, car la jeune femme avait refusé de monter l'une des deux mules des Culpepper que Hunter leur avait laissées.

Elle se leva vivement. Il n'était pas question de traîner au lit pendant que les autres s'activaient. Ray lui avait expliqué que Sarah était fort absorbée par son fils, un peu fatiguée par sa grossesse et par les repas qu'elle préparait pour les employés du ranch. Sans parler des mille tâches annexes qui lui incombaient.

Pour Caleb, ça n'était pas plus simple. La liste de ses occupations était interminable.

D'un pas vif, Kate descendit de la petite pièce du grenier où elle avait dormi et se dirigea vers la cuisine.

Sarah était en train de surveiller le bacon et les biscuits tout en remuant une compote de fruits. Elle avait remonté ses cheveux en chignon. Si la couleur lumineuse de sa chevelure n'avait pas suffi à la désigner comme la sœur de Ray, la forme allongée de ses yeux noisette l'aurait trahie.

– Bonjour, madame Black.

– Sarah, rectifia la jeune femme en souriant. Nous ne sommes pas très protocolaires, dans l'Ouest.

– Sarah, répéta Kate. Alors, appelez-moi Kate.

– C'est un joli prénom. Vous a-t-on déjà affublée d'un surnom, comme il est de coutume dans la région ?

– Pas encore.

Kate sourit en regardant le ventre arrondi de la future maman.

– Ray dit que vous êtes un vrai garçon manqué.

– Oh, c'est parce que j'ai toujours suivi mes frères partout.

– Combien en avez-vous ?

– Cinq. Matt vit à une petite journée d'ici avec sa femme, Eve.

– Matt ? demanda Kate.

– Vous devez le connaître sous le nom de Reno. C'est ainsi qu'on le nomme, dans l'Ouest.

– John m'a parlé de Reno, en effet.

Très vite, pour éviter qu'on lui pose des questions sur un homme qui n'avait pas été vraiment son époux et qui de surcroît était mort, Kate demanda :

– Et les autres frères Moran, où sont-ils ?

– La dernière fois que j'ai reçu de leurs nouvelles, ils étaient éparpillés dans le monde entre l'Ecosse, la Birmanie et la jungle amazonienne. Mais c'était il y a deux ans, ils peuvent être n'importe où ailleurs maintenant.

– Le goût de l'aventure est prononcé, au sein de votre famille !

Il y avait dans la voix de Kate une amertume qui conduisit Sarah à mieux l'observer. Sa première impression était donc la bonne : la jeune femme aux invraisemblables yeux bleus était fort éprise de Ray Moran, dit le Fouet.

– Oui, je suppose, dit-elle. Et même si nous avions été casaniers, la guerre nous aurait expédiés aux quatre vents. Nous n'avions plus de maison où nous réfugier.

– Ah...

– Il me semble discerner une trace d'accent du Sud, dans votre voix, reprit Sarah.

– De Virginie, répondit Kate.

– Etes-vous venue dans l'Ouest parce que la guerre vous avait privée de foyer ?

De la part de quelqu'un d'autre, la question aurait

pu sembler indiscrète, mais le regard affectueux de Sarah disait clairement que c'était la sympathie et non une curiosité malsaine qui l'avait suscitée.

Kate ferma les yeux un instant, cherchant un moyen d'expliquer sans choquer l'enfer qu'elle avait vécu avant que John vienne la chercher pour l'emmener dans le Colorado.

Comme elle se taisait, Sarah reprit vivement :

– Je ne voulais pas vous ennuyer. Une tasse de café ? A moins que vous ne préfériez le thé ?

– Vous avez du thé ? s'étonna Kate.

– Toujours. Lisa, la femme de Steven Lonetree, a été élevée en Ecosse et en Angleterre. Steven aussi, d'ailleurs, pendant une époque de sa vie.

Kate fronça les sourcils.

– Steven... Ray m'a parlé de lui.

– Ça ne me surprend pas. Il a gagné son surnom un jour où de sales individus de Canyon City parlaient grossièrement à Lisa sous prétexte qu'elle était mariée à un sang-mêlé indien.

Kate se rappela la rapidité stupéfiante du coup de fouet, le sang qui était apparu sur la bouche de Rod Culpepper.

– C'est comme ça que je l'ai connu aussi, dit-elle.

Sarah était fort curieuse d'apprendre comment son frère s'était retrouvé en compagnie de l'épouse – ou de la veuve – de l'un des chasseurs de primes les plus réputés de tout l'Ouest.

– Des vauriens du nom de Culpepper étaient chez le seul commerçant de Holler Creek quand je suis venue y faire des achats, et ils ont commencé à lancer des plaisanteries de mauvais goût. J'avais horreur de leurs paroles déplacées, mais...

Elle haussa les épaules.

– Vous étiez seule ?

– Oui. J'ai essayé de dissuader Ray de s'en mêler.

J'avais peur qu'il ne lui arrive malheur, car il était seul contre quatre hommes armés, et il n'avait même pas de revolver. Les frères Culpepper ont très mauvaise réputation, dans la région d'Echo Basin.

Sarah imagina la scène.

– Les Culpepper continuaient à débiter leurs horreurs quand tout à coup il y a eu un bruit, comme une détonation, et la bouche de Rod était en sang. Encore un coup, puis un autre, et les Culpepper sautaient et criaient comme s'ils étaient tombés sur un essaim de guêpes. Le combat était presque terminé lorsque j'ai enfin compris qu'il s'agissait d'un fouet.

Sarah s'essuya les mains sur son tablier.

– J'ai vu mon frère réussir quelques tours spectaculaires avec son fouet, mais quatre hommes armés à la fois...

– Ils ne s'y attendaient pas, déclara l'intéressé depuis le seuil. Ça m'a bien aidé.

Kate se retourna vivement pour voir Ray et Caleb à la porte.

– Ne recommence pas une telle folie ! conseilla sagement Caleb à son beau-frère.

– Je n'avais rien prévu, ce jour-là.

Caleb éclata de rire et il traversa la cuisine pour venir caresser les cheveux de sa femme avec une tendresse qui surprit Kate.

– Comment va mon épouse préférée ? demanda-t-il doucement.

– Elle grossit tant qu'elle va bientôt devenir deux épouses préférées.

Caleb se pencha pour lui murmurer quelques mots à l'oreille, et un lumineux sourire s'épanouit sur le visage de Sarah.

– Est-ce que ce sont des biscuits que je sens ? demanda Ray.

– Non ! s'empressa de répondre Caleb. Ton imagination te joue des tours.

– Tu parles !

Caleb s'empara de la corbeille de biscuits qu'il fit mine de cacher sous sa veste de travail.

Souriant, Ray tendit sa main gauche dans laquelle se trouvaient deux gâteaux fumants.

Kate n'en revenait pas. Elle n'avait absolument pas vu Ray les prendre, et pourtant, ils étaient bel et bien là.

– Je me suis servi pendant que tu chuchotais des fadaises à l'oreille de ma petite sœur.

Sarah leva les yeux au ciel.

– Vous deux, alors ! On croirait que je ne fais qu'un biscuit à la fois et que je le partage entre tout le monde.

– Je voulais justement te parler de ça, dit Caleb en se penchant vers elle. Entre autres choses...

– Allons, arrête ! protesta la jeune femme en riant. Si tu continues à me perturber, je vais rater le petit déjeuner.

Ray prit Caleb par le bras.

– Tu as entendu ? Laisse-la, sinon elle va tout faire brûler.

Feignant de résister, Caleb se laissa entraîner hors de la cuisine. Kate les suivit des yeux, avec une expression d'étonnement.

– On dirait qu'on vient de vous assommer, dit Sarah en réprimant un sourire.

– C'est l'impression que j'ai, avoua la jeune femme. Ray est tellement... différent, ici. Je veux dire... parfois il souriait, ou même il riait, à Echo Basin, mais pas comme ça, pas avec cette gaieté.

– Ray sait bien qu'ici il n'a pas besoin de surveiller ses arrières, ni ses paroles ni rien d'autre. Nous sommes sa famille.

– Le foyer d'un vagabond, fit Kate, pensive.
– Il est ainsi. C'est un baroudeur, et cela depuis que je suis haute comme trois pommes.
Un cri d'enfant leur parvint, et Sarah soupira.
– Excusez-moi, dit-elle. Kevin n'a pas la patience de son père. Si je ne vais pas le bercer, il hurlera jusqu'à ébranler les murs de la maison.
– Allez-y, je m'occupe des biscuits. Les ouvriers ont-il mangé ?
– La femme de Double-Lune cuisine pour eux, en ce moment.
– Alors il nous faudra encore quatre fournées de biscuits, c'est bien cela ?
Sarah haussa les sourcils.
– Comment le savez-vous ?
– Ray en avale deux à lui tout seul.
– Caleb aussi.
Kate sourit.
– C'est bien ce que j'imaginais, vu son gabarit. Ainsi il nous en restera une plaque pour nous.
– Si nous nous dépêchons, plaisanta Sarah.
– Je me tiendrai à côté d'eux avec un fusil chargé.
– A côté des hommes ?
– Non, des biscuits.
Avec un rire joyeux, Sarah alla chercher son fils dont les cris redoublaient.
Quand on se mit à table pour le petit déjeuner, Kevin était nourri, baigné, vêtu de vêtements tricotés par Sarah. Il était assis entre sa mère et Kate dans la chaise haute que Caleb lui avait fabriquée.
La jeune femme retrouva vite les habitudes prises auprès de ses petits cousins, dont elle s'était beaucoup occupée. Quand Kevin s'agitait pour attirer l'attention de sa mère, Kate lui donnait un morceau de biscuit ou une gorgée de lait.
La cuisine était chaude, accueillante. La table

s'égayait de ramequins pleins de confiture de groseilles, d'un bouquet de fleurs jaune vif que Ray avait cueillies, de serviettes à carreaux bleus et blancs. Les tasses et les assiettes de céramique crème portaient la patine du temps ainsi que les couverts d'étain bien astiqués.

– Vous n'avez pas faim, Kate ? demanda Ray.

La jeune femme sursauta et fixa son assiette vide.

– J'essayais seulement de me rappeler quand j'avais vu pour la dernière fois de la vaisselle qui ne soit pas dépareillée. Tout est si joli que j'ose à peine m'en servir.

– Il le faut pourtant. Mangez. Vous êtes trop mince.

– Je n'arrête pas de dévorer depuis que je vous connais, marmonna-t-elle.

– Et c'est tant mieux ! A notre première rencontre, vous étiez aussi maigre qu'une levrette qui nourrit douze chiots.

– Qu'en savez-vous ? protesta-t-elle. Je portais des vêtements d'homme !

– Ça se voyait quand même.

Le regard de biais que lui lança Ray mit un terme à la discussion, car, une fois de plus, Kate était troublée par son regard sensuel.

Caleb s'absorbait dans la contemplation de sa tasse afin de dissimuler son amusement. Il était évident que Ray s'intéressait vivement à Kate. Et il était tout aussi évident qu'il n'avait pas fait l'amour avec elle, car les deux jeunes gens ne partageaient pas la tendre intimité d'un couple d'amants.

Cependant, le feu était là, brûlant, presque tangible, dans les regards qu'ils échangeaient.

Etait-ce l'absence de preuve de la mort du Silencieux qui les empêchait d'aller jusqu'au bout de leur désir ? se demandait Caleb.

– Ray m'a dit que vous aviez une cabane au-dessus d'Echo Basin, Kate ?

– Oui. Sur la partie nord d'Avalanche Creek.

– Je me souviens d'avoir pourchassé Reno dans cette région, il y a quelques années, continua Caleb. C'est un bel endroit, une fois qu'on est habitué à l'altitude.

Kate sourit.

– Le premier mois que j'y ai passé, je n'arrivais pas à respirer normalement, et j'avais l'impression de porter en permanence un sac de cinquante kilos sur le dos.

– Les cultures doivent être difficiles, là-haut.

– Plus que difficiles ! renchérit Kate. Souvent, nous disposons seulement de six semaines entre le dernier gel du printemps et le premier de l'hiver.

– Vous devez vous sentir bien seule, sans autre femme près de vous, intervint Sarah.

– Pour se sentir seule, dit-elle lentement, il faut avoir laissé derrière soi quelqu'un qu'on aime. Ce n'était pas le cas, quand je suis arrivée dans l'Ouest.

– Mais vous passez beaucoup de temps sans voir personne, insista la sœur de Ray.

– J'ai Lobo.

– Lobo ?

– Le plus énorme, le plus vilain bâtard de loup que tu aies jamais vu ! plaisanta Ray. Il se remet péniblement d'une indigestion, aussi l'avons-nous laissé là-bas aux soins du sorcier.

Caleb était évidemment au courant de l'aventure avec les Culpepper.

– Une indigestion ? répéta-t-il.

– Oui. Celui des Culpepper qu'il a essayé de dévorer avait une odeur à faire vomir un putois.

– Franchement, Ray, s'indigna Sarah, je ne vois pas

comment tu peux rire de cette histoire ! Tu étais en fâcheuse posture !

– Pas quand je leur ai sauté dessus. Ils ne s'attendaient pas à mes prises chinoises.

– Si vous l'aviez vu se battre, dit Kate, vous ne vous seriez pas inquiétée pour lui. Il les a étendus raides en un clin d'œil !

– Un jour, mon grand, tu t'attaqueras à plus forte partie, maugréa Sarah.

– C'est déjà arrivé, répondit Kate à sa place. Dans un lieu appelé la Clairière des Grizzlis.

– Que s'y est-il passé ? demanda Caleb.

– Ray s'en est pris à un grizzli avec son fouet pour seule arme.

– Un grizzli ! s'écria Caleb. Ray, je t'aurais cru plus raisonnable !

– Ça non plus, je ne l'avais pas vraiment cherché, tu sais ! J'étais en train de me baigner tranquillement, quand Lobo s'est mis à aboyer comme un fou. Je me suis retourné et ce satané ours était dressé sur ses pattes de derrière. Je n'avais que mon fouet à portée de la main, alors je m'en suis servi.

– Tu as mis un grizzli en déroute avec un fouet ? s'étonna Caleb.

– Pas tout à fait. Kate est venue à la rescousse avec son vieux fusil tout rouillé et...

– Mon fusil est mieux entretenu que votre fouet ! coupa la jeune femme.

– ... elle a posé son fusil contre le cœur du grizzli et elle a fait feu des deux canons, continua Ray, ignorant l'interruption. Elle l'a abattu sur le coup !

Caleb considéra Kate avec un intérêt renouvelé.

– Il fallait un sacré courage !

– Du courage ? répéta la jeune femme avec un petit rire. J'étais terrorisée, mais je vise tellement mal que j'étais obligée de m'approcher tout près de lui. Si je l'avais seulement blessé, nous serions morts tous les deux, à l'heure qu'il est.

– Alors vous vous êtes approchée et vous l'avez expédié au paradis des ours, dit Caleb en l'observant de ses yeux d'ambre.

– Vous allez me gronder, vous aussi ?

Caleb sourit, et Kate se dit qu'il était tout aussi séduisant que Ray.

– C'est ce qu'a fait mon beau-frère ? Il vous a réprimandée ?

– Oui.

– Non ! fit Ray. Je lui ai simplement précisé qu'il fallait être idiote pour se jeter ainsi dans un combat où elle n'avait rien à faire. Lobo et moi avions presque mis le grizzli en fuite.

– Et lui, il le savait ? rétorqua Caleb avec une bonne dose d'ironie.

Ray lui lança un regard noir avant de s'attaquer à une nouvelle pile de biscuits. Il ne supportait pas l'idée que Kate avait risqué sa vie pour lui sans rien lui demander en retour. Ne serait-ce qu'un remerciement...

Au lieu de ça, il s'était mis à crier. Cela aussi le tracassait.

« Pas étonnant, se dit-il, sardonique. Tout me tourmente, chez cette fille. »

– Eh bien, si mon frère n'a pas assez d'éducation pour vous exprimer sa reconnaissance, intervint Sarah, je vais m'en charger. Vous serez toujours la bienvenue au ranch, Kate. Vous pouvez y rester le temps qu'il vous plaira.

– J'espère que ce sera souvent, renchérit Caleb. Je déteste l'avouer, mais le son de la flûte de Ray quand il salue l'aurore me manque...

– Et qui m'accusait d'affoler le bétail avec ma

musique ? répliqua Ray, heureux de ce changement de conversation.

– Steven, sans doute.

– Hum !

Kate s'efforçait de cacher un sourire. Elle tentait aussi de dissimuler l'attirance qu'elle ressentait pour Ray, mais elle n'était pas certaine d'y parvenir...

Elle avait bien vite compris que rien n'échappait au regard perçant de Caleb.

Quand tout le monde fut restauré, les hommes allèrent s'occuper des bêtes tandis que Sarah se mettait aux tâches ménagères, aidée de Kate.

Le premier jour lui donna un bon aperçu de la vie au ranch. Elle partagea les travaux de Sarah avec plaisir. Et lorsque celle-ci lui dit qu'elle en faisait trop, elle se mit à rire et répondit que c'était beaucoup moins dur que l'existence à Echo Basin.

Après le souper du quatrième jour, Sarah pria Caleb de sortir son harmonica pour jouer quelques-uns de ses airs favoris.

Bientôt, les notes d'une valse emplirent la maison. Les lampes jetaient leur lumière ambrée dans la pièce principale, adoucissant les contours des objets.

Ray, souriant, vint s'incliner devant sa sœur en lui offrant sa main.

– Madame, dit-il, solennel, en tant que maîtresse de maison, cette première danse vous revient de droit.

– Je ne serai pas aussi légère que la dernière fois que nous avons dansé ensemble, le prévint-elle.

– Tu es magnifique, Sarah, répondit Ray.

Rougissante de plaisir, Sarah prit la main de son frère, se leva et fit une révérence avec une élégance toute naturelle.

Ray la guidait avec délicatesse. Leurs cheveux dorés brillaient comme des flammes, leurs yeux pétillaient de plaisir, leurs pas s'harmonisaient à la perfection.

Ils glissaient autour de la pièce, aériens, au son de la musique qui rendait cette nuit magique.

Kate les regardait avec un sentiment bien proche de l'envie. Elle aussi, jadis, avait connu le plaisir des bals, même si elle devait se contenter d'épier à travers la balustrade du second étage. Trop jeune pour participer, trop grande pour avoir sommeil, elle avait passé de nombreuses heures à rêver du jour où elle serait assez âgée pour se joindre à l'élégante foule des danseurs.

Mais son univers avait basculé avant que vienne ce temps béni. La joie et la danse avaient disparu de son existence avant même qu'elle ait eu l'occasion d'y goûter.

Les dernières notes s'attardèrent dans l'air du soir, et Kate se tourna vers Caleb.

– J'ignorais qu'un harmonica pouvait produire de si jolis sons, soupira-t-elle.

Il sourit.

– Vous avez vécu trop longtemps à Echo Basin. Votre seul point de comparaison est le hurlement des loups.

– Me croiriez-vous si je vous disais que j'aime bien la chanson des loups – à condition d'être à l'abri dans ma cabane ?

– Rien ne saurait m'étonner de la part d'une jeune femme capable de charger un grizzli avec un vieux fusil !

L'admiration qu'elle lisait dans les yeux de Caleb la fit rougir. Elle lui adressa un sourire timide.

– Si vous voulez bien cesser un instant de flirter avec mon beau-frère, intervint froidement Ray, nous pourrions peut-être danser tous les deux, pendant que Sarah se repose ?

– Je ne sais pas danser, et je ne flir...

Kate s'interrompit brusquement devant l'évidente colère de Ray.

– Ray ! s'indigna Sarah. Où sont passées tes bonnes manières ?

– Dans la poche de son gilet, suggéra Caleb. Avec son intelligence.

Ray lui lança un coup d'œil meurtrier.

– Garde cette expression mauvaise pour Reno, reprit Caleb avec l'ombre d'un sourire. Il a hâte de te rendre la monnaie de ta pièce depuis que tu l'as mis les quatre fers en l'air avec tes prises chinoises, pour la façon dont il traitait Eve.

– Il l'avait bien cherché ! Quel imbécile il était de ne pas l'épouser. Ça crevait les yeux de tout le monde !

– Tout le monde, sauf « l'imbécile » en question, précisa Caleb. Tu devrais y réfléchir sérieusement. Ensuite, tu t'excuserais auprès de Kate en lui apprenant à valser.

Avec un clin d'œil à sa femme, il reprit son harmonica.

Kate évitait soigneusement le regard de Ray. Elle n'avait rien fait pour s'attirer des réflexions aussi malveillantes.

Il lui tendit sa longue main aux ongles soignés.

Il sentait la menthe.

Il lut des reproches dans les yeux bleus qui se levèrent vers lui, puis la surprise.

– De la menthe, dit-elle.

– Sarah en a planté derrière la maison, et j'en ai cueilli quelques brins pour votre chambre pendant que vous rangiez la vaisselle du dîner.

– Je... merci, balbutia Kate. C'est très gentil.

Ray lui tendit l'autre main.

– Venez danser, dit-il à voix basse.

« Fille dorée. »

Les mots étaient là, dans le regard gris.

– Je... je ne sais pas.

– Je vous apprendrai, si vous êtes d'accord. Vous voulez bien, Kate ?

Elle frémit.

– Oui, souffla-t-elle.

– Alors, approchez-vous.

Quand elle se leva, il l'amena au milieu de la pièce, puis se tourna vers elle. S'ils avaient été seuls, il aurait baisé la paume de sa main, mais il se contenta d'une caresse appuyée.

C'était presque aussi intime qu'un baiser, et la respiration de la jeune femme s'accéléra.

– Posez votre main gauche sur mon épaule.

– Comme ça ?

– Oui. Maintenant, mettez la main droite dans la mienne.

Lorsque leurs peaux se touchèrent, la jeune femme fut traversée d'un frisson.

– Vous entendez le rythme de la musique ?

Kate pencha la tête pour se concentrer malgré son trouble croissant. Ils étaient si proches l'un de l'autre que leurs souffles se mêlaient. Elle voyait son pouls battre à son cou.

– C'est bien, dit-il. Maintenant, démarrez du pied droit et laissez-moi vous conduire.

Il la serrait plus vigoureusement pour la guider, la retenir quand elle faisait un faux pas. Il commença par des figures simples, puis plus compliquées quand il comprit que la jeune femme était douée pour la danse.

– Vous êtes certaine de ne pas savoir valser ? demanda-t-il en tournant de plus en plus vite.

Elle rit et s'accrocha à lui, confiante. C'était tellement simple, avec un bon cavalier !

– J'ai toujours rêvé de danser comme ça, avoua-t-elle, mais cela ne s'est jamais produit. Je devais me contenter de rester cachée derrière les pots de fleurs et de contempler les danseurs à travers la balustrade.

– Quel âge aviez-vous ?

– Cinq, six, peut-être sept ans. C'était il y a très, très longtemps. Avant que papa nous quitte et que maman commence à prendre du laudanum.

Ray était peiné, mais il n'approfondit pas le sujet. Il voulait effacer les ombres dans les yeux de Kate, et non pas en créer davantage en la laissant évoquer de tristes souvenirs.

– Je crois qu'elle est prête pour la polka ! dit-il à Caleb par-dessus la tête de la jeune femme.

Aussitôt la musique changea, se fit plus gaie, plus rapide, et Sarah se mit à rire en tapant dans ses mains.

– Vous sentez le rythme ? demanda Ray à Kate.

– Pour ne pas le sentir, il faudrait que je sois sourde !

– Ou ivre morte. Je soupçonne les Allemands d'avoir inventé cette danse comme prétexte pour se donner soif et boire de la bière toute la nuit.

Il posa les mains de la jeune femme sur ses épaules. Tous deux marquaient la mesure avec le pied.

– Prête ?

– Pour quoi ?

– Pour gambader avec moi comme vous le faites avec Lobo dans une prairie où il n'existe rien d'autre que les fleurs et le soleil.

L'idée de jouer ainsi avec Ray la fit éclater de rire.

Ray la prit à la taille, savourant la douceur de sa chair féminine malgré le vieux pantalon d'homme. Et le sourire dont il la gratifia était aussi coquin que l'étincelle dans ses yeux.

Puis il s'élança dans la danse, en comptant les temps. Il criait presque au lieu de murmurer. Kate n'eut aucun mal à comprendre le pas, qui était beaucoup moins complexe que celui de la valse. Quand par hasard elle se trompait, Ray, tout simplement, la soulevait de terre.

Bientôt, ils sortirent en dansant de la pièce pour continuer vers la cuisine, puis revenir. De temps en temps, Ray la soulevait, la faisait tournoyer, la reposait au sol et changeait brusquement de direction.

Toute rouge d'excitation, les yeux brillants, Kate se laissait aller au plaisir de la musique et de la danse. Enfin, au bout de longues minutes, essoufflée, elle cria grâce. Dans la cuisine, Ray l'enleva une dernière fois dans ses bras et la serra très fort.

– Je sais que vous ne flirtiez pas avec Cal, dit-il gentiment. Mais si vous m'aviez souri de cette façon, j'aurais eu envie de faire... ça.

Le regard soudain lourd d'une passion qu'il ne pouvait plus contenir, Ray prit les lèvres de la jeune femme en un interminable baiser.

– Ensuite j'en aurais voulu davantage, bien davantage, murmura-t-il enfin. J'ai envie de vous, mon ange. Vierge, veuve ou épouse, paradis, enfer ou purgatoire, je veux tout.

Il la laissa glisser le long de son corps sans prendre la peine de dissimuler l'évidence de son désir.

Elle prononça son nom dans un souffle.

– Dites à Cal et à Sarah que je suis allé voir Pecos, dit-il d'une voix rauque.

La porte claqua, et Kate se retrouva dans la cuisine déserte, le cœur battant la chamade, le goût de Ray sur ses lèvres.

14

Le lendemain matin, un vent violent soufflait de la montagne, apportant des orages dans la verdoyante vallée où Caleb et Sarah avaient construit leur ranch.

Quand Ray entra dans la maison, il maintint fermement la porte afin qu'elle ne claque pas derrière lui.

Assise au salon dans l'un des fauteuils fabriqués par Caleb, Kate réparait à petits points soigneux une blouse de guingan appartenant à Sarah.

– Où est ma sœur ? demanda Ray.

– Elle profite de la sieste de Kevin pour se reposer un peu.

Il eut un sourire presque penaud.

– Il paraît que nous avons réveillé le bébé, hier soir, avec notre fête improvisée.

Les joues de Kate s'empourprèrent au souvenir de leur baiser.

– Il s'est vite rendormi, répondit-elle. Il a suffi que Sarah lui chante une berceuse. Elle a une voix magnifique !

Ray la contemplait. Elle avait les traits moins tirés, sa silhouette s'était très légèrement arrondie. Assise près de la fenêtre, un ouvrage de couture à la main, elle était aussi détendue qu'un chaton couché au soleil.

Vous vous sentez bien, ici, n'est-ce pas ?

– Le contraire serait étonnant. Caleb et Sarah sont des gens généreux. Quand je les vois ensemble, je comprends tout ce que mes parents ont raté dans leur mariage

– Reno et Eve sont pareils, Steven et Lisa également. Il doit y avoir quelque chose dans l'air, par ici.

Kate baissa les yeux sur son travail, afin que Ray ne

puisse deviner l'émotion qui s'emparait d'elle. Un foyer, le mariage, partager sa vie, son amour, avoir des enfants de lui...

Mais cela n'arriverait jamais, c'était un vagabond. Pourtant, elle ne pouvait s'empêcher de l'aimer.

C'était pourquoi elle se détournait de celui qu'elle n'aurait pas.

Mais elle ne fut pas assez rapide. Il avait deviné ses rêves : l'espoir, l'amour, la tristesse de savoir qu'un jour il la quitterait. Comme elle ne lui demandait rien, il avait plus encore l'impression d'être pris au piège – et en même temps il la désirait au point d'en avoir mal dans chacun de ses muscles, d'être déchiré entre la raison et son besoin d'assouvissement.

Ray jeta un coup d'œil dans le couloir. La porte de la nursery était fermée, celle de la chambre de Caleb et Sarah aussi.

Il ne put s'empêcher de traverser vivement la pièce, d'enlever l'ouvrage des mains de Kate et de la prendre dans ses bras.

La violence de son désir était telle qu'il fut plus brutal qu'il ne l'aurait voulu.

– Ray ? demanda Kate, prise au dépourvu.

– Embrassez-moi. Embrassez-moi et laissez-moi vous embrasser, vous posséder.

Kate avait encore les lèvres ouvertes de surprise quand il prit sa bouche. Il gémit en goûtant la menthe sur sa langue, tandis qu'elle s'offrait avec une honnêteté, une sensualité qui le bouleversèrent.

Il ne pouvait cesser de l'embrasser, il avait envie de la prendre là, tout de suite, sa passion encore attisée par les gémissements de plaisir qui lui échappaient, par le corps souple qui s'arquait contre le sien. Elle le désirait tout aussi fort, elle avait besoin de lui, sans promesses et sans regrets, sans rien d'autre au monde que le rythme brûlant de leur sensualité.

Ray s'arracha enfin à Kate. L'embrasser, c'était jeter de l'huile sur le feu, et déjà il se consumait, il sentait tout contrôle lui échapper davantage à chaque battement de son cœur.

– Seigneur, murmura-t-il dans son cou, vous me rendez fou !

– Je ne voulais pas...

– Je sais, coupa-t-il d'une voix basse, voilée. C'est ma faute. Quand je vous embrasse, je souffre plus encore, mais quand je ne vous embrasse pas, j'imagine qu'il n'y a pas de douleur plus difficile à supporter.

Kate prit le visage tourmenté de Ray entre ses mains et déposa de légers baisers sur ses joues, ses lèvres, ses yeux, comme si elle pouvait gommer les ombres, faire renaître son sourire.

Il frémit tout entier.

– Chaque fois que nos regards se croisent, je sais à quoi vous pensez, ce dont vous vous souvenez, ce que vous ressentez. Vos yeux me disent que vous aimeriez me tendre les bras, m'offrir ce dont je rêve. Or j'ai besoin de vous, Kate. J'ai besoin de vous au point de me réveiller au milieu de la nuit en sueur. Mais je ne peux pas vous prendre, et pourtant je ne peux pas non plus cesser de vous désirer.

– Chut ! dit doucement la jeune femme entre deux baisers. Tout va bien, le vagabond. Si vous me faites l'amour, si vous mettez un terme à cette torture, vous ne renoncerez pas pour autant à l'aurore que vous n'avez jamais vue.

Les caresses de Kate, ainsi que ses paroles, étaient douces. Elle avouait son amour, et il aurait fallu la faire taire, étouffer ces promesses qui ne devaient pas, ne pouvaient pas être tenues.

Mais autant essayer de se détourner du soleil après la plus longue nuit de l'hiver...

– Kate, arrêtez. Vous me torturez !

– Alors, dites-moi ce que je dois faire. Je veux vous aider, vous soulager de votre peine, au lieu de vous tourmenter davantage. Je vous en prie, Ray, dites-moi. Apprenez-moi.

Il ferma les yeux pour tenter de reprendre ses esprits.

– Je vous en prie, apprenez-moi.

Ray se rappela qu'il était dans le salon de sa sœur, en plein jour. Sarah risquait d'entrer d'une minute à l'autre.

– Non ! déclara-t-il en la repoussant brusquement. Ne me demandez rien. Ne me tentez pas. Ne...

– Mais c'est vous qui...

– ... ne me dites pas que vous me laisseriez découvrir votre douceur intime, prendre votre virginité.

Kate aurait été incapable de répondre tant cette idée la troublait, faisant monter en elle une faim jusqu'alors ignorée.

Ray vit toutes les émotions passer sur son visage.

– Vous me supplieriez, dit-il, presque sauvage. Parce que vous seriez aussi malade de désir que moi en ce moment, et je pourrais éteindre ce feu dévorant, je pourrais...

Le bruit d'une porte dans le couloir l'interrompit net. Il tressaillit comme s'il avait reçu un coup de fouet sur les épaules.

– Ray ?

– Je suis là, Sarah.

Il s'arrangea pour que Kate se trouve entre lui et le seuil.

– Je parlais à Kate du poste que tu proposes, dit-il.

Les cheveux ébouriffés, Sarah se frottait les yeux, encore mal réveillée.

– Parfait, dit-elle. Tu as besoin de quelque chose ?

– Non, répondit-il avec un sourire crispé.

– Merveilleux, murmura la jeune femme en étouffant un bâillement. Je crois que je vais aller prendre un bain avant de préparer le dîner. Cela ne vous ennuierait pas de veiller sur Kevin, pendant ce temps-là, Kate ?

– Pas du tout ! répondit la jeune femme.

– Merci. Je me dépêche.

– Inutile de vous presser. J'ai mis un ragoût à cuire pendant que vous vous reposiez. Si Kevin se réveille, je lui donnerai un verre de lait.

– Vous êtes un ange !

Kate se rappela les paroles enflammées de Ray, la façon dont elle les avait écoutées, aimées. Jamais elle n'aurait cru qu'elle désirerait sentir un homme en elle, avant de connaître Ray.

Maintenant, elle ne pensait plus qu'à ça.

– Un ange ? répéta-t-elle avec un demi-sourire. Pas vraiment !

Sarah avait déjà disparu dans sa chambre, d'où elle ressortit avec des vêtements pour se changer.

– Je ne serai pas longue.

– Prenez votre temps. Rien ne presse, ici.

Ray regarda sa sœur se diriger vers la cabane qui servait de maison de bains, heureux qu'elle fût trop distraite pour constater son état.

« Maintenant que j'ai réglé le problème de la sécurité de Kate, se dit-il, je serais incapable de ne pas poser les mains sur elle.

» Il est grand temps de trouver une aurore plus belle que ses yeux. »

– Ne vous inquiétez pas pour vos affaires, décréta-t-il tout de go. Cal ou l'un de ses hommes ira s'en occuper avec vous quand vous retournerez chercher Lobo. Si vous attendez une semaine ou deux, cet animal sera capable de marcher tout seul.

Kate avait l'impression de sortir d'un rêve.

– De quoi parlez-vous ? Même si nous attendons encore quinze jours avant de rentrer à la cabane, je n'ai pas besoin de vêtements supplémentaires.

Elle se garda d'ajouter que, de toute façon, elle n'en possédait pas d'autres.

– Et pourquoi est-ce que je ramènerais mon chien ici ? insista-t-elle, désorientée.

– Il me semblait que vous aimeriez l'avoir avec vous, répondit Ray. Cal et Sarah sont d'accord. Il ont essayé d'avoir un chien assez fort pour survivre aux loups et au vent glacial de l'hiver mais, jusqu'à présent, ils n'ont pas eu de chance.

– Bien sûr que je veux avoir Lobo près de moi ! s'écria Kate. Mais enfin, de quoi est-il question ?

– Il est question que vous veniez ici aider Sarah. Elle est fatiguée, vous vous entendez comme deux sœurs, et...

– Non.

– ... et vous ne pouvez continuer à vivre dans cette masure perdue au bout de nulle part, vous le savez aussi bien que moi !

– Non.

– Vous n'y êtes pas en sécurité ! cria Ray. Il faut que vous...

– Non.

– ... partiez !

– Non.

Avec sa rapidité habituelle, Ray saisit Kate et, avant qu'elle pût se rendre compte de ce qui lui arrivait, elle se retrouva à la hauteur de son regard.

Les yeux pâles scintillaient de rage.

– Si ! gronda-t-il.

Kate ne broncha pas.

– Non. J'ai le droit de vivre comme je l'entends.

– Ou de mourir ! répliqua Ray.

– Ou de mourir.

– Vous essayez de me retenir, dit-il, les dents serrées. Vous pensez que je ne partirai pas tant que vous êtes en danger.

– Non. C'est *vous* qui essayez de me faire vivre de la façon qui *vous* semble la bonne.

– Bon sang, vous déformez mes propos !

– Vraiment ? Je sais que vous me quitterez, Ray. Je l'ai su depuis la première fois où je vous ai entendu parler de cette aurore que vous n'avez jamais vue.

– Kate, mon ange, je...

– Non, dit-elle en effleurant ses lèvres des siennes pour l'interrompre. Je vous ai cru alors, et je vous crois à présent. Vous allez partir. Moi, je resterai dans ma cabane.

– Je ne le permettrai pas !

– Vous ne pouvez m'en empêcher, le vagabond.

Ray ferma les yeux. Il était terriblement pâle.

– Vous me déchirez, chuchota-t-il.

– Je veux seulement...

– J'ai envie de vous, Kate. Autant que j'ai envie de parcourir le monde pour le lever de soleil que je n'ai jamais vu. C'est un dilemme qui me fait souffrir. Le comprenez-vous ?

Des larmes brûlantes roulèrent sur les joues de la jeune femme.

– Je comprends votre souffrance, murmura-t-elle. Choisissez ce qui vous importe le plus, Ray : la liberté. Je ne fabriquerai aucune cage pour vous retenir.

– Il faut que je vous sache en sécurité !

– Et moi, il faut que je me sache libre ! Comme vous, le vagabond.

– C'est impossible. Ce n'est pas pareil, pour une femme.

– Pour une femme mariée, en effet. Mais je ne le suis pas.

Ray vit les larmes de Kate.

– Ne pleurez pas, fille dorée. Je n'ai jamais voulu vous faire de peine.

– Et moi, je n'ai jamais voulu vous déchirer. La seule chose que je vous ai demandée, c'était de chercher de l'or pour moi. Puisque vous avez l'impression que cela vous ligote, partez. Partez, quittez-moi.

– Je ne peux pas, répéta-t-il, tant que je ne vous sais pas en sécurité.

– Il le faut pourtant.

– Kate...

– Si vous restez, vous finirez par me haïr, coupa-t-elle. Je préférerais mourir que d'en arriver là, Ray.

– C'est exactement ce qui se produira si vous retournez dans cette satanée bicoque !

– C'est à moi de choisir. Pas à vous.

Très lentement, Ray lâcha Kate, puis il tourna les talons. Sans un mot de plus, il sortit de la maison.

A l'heure du souper, la jeune femme vérifia que tout était en place sur la table. Ce soir-là elle se sentait inefficace, maladroite. Elle s'était surprise à lâcher une cuiller, renverser du café, se brûler les doigts en rechargeant le poêle.

– Tonnerre du Ciel ! marmonna-t-elle, utilisant le juron favori de Cherokee. J'ai oublié les assiettes !

Sarah avait remarqué l'inhabituelle distraction de Kate, mais n'en fit pas état. Kevin lui prenait une bonne partie de son temps. En ce moment, il hurlait dans son berceau.

– Dieu, que cet enfant est vif ! dit la jeune femme qui rentrait dans la cuisine.

– Comme Caleb, renchérit Kate. Il a aussi ses yeux. Et la même fossette que Ray quand il sourit.

– S'il devient aussi séduisant que son père et son oncle, toutes les filles du Colorado se presseront à notre porte, dans quelques années. Où en est le ragoût ?

– C'est prêt.

– Parfait. J'ai vu Caleb sortir de la grange quand je couchais Kevin.

– Ray l'accompagnait-il ?

– Non, mais il ne doit pas être bien loin. Au cas où vous ne l'auriez pas compris, mon frère adore la cuisine de la maison.

Kate pencha la tête pour cacher les larmes qui lui montaient brusquement aux yeux.

« Mais que m'arrive-t-il ? se demanda-t-elle, irritée. C'est idiot, de pleurer. Une perte d'énergie pure et simple. »

– J'ai remarqué, dit-elle d'une voix un peu sourde. A condition que ce ne soit pas *sa* maison. Le pain est-il assez refroidi pour que je le coupe ?

– Sans doute. Mais soyez certaine que Ray va se plaindre de l'absence de biscuits !

– Non, intervint Caleb en refermant la porte de la cuisine derrière lui. Il ne se plaindra pas, car il est parti.

Kate se raidit.

– Parti ? répéta Sarah en se tournant vers lui. Pour aller où ?

– Voir Reno.

– Oh...

Les sourcils froncés, Sarah versa le ragoût fumant dans une grande jatte de bois.

– Curieux qu'il ne m'ait pas avertie, reprit-elle. Ça ne lui ressemble pas.

Caleb s'adressa à la jeune femme aux cheveux couleur d'automne, qui paraissait clouée sur place.

– Vous a-t-il dit quelque chose ? lui demanda-t-il.

– Non. Mais c'est un vagabond, après tout.

– Ce n'est pas une raison pour se conduire grossièrement ! s'indigna Sarah.

Caleb ne cessait d'examiner Kate. Elle avait les lèvres serrées, l'air sombre. Il avait longuement réfléchi, s'était demandé s'il devait parler ou non.

Il venait de se décider.

– J'ai cru comprendre que Ray avait cherché de l'or sur vos concessions, dit-il.

Kate hocha la tête.

– Avec succès ?

Sarah lui lança un coup d'œil surpris.

– Ça ne te regarde pas, Caleb.

– Dans des circonstances normales, non, mais la situation est exceptionnelle.

Sarah marmonna quelques mots avant de revenir à ses fourneaux.

– A-t-il trouvé de l'or ? insista Caleb en se tournant de nouveau vers Kate.

– Non. Ray dit qu'il a perdu la veine, bien que je ne sache pas exactement ce que...

– On appelle veine la direction qu'emprunte l'or dans la roche. Quand on la perd, on casse de la pierre, et c'est tout.

– C'est ce qui lui est arrivé. Chaque soir, il rentrait couvert de poussière et de sueur.

– Lui ? Mais pourquoi ? Il déteste la prospection autant que moi, et il déteste plus encore louer ses services contre de l'argent.

– Il s'inquiétait à mon sujet, expliqua la jeune femme. Les hivers sont longs, à Echo Basin, et Holler Creek est une ville particulièrement chère. Il craignait que je n'aie pas de quoi me nourrir.

– On peut toujours chasser.

Caleb sourit en se rappelant l'aventure du grizzli.

– Mais vous n'êtes pas une très bonne tireuse, n'est-ce pas ? reprit-il.

– Les munitions sont si onéreuses que je n'ai pas la possibilité d'en gaspiller pour m'exercer, alors je me faufile derrière le gibier, et après j'essaie de me débrouiller.

– Je suis étonné que le Silencieux n'ait pas fabriqué lui-même ses balles, comme la plupart des hommes de son genre.

– C'est ce qu'il faisait, mais il ne m'a jamais appris. Il était terriblement maniaque, pour ça. Il comptait pratiquement chaque grain de poudre.

– Je m'en doute ! dit Caleb qui connaissait de réputation l'individu. Croyez-vous qu'il soit toujours en vie ?

– Non, mais je vous en supplie, ne l'ébruitez surtout pas.

– Pourquoi ?

– Je ne tiens pas à ce que des loups à deux pattes viennent hurler autour de ma cabane dès qu'ils ont la panse pleine de mauvais alcool, déclara franchement Kate. John terrorisait les hommes de la région, et je veux que cela continue.

Caleb comprenait parfaitement sa réaction.

– Et Ray ?

– Ray ? répéta Kate avec un sourire mélancolique. Il peut hurler autour de ma cabane autant qu'il en a envie.

Caleb eut un petit rire malgré la peine qui se lisait sur les traits de la jeune femme.

– Pense-t-il aussi que John est mort ?

– Oui.

– Alors, où est le problème ?

– Pardon ?

– Pourquoi Ray a-t-il filé d'ici comme s'il avait le diable à ses trousses ?

– Il veut que je reste auprès de Sarah et vous.

– Nous aussi ! s'écria la jeune femme.

– Je... je vous remercie, dit Kate, mais je ne peux pas.

– Vous ne pouvez pas, ou vous ne *voulez* pas ? demanda Caleb un peu sèchement.

– Caleb ! intervint son épouse, choquée. Tu n'as pas le droit...

– As-tu vu ton frère quand il est parti ? coupa Caleb.

– Non.

– Moi, si. Quand quelqu'un qu'on aime a cet air-là, on pose des questions. Et on obtient les réponses.

Kate se rappela ce que Ray lui avait dit de Caleb. Il avait été capable de poursuivre un homme pendant des années pour venger la mort de sa sœur, séduite et abandonnée. Il se rapprochait fort de Hunter, dans son besoin de justice.

Elle ferma les yeux et serra ses mains l'une contre l'autre à en avoir mal. Quand elle releva les paupières, Caleb l'observait avec compassion.

Il lui faisait mal, il le savait, mais il avait bien l'intention d'aller jusqu'au bout de son interrogatoire, parce que son beau-frère souffrait, lui aussi.

– Si je pensais que vous ne ressentez rien pour Ray, dit-il calmement, je ne vous aurais pas parlé de tout ça. Mais je vous ai vue le regarder comme Eve regarde Reno, comme Lisa regarde Steven, comme...

– Comme Sarah vous regarde, termina Kate. Je suis navrée, je ne suis pas très forte pour dissimuler mes sentiments.

– Ce n'est pas nécessaire, affirma Sarah en posant la jatte sur la table. Nous sommes entre amis, vous le savez, n'est-ce pas ?

Kate hocha la tête sans mot dire. Si elle essayait de parler, elle fondrait en larmes.

La sœur de Ray la serra affectueusement dans ses bras.

– Alors, pourquoi ne restez-vous pas avec nous ? demanda-t-elle.

Kate prit une longue inspiration et essaya de s'expliquer.

– Comment réagiriez-vous si Caleb faisait passer quelque chose avant vous et qu'il vous quitte ?

Sarah recula pour mieux la voir. Elle fut frappée par la douleur de la jeune femme.

– Comment vous sentiriez-vous, poursuivit Kate, si, après son départ, vous viviez chez sa sœur, sa sœur qui a les mêmes cheveux que lui, les mêmes yeux de chat... Et cela tout en sachant, au fond de votre cœur, que pour vous il n'y aura jamais de bébé, jamais de foyer, jamais d'homme pour partager votre vie ?

– Je ne le supporterais pas, reconnut Sarah. Aimer Caleb, savoir qu'il ne m'aime pas en retour et en subir le rappel permanent autour de moi... J'en mourrais.

– C'est ça, murmura Kate.

Elle se tourna vers Caleb qui, ému, caressait tendrement les cheveux de sa femme.

– Voilà pourquoi je ne peux pas rester, conclut-elle.

– C'est ce que vous avez dit à Ray ? demanda-t-il. C'est pour ça qu'il était si blessé ?

La jeune femme secoua la tête.

– Non, je ne le lui ai pas dit.

– Pourquoi ?

– J'aurais eu l'air de lui demander de rester, de le supplier, et il n'en est pas question.

– Trop fière ?

Caleb parlait gentiment, mais son regard était inflexible. Il l'interrogerait jusqu'au bout.

– Trop de bon sens, rectifia Kate avec un petit sourire triste. A voir vivre mon père et ma mère, j'ai appris ce qui peut se passer quand mari et femme n'ont pas les mêmes objectifs dans la vie. Papa est parti et maman s'est jetée sur le laudanum afin d'oublier son chagrin. Pour la première fois, je la comprends.

– Cela veut-il dire que je dois enfermer le laudanum à clé ? plaisanta Caleb afin de détendre l'atmosphère.

– Non.

– C'est bien ce que je pensais. Vous êtes plus forte que votre mère, je crois.

– Il fallait bien. C'est moi qui m'occupais d'elle, à la fin.

– Alors, qu'avez-vous dit à Ray ? insista Caleb, obstiné.

– L'autre moitié de la vérité. Que je ne veux être redevable à personne, même à des gens adorables comme vous. Je veux être libre.

– Mais vous êtes...

– Une femme, coupa Kate sèchement. Oui, je l'avais remarqué.

– Comme tous les hommes qui vous ont vue passer, renchérit Caleb.

– Caleb ! protesta Sarah, scandalisée.

– C'est pourtant ainsi, chérie, et tous ces beaux discours sur la liberté ne changeront pas la façon dont Kate marche, avec ses hanches qui...

– Je ne le fais pas exprès, rétorqua-t-elle, un peu pincée.

– Bon sang, je le sais bien ! Vous n'êtes pas plus coquette ni allumeuse que Sarah. Le problème n'est pas là. Il réside dans le fait que les hommes sont frappés par votre féminité. Les plus corrects vont engager la conversation et se présenter à votre porte avec des friandises dans une main, des fleurs dans l'autre, une lueur de convoitise dans le regard. Si vous les envoyez promener, ils comprendront et ne reviendront plus. Mais tous ne se comportent pas ainsi.

– Je suis bien placée pour le savoir !

– Et pourtant, vous tenez absolument à repartir là-bas ?

– Oui. Je m'en irai demain.

– Vous n'attendez pas le retour de Ray, pour qu'il vous raccompagne ? s'étonna Sarah.

– Vous croyez qu'il reviendra ?

– Vous a-t-il dit au revoir ?

– Non.

– Alors il reviendra.

Kate se contenta de secouer la tête, se rappelant l'air furieux et douloureux de Ray quand il l'avait quittée.

– Mon frère n'est pas mauvais, poursuivit Sarah, même s'il se laisse diriger par son goût de l'aventure. Il reviendra.

– Vraiment ? Certains hommes aiment l'or, d'autres la mer. Ray a entendu l'appel de l'aurore inconnue.

– Moi, intervint Caleb, il m'a seulement parlé de chercher de l'or dans une carrière de pierre. Il est allé voir Reno pour lui demander conseil.

– En effet, renchérit Kate. Il faut de l'or pour voyager, et il n'a pas voulu accepter de gages de ma part, donc il doit en avoir besoin.

– Ray en possède plus qu'il ne pourra jamais en dépenser, déclara Sarah. D'énormes lingots d'or espagnol, si pur qu'on peut le rayer de l'ongle.

Kate n'en croyait pas ses oreilles.

– Je l'ignorais ! Alors pourquoi est-il allé voir Reno ?

– S'il vous offrait son or pour acheter vos provisions ou une maison dans une région plus paisible qu'Echo Basin, accepteriez-vous ? demanda Caleb.

– Jamais ! Je suis une veuve, pas une femme facile que l'on peut avoir pour une poignée de pépites.

Caleb sourit.

– Pourquoi ne pas attendre ici le retour de Ray ? insista-t-il. Vous auriez tort de faire la route seule.

– Non, merci. Mon chien a été blessé en me défendant contre les Culpepper. J'aurais dû rentrer depuis plusieurs jours.

– Restez ! la pria Sarah. Ray a... de l'affection pour vous. Il pourrait...

– Fonder un foyer ?

Kate eut de nouveau son petit sourire triste.

– La passion seule dirige Ray, or il n'aime que la liberté.

15

Ray chevauchait en direction de la petite maison dont les finitions n'étaient pas encore achevées. Quand il tira sur les rênes de sa monture, une jeune femme à la chevelure flamboyante et aux yeux mordorés sortit vivement de la cuisine. Légère et gracieuse, elle sauta du porche qui courait le long de la façade et sourit au nouveau venu.

– C'est vous ? Quelle merveilleuse surprise ! Reno vous imaginait repris par la fièvre de l'aventure et parti à l'autre bout du globe.

– Pas encore, Eve. Il faut d'abord que j'essaie d'exploiter une mine d'or.

– De l'or ? Vous ?

Elle semblait si surprise que Ray ne put s'empêcher de sourire, malgré sa méchante humeur que le long trajet depuis le ranch de sa sœur n'avait absolument pas calmée.

– Je croyais que vous détestiez prospecter autant que Caleb ! poursuivit la jeune femme.

– C'est vrai, acquiesça Ray en mettant pied à terre.

– Alors, pourquoi...

Eve eut le souffle coupé quand elle vit de près l'expression de son beau-frère.

– Qu'est-ce qui ne va pas ? s'inquiéta-t-elle. Sarah ? Le bébé ?

– Tout va bien chez les Black, la rassura-t-il.

– Alors pourquoi cet air sombre ?

– Rien qu'un peu d'or ne puisse guérir. Où est Reno ?

– Juste derrière toi, dit une voix masculine.

– Je m'en doutais ! fit Ray en se retournant. J'ai eu l'impression d'être épié depuis que j'ai traversé la rivière.

Reno sourit.

– C'est un merveilleux poste d'observation, ici. Nous t'avons vu arriver depuis longtemps.

– Merci de ne pas m'avoir tiré dessus !

– Quand j'ai aperçu le fouet à ton épaule, j'ai été tenté, déclara Reno, pince-sans-rire. Puis je me suis dit que tu nous apportais peut-être quelques délicieux biscuits de Sarah.

– Je n'apporte qu'un estomac vide, et j'ai un service à te demander.

– Ah, je comprends mieux pourquoi tu fais cette tête ! Quand tu as faim, tu es aussi charmant qu'un grizzli blessé.

Tout en parlant, Reno regardait Pecos. La robe du cheval montrait qu'il avait énormément transpiré, et à la façon dont il tirait sur les rênes afin de brouter, on le devinait affamé, comme son cavalier. Et aussi épuisé.

– On dirait que Pecos et toi ne vous êtes pas reposés depuis un bon moment !

– J'ai quitté le ranch de Caleb hier en fin d'après-midi.

– Alors tu as dû chevaucher une grande partie de la nuit !

Ray haussa les épaules.

– Je vais t'aider à t'occuper du cheval, proposa Reno, pendant qu'Eve prépare de quoi te restaurer.

Dès que les deux frères eurent atteint le corral, Reno se tourna vers Ray.

– Bon, qu'est-ce qui te tracasse ?

– Comme je l'ai dit à Eve, rien qu'un peu d'or ne puisse soigner.

– L'un des fameux lingots espagnols est enfoui juste sous tes pieds. Si je le déterrais, cela te rendrait ta bonne humeur ?

En jurant, Ray repoussa son chapeau pour se passer une main rageuse dans les cheveux avant de remettre le couvre-chef en place.

Sans répondre à son frère, il dessangla la selle, la posa sur la plus haute barrière du corral, puis il ôta du dos de la bête la couverture qu'il mit à sécher.

Soulagé, Pecos se dirigea bien vite vers l'herbe grasse du bord de la rivière, qui coulait à une trentaine de mètres de la maison de Reno et d'Eve.

Reno observait attentivement son frère, et il fut rassuré par l'aisance et la puissance de ses gestes. Un instant, il avait craint que Ray ne lui cachât quelque blessure, ou une grave maladie.

– Caleb, Sarah et Kevin se portent bien, dit-il.

Ce n'était pas vraiment une question, mais Ray hocha la tête.

– Et toi, poursuivit Reno, tu es dans une forme éblouissante, malgré ta folle chevauchée.

Ray haussa les épaules.

– Tu n'as pas reçu de mauvaises nouvelles de l'un de nos frères ? insista Reno.

– Non.

Comme son frère n'ajoutait rien, Reno reprit en souriant :

– Eh bien, cela rétrécit le champ des éventualités. Il doit s'agir d'une femme.

– Mais enfin, de quoi parles-tu, bon sang ? s'irrita Ray.

– Le pli de ta bouche et ton regard sombre donnent à penser que tu as envie de tuer. Que Dieu protège celui qui t'en offrirait le prétexte !

Ray serrait et desserrait les poings. Il était venu pour s'entretenir d'or et non de la femme à laquelle il ne devait pas toucher mais qu'il ne pouvait quitter.

– Tu vas parler ou tu préfères te battre avant ? interrogea Reno avec calme.

– Je suis ici pour te demander un service, pas pour me battre avec toi !

– Parfois une bonne bagarre *est* un service efficace.

Ray émit un son étrange qui tenait du juron et du rire. Puis il se tourna vers le ciel aussi bleu et profond que les yeux de Kate.

– T'est-il arrivé de désirer deux choses en même temps, dit-il enfin, même si tu sais qu'en choisissant l'une tu devras renoncer à l'autre ? Or c'est impossible parce que tu tiens réellement aux deux, alors tu tournes en rond comme un chien qui court après sa queue, et tu ne sais plus du tout où tu en es.

Le sourire de Reno était étonnamment tendre pour un homme aussi dur que lui.

– Bien sûr, répondit-il doucement. Ça s'appelle être humain. Stupide, mais humain.

– Et qu'as-tu fait, alors ?

– J'ai compris ce qui était le plus important. Aussi, je l'ai épousée.

Ray fit une grimace.

– Je serais un bien piètre mari. Je passerais mon

temps à regarder par-dessus la barrière, caracolant comme un mustang sauvage qu'on vient d'attraper.

– Toujours cette fameuse aurore ?

– Je n'y peux rien, je suis fait ainsi, de la même manière que je suis gaucher, et plutôt maladroit avec un six-coups.

– Peut-être, mais on ne sait jamais.

– Que veux-tu dire ?

– Quand tu t'es lancé dans les voyages, répondit Reno, tu étais à peine sorti de l'enfance. Toi et moi, nous avons quitté la maison autant pour imiter nos frères aînés – et éviter la boucle de la ceinture de notre père quand il nous corrigeait – que par goût réel de l'aventure.

– Tu crois ? Le temps a passé, j'ai du mal à me rappeler ce qui m'a poussé à m'en aller.

– Pourtant, tu ne veux pas renoncer.

– Renonce-t-on à son âme ? demanda Ray, torturé.

Reno lui répondit par une accolade chaleureuse.

– Viens, dit-il. Eve doit s'inquiéter et se demander ce qui ne tourne pas rond chez toi. Je déplore son mauvais goût, mais il me faut bien admettre qu'elle t'aime presque autant qu'elle m'aime.

Ray sourit.

– J'en doute fort ! Mais j'ai beaucoup de tendresse pour elle. J'admire profondément sa gaieté et son courage. D'ailleurs, je ne vois vraiment pas ce qu'elle peut te trouver !

Avec un éclat de rire, Reno lui assena une claque sur l'épaule et, côte à côte, les deux frères se dirigèrent à grands pas vers la maison.

Ils se débarbouillèrent rapidement au-dessus d'une cuvette dont l'eau tiède sentait le lilas.

– Eh bien, vous n'allez pas y passer la journée ! fit Eve, souriante, depuis le seuil. Les biscuits seront bientôt carbonisés !

Reno s'essuya vivement les mains avant de lui ouvrir les bras. Eve s'y précipita.

– Ray va bien ? murmura-t-elle à l'oreille de son mari.

– Rien qui nous concerne, ma chérie, répondit-il sur le même ton.

Elle poussa un soupir de soulagement.

– Ça sent le brûlé ! déclara Ray.

– Ne vous inquiétez pas, ils seront parfaits. Mais je meurs d'envie d'accueillir comme il se doit l'homme que je préfère au monde... après mon cher époux, évidemment.

Ray se pencha pour la serrer contre lui, la soulevant de terre.

Reno les contemplait sans la moindre jalousie. Il savait qu'un lien particulier s'était créé entre les deux jeunes gens quand ils avaient risqué leur vie pour le sortir de l'éboulement d'une vieille mine.

Enfin Ray reposa Eve.

– Venez à table ! ordonna-t-elle, ravie. J'entends d'ici vos estomacs crier famine. Je vais dresser le couvert pendant que vous changez de chaussures. Ray, vous pouvez garder votre fouet à la cuisine, mais n'entrez pas avec vos bottes et votre chapeau.

Les deux frères échangèrent un clin d'œil amusé à la vue d'une grande paire de chaussettes tout près des mocassins de Reno. Mais ni l'un ni l'autre n'avaient le cœur à se moquer d'Eve. Au contraire, ils appréciaient ce genre d'attention ainsi que la chaleur féminine qui faisait de cette simple maison un véritable foyer.

Tout en se régalant, Ray raconta à son frère et à sa belle-sœur ce qu'il avait fait depuis qu'il ne les avait vus. Quand il en arriva à Echo Basin et à Holler Creek, il passa rapidement sur l'aventure avec les Culpepper.

Malgré tout, Eve devina ce qui s'était passé dans le magasin de Murphy. Elle avait vécu dans des endroits dangereux avant de rencontrer Reno, et elle savait exactement quel genre de vauriens étaient les Culpepper.

En revanche, elle ignorait pourquoi la veuve de John se trouvait au ranch des Black, plutôt qu'en compagnie de son beau-frère.

– Pourquoi n'avez-vous pas emmené Mme Smith avec vous ? demanda-t-elle.

– Mme Smith ?

Eve s'impatienta.

– La jeune femme qui se trouve au ranch de Caleb, expliqua-t-elle lentement, comme si elle s'adressait à un enfant attardé. Celle dont vous avez défendu la vertu à l'aide de votre arme redoutable.

– Oh, vous voulez dire Kate !

Eve éclata de rire.

– Evidemment ! Votre esprit est-il déjà reparti courir le monde ?

Elle eut la surprise de voir Ray rougir légèrement.

– Pour moi, Kate n'est pas Mme Smith, décréta-t-il.

– Je vois, murmura-t-elle. Kate était-elle trop fatiguée en arrivant chez Caleb et Sarah pour vous accompagner jusqu'ici ?

– Je l'ai laissée là-bas parce que j'espérais qu'elle accepterait d'y rester afin d'aider Sarah.

– C'est une bonne idée ! Elle cherchait à engager une jeune fille pour...

– Il ne s'agirait pas vraiment de l'engager, coupa Ray. Plutôt de la traiter en sœur, ou en cousine célibataire.

Eve toussota plutôt que de faire remarquer qu'une veuve n'avait rien de commun avec une cousine célibataire. Elle connaissait trop bien les Moran pour ne pas saisir l'avertissement dans les yeux clairs de Ray. Il était piégé.

Elle comprenait la peine de Ray, mais soupçonnait que cette Kate souffrait comme elle-même avait jadis souffert, quand elle était tombée amoureuse d'un homme qui n'était pas prêt à l'aimer. Heureusement, elle avait fini par gagner.

Kate aurait-elle cette chance ?

Elle regarda le grand homme blond aux yeux gris. Ray savait se montrer bon, affectueux, mais que Dieu protège celui ou celle qui tenterait de le retenir quand il entendait l'appel de l'aventure !

– Une sorte d'arrangement familial, continua-t-il. Le toit, le couvert et un peu d'argent de poche. Mais par-dessus tout, la sécurité.

Un coup d'œil vers son mari apprit à Eve qu'il était à la fois amusé et surpris par le discours de son frère.

– C'est ce qu'elle désire ? demanda-t-elle, intriguée. La sécurité assortie d'un peu d'argent de poche ?

Ray serra les dents. Formulé ainsi, cela paraissait un projet d'existence bien morne pour une personne aussi dynamique et courageuse que Kate !

Il y eut un silence un peu gêné.

– Si elle est vraiment merveilleuse comme vous le racontez, reprit Eve avec une certaine prudence, vous ne vous inquiéterez pas longtemps pour elle. Un de ces jours, un homme intelligent traversera sa route et lui offrira bien plus qu'un toit et un peu d'argent de poche.

Ray releva vivement la tête, les yeux plissés.

– Il lui donnera son nom, lui fera des enfants et lui construira une maison, poursuivait Eve d'un ton posé. Ainsi elle n'aura plus besoin de vivre de la charité des autres, elle aura son foyer, un mari à aimer, des bébés à élever. Il sera sa sécurité, elle sera son refuge.

– Non ! s'exclama Ray

L'idée que Kate porte l'enfant d'un autre lui était insupportable.

Eve haussa un sourcil interrogateur devant ce brusque accès de véhémence.

– Elle n'a pas besoin de se marier et d'avoir des enfants pour être en sécurité, décréta Ray, entêté. Il lui suffit de...

Il se tut.

– Et je suppose que vous, vous n'êtes pas prêt à l'épouser, constata Eve d'une voix neutre.

– Ce n'est pas contre elle, affirma-t-il.

– Il ne faut pas souhaiter à Kate de se marier avec Ray, ma chérie, intervint Reno. Ce serait épouser un courant d'air.

– Le sait-elle ?

– Elle le sait, répondit Ray. Elle m'a même dit qu'elle ne passerait jamais sa vie avec un homme qui lui préférait l'aurore qu'il n'a pas encore vue.

– C'est quelqu'un de bien ! apprécia Eve.

– Ce n'est qu'une tête de mule ! Elle refuse de quitter les montagnes, alors que ce n'est pas un endroit pour une femme seule.

– Pourquoi ne veut-elle pas en partir ?

– Là-haut, elle ne doit rien à personne.

– Quelqu'un de *vraiment* bien, insista Eve.

– *Vraiment* trop têtue ! rétorqua Ray, les dents serrées. Je ne peux pas la laisser à la merci de ces mineurs dépravés, et je ne peux pas non plus rester avec elle jusqu'à ce qu'elle accepte d'entendre raison.

Eve ne semblait pas convaincue.

– La seule issue, expliqua Ray, c'est de trouver suffisamment d'or sur ses satanées concessions pour lui acheter une maison à Denver, ou ailleurs, vers l'est, afin que je la sache en sécurité.

– Et surtout pas mariée ? suggéra Eve, sardonique.

Elle reçut pour toute réponse un regard meurtrier.

– Pour l'amour du Ciel ! s'écria-t-elle, exaspérée. Puisque vous ne voulez pas épouser Kate, pourquoi bondissez-vous chaque fois que l'on imagine qu'un autre homme pourrait...

Reno lui donna sous la table un petit coup de pied qui la réduisit au silence.

– Ray sait bien qu'il n'est pas raisonnable, dit-il. C'est pourquoi il est tellement irrité. S'il a besoin de se soulager par une bonne bagarre, je suis prêt.

– Ah, les hommes ! grommela Eve.

Cependant, elle tenta une nouvelle approche.

– Pourquoi ne lui donnez-vous pas un peu de votre or espagnol ? Vous y avez à peine touché, jusqu'à présent !

– A sa place, tu l'accepterais ? coupa Reno sans laisser à son frère le temps de répondre.

– Non. Mais j'étais amoureuse d'un homme qui avait la folie de l'or.

– Et Kate est amoureuse d'un homme qui a la folie de...

– Elle ne m'aime pas réellement ! l'interrompit Ray.

– C'est ce qu'elle dit, ou ce que vous souhaitez ? lança Eve.

– Elle n'a jamais connu qu'un vieux serpent de chasseur de primes, un vieil ermite du nom de Cherokee et quelques jeunes mineurs aux manières de porcs. Alors, évidemment, elle trouve toutes les qualités au premier homme qui la traite avec courtoisie.

– En d'autres termes, elle vous aime, résuma Eve.

Ray fit la grimace, mais il ne protesta pas davantage.

– Voyons si j'ai bien compris, persista Eve. Vous n'aimez pas Kate, mais vous vous inquiétez pour elle. Elle refuse d'être engagée par votre sœur. Vous ne voulez pas qu'elle reste vivre seule à Echo Basin, et vous ne voulez pas non plus qu'elle se marie. Pas même avec vous. Donc vous avez décidé de trouver sur ses concessions assez d'or pour pouvoir partir la conscience en paix. C'est bien ça ?

Un muscle tressautait sur la mâchoire de Ray.

– Eve... souffla Reno.

Elle l'ignora.

– Si vous étiez un homme... commença Ray.

– Si j'étais un homme, je recevrais une bonne raclée. C'est d'ailleurs une des raisons pour lesquelles Dieu a créé la femme, afin que les hommes soient obligés de *réfléchir* de temps en temps au lieu de tout régler avec des coups de poing. Je vous aime beaucoup, Ray. Vous et aussi Caleb, Sarah, Steven, Lisa. Vous êtes la famille dont j'ai toujours rêvé, que j'ai cru ne jamais avoir. Mettez-vous en colère contre moi, si cela peut vous soulager. Car je veux vraiment vous aider. J'ai mal de vous voir souffrir ainsi.

Ray ferma les yeux, traversé d'un long frisson. Peu à peu, ses doigts se décrispèrent. Il regarda Eve avec un sourire si amer qu'elle en eut les larmes aux yeux.

– Vous êtes un rayon de soleil, comme Sarah, dit-il doucement. Je suis incapable de rester fâché contre vous plus de quelques minutes.

Eve effleura sa joue.

– Qu'est-ce que vous découvrez, dans vos pays lointains ? demanda-t-elle d'une voix tendre.

– Je ne crois pas pouvoir l'exprimer par des mots.

– Essayez quand même...

Ray se passa la main dans les cheveux, puis il caressa la lanière de cuir enroulée à son épaule. Ce geste en disait long sur sa nervosité, comme son regard, ses lèvres serrées.

– C'est fascinant, répondit-il enfin.

– Quoi ? insista Eve. Les terres inconnues ? Les

langues que vous ne connaissez pas ? Les villes étrangères ? Les femmes étrangères ?

Les sourcils froncés, Ray ôta le fouet de son épaule et se mit à chercher distraitement des éraflures dans le cuir.

– Non, pas les femmes. Oh, elles sont belles, parfois merveilleusement exotiques, mais Kate est infiniment plus séduisante que toutes celles que j'ai vues au-delà des mers. Pas le genre de beauté agressive, voyez-vous. Je la trouve simplement plus ravissante chaque fois que je la regarde.

Reno haussa les sourcils, mais se garda bien de préciser que c'était exactement ce qu'il éprouvait vis-à-vis d'Eve. Cela le mettrait de nouveau de mauvaise humeur !

– Les langues sont assez intéressantes, continua Ray. Le chinois est horriblement compliqué, mais pas le portugais. Entre le portugais et l'anglais, je m'en sors à peu près partout en Asie, à condition de ne pas trop m'éloigner des côtes, où les explorateurs portugais ont créé des ports. En outre, l'espagnol est assez proche du portugais, et je me débrouille aussi en Amérique du Sud, au Mexique...

Reno écoutait son frère en silence.

Eve, sans mot dire, touchait de temps à autre l'épaule de Ray pour l'encourager à parler, à se soulager de sa tension.

– Les villes...

Ray s'interrompit, jouant fébrilement avec la lanière.

– Les villes ? répéta Eve.

D'un geste du poignet, Ray déroula le fouet qui vint caresser le sol.

– Ce sont les villes qui m'ont d'abord attiré. Je ne m'en lassais pas. L'architecture des maisons, les visages étrangers, les odeurs, les bruits, la nourriture.

C'était parfois beau, parfois atroce, mais toujours *différent*.

Reno et Eve écoutaient attentivement.

– C'est curieux, mais au bout d'un certain temps, tout m'a paru se ressembler plus ou moins.

Le fouet s'immobilisa un instant avant de reprendre ses arabesques en chuchotant.

– Quant aux terres elles-mêmes, c'est aussi une grande partie de l'attrait du voyage. Notre brave vieil univers mêle l'eau et la pierre dans des harmonies incroyables.

– Oui, renchérit Reno. C'est pourquoi je suis revenu ici. Pour moi, le territoire du Colorado a un relief et des paysages absolument extraordinaires. Sans compter l'or qu'on peut y trouver.

– Avez-vous aussi un endroit favori ? demanda Eve. Un lieu où vous avez envie de revenir ?

Ray secoua la tête.

– Je ne retourne jamais deux fois au même endroit.

– Alors, vous n'avez pas encore trouvé ce que vous cherchez, n'est-ce pas ?

Déconcerté, Ray ouvrit la bouche mais aucun mot ne vint. Alors il se leva et sortit, marchant sous le soleil du Colorado, le fouet ondoyant près de lui dans l'herbe.

– Que va-t-il faire, à ton avis ? demanda Eve.

– Ce qu'il a toujours fait.

– Voyager ?

– Oui.

– Pauvre Kate !

– Pauvre Ray, contra Reno. Il ne semble pas franchement heureux.

– C'est son choix ! Tandis que Kate, elle, n'a pas eu l'occasion de donner son avis.

– On dirait que tu taperais avec joie sur le crâne dur de mon cher frère !

– Un seul homme à tête de mule me suffit ! rétorqua Eve.

– Et c'est moi ?

Eve vint ébouriffer les cheveux noirs de son mari.

– C'est toi.

En souriant, Reno l'attira sur ses genoux et, durant un bon moment, on n'entendit plus dans la cuisine que mots doux murmurés et tendres baisers qui étaient une promesse de ce qui se passerait plus tard dans leur grand lit.

Lorsque Ray revint enfin, le long fouet était de nouveau sagement enroulé à son épaule.

Alors, il se mit à parler de l'or : où on le trouvait, comment, la manière de l'extirper. Il décrivit à un Reno passionné la concession sur laquelle il s'était échiné. Ils parlèrent jusqu'au milieu de la nuit.

Le lendemain, le silence de l'aube fut soudain troublé par un martèlement de sabots. Des chevaux galopaient ventre à terre.

Ray sortit aussitôt par la porte de derrière, le fusil à la main, le fouet à l'épaule, le pantalon à peine boutonné, tandis que Reno se tenait à une fenêtre, les yeux plissés, Eve à ses côtés, armée elle aussi.

Des deux chevaux, un seul était monté, et Reno l'identifia sur-le-champ. La robe d'or rouge, la queue soyeuse en bannière : c'était l'inestimable étalon arabe de Sarah.

– Brujo ! s'écria-t-il. Et c'est Steven le cavalier !

Ce dernier lança un sifflement strident, signal convenu depuis l'enfance entre les frères. Les deux chevaux avaient galopé dur. Sans doute Steven avait-il changé régulièrement de monture pour les laisser se reposer un peu. Le second cheval avait les jambes longues d'un animal de course et la vitalité d'un mustang.

– Que s'est-il passé ? demandèrent les deux frères d'une seule voix quand Steven s'arrêta devant eux.

– Cal est venu nous voir en tenant Brujo par la bride et il m'a dit d'aller chercher Ray le plus vite possible. Il est aussitôt retourné auprès de Sarah.

– Tu m'as trouvé, dit-il. Crache le morceau, maintenant.

– Tu as une femme du nom de Kate ?

Ray fut trop stupéfait pour répondre.

– Bon, reprit Steven, je vais m'exprimer autrement. Si tu *connais* une femme appelée Kate, sache qu'elle n'est plus chez Sarah et Cal.

– Quoi ? Et où est-elle ?

Steven ôta son chapeau le temps de mettre un peu d'ordre dans sa chevelure noire. Ray avait l'air sur des charbons ardents, et Steven se doutait qu'à la suite de son discours il sauterait sur son cheval.

– Caleb a simplement dit que les traces se dirigeaient vers le nord, mais il ne pouvait se permettre de les suivre et de laisser Sarah seule. La jeune femme savait où elle se rendait.

Ray lâcha un chapelet de jurons. Il courut au corral sans cesser de pester d'une voix rageuse.

– Arrête-toi chez nous au passage ! lui cria Steven. Lisa te prêtera un autre cheval pour alterner avec le tien !

Ray glissa le fusil dans le fourreau, saisit la bride et la selle sur la barrière et se dirigea vivement vers sa monture qui broutait tranquillement au bord de la rivière.

Reno jeta un coup d'œil à Steven.

– Tu nous accompagnes ?

– Vous avez besoin de moi et de mon arme ?

– Je ne pense pas.

– Alors je resterai avec Lisa.

Un sourire lumineux éclaira soudain les traits austères de Steven.

– Elle a la nausée tous les matins depuis une semaine, ajouta-t-il, rayonnant.

– Félicitations ! s'écria Reno. Et à part les nausées, comment Lisa prend-elle la grossesse, elle qui redoutait tant les accouchements ?

– Très bien. La naissance de Kevin l'a presque entièrement rassurée sur ce point. Mon principal souci est de l'empêcher de danser de joie toute la journée !

Ray, monté sur Pecos, revenait au trot vers les deux hommes.

– Où est-ce que je te retrouve ? demanda Reno.

– Avalanche Creek.

– Quel bras ?

– Celui de l'est !

Sur ce, Ray piqua des deux, et le grand hongre s'élança au triple galop.

16

Kate était devant la porte de la petite cabane de Cherokee, avec un Lobo presque aussi vaillant qu'avant sa mésaventure. Au-dessus d'eux, le ciel sauvage du Colorado était traversé de nuages qui allaient du gris perle à un noir étrangement phosphorescent. Le vent frais descendait du sommet des montagnes, faisant chanter les à-pics de rochers, frissonner les arbres.

– Jolie mule ! apprécia Cherokee.

Kate se retourna vers la vieille femme, appuyée sur une canne qu'elle avait taillée elle-même, afin de soulager sa cheville toujours enflée. Sans doute ne pourrait-elle plus jamais s'en passer. Elle fronça les sourcils. C'étaient les talents de chasse de Cherokee qui leur avaient permis de survivre l'hiver précédent.

– La dernière fois que j'en ai vu une comme ça, poursuivit la vieille, c'était il y a deux ans, quand j'ai percé le chapeau d'un frère Culpepper de deux balles tirées à plus de cent mètres.

– Ils ont cru que c'était John.

– Ils ne se trompaient pas de beaucoup, puisque je me suis servie de son fusil, et il est drôlement précis, Dieu merci. J'aurais pas aimé blesser une si belle mule.

Kate jeta un coup d'œil à l'animal, paisiblement attaché à un arbre.

– Quand nous sommes rentrés du ranch des Black, expliqua-t-elle, Razorback était si épuisée qu'elle n'aurait pu faire un pas de plus. Je n'aime pas l'idée de monter la mule d'un mort, mais je n'avais pas le choix. Mago n'est pas encore habitué à avoir un cavalier sur le dos.

– Tonnerre du Ciel ! Il y a des années que tu chevauches la mule d'un homme mort. Il est temps que tu l'acceptes et que tu prennes ton avenir en main.

Kate tressaillit.

– Maintenant que nous sommes débarrassées des Culpepper, il n'y a plus de véritable danger à révéler que je suis veuve. Murphy est une canaille, mais je n'ai pas peur de lui.

– Tu n'as qu'à lâcher Lobo sur ce vaurien, je suis sûre qu'il se montrera nettement plus agréable envers toi.

En caressant la tête de son chien, Kate leva de nouveau les yeux vers le ciel, tandis que le vent froid lui balayait le visage.

– Je ferais mieux de m'en aller, dit-elle. Ça sent la neige.

– Ça serait pas la première fois qu'on en aurait en juillet, acquiesça la vieille femme.

– Si cela permettait de voir des traces d'animaux, ce serait un cadeau du Seigneur.

Cherokee essaya avec peine de décharger sa cheville malade. Bien qu'elle eût appliqué tous les onguents possibles, celle-ci refusait obstinément de guérir.

– Tu vas chasser ?

– Bien sûr ! affirma la jeune femme.

Cherokee grommela et rentra en boitant dans la cabane. Elle en ressortit peu après avec une boîte de cartouches qu'elle tendit à Kate.

Comme la jeune femme hésitait à les accepter, elle s'impatienta.

– Allez, prends ! Je ne peux pas me mettre en chasse et il serait idiot de laisser se perdre une bonne piste. Comme ça, tu ne seras pas obligée de t'approcher trop près de la bête.

– Mais je suis déjà en dette avec toi. Tu as si bien soigné Lobo.

– Foutaises ! Prends ces cartouches et arrange-toi pour nous rapporter assez de gibier pour deux !

– Mais...

– Cesse de me contrarier, petite ! Ton chien ne m'a donné aucun mal. Il s'est remis tout seul, il n'avait pas besoin de moi. Pas vrai, espèce de monstre ?

Le molosse remua la queue. Ses blessures n'étaient déjà presque plus que des cicatrices. Quant à son crâne, Cherokee avait raison, il avait beaucoup saigné, mais on ne voyait guère qu'une fine trace dans sa fourrure. Un animal moins solide, ou qui n'aurait pas eu la chance d'être soigné par Cherokee, n'aurait pas résisté à ce combat meurtrier.

– Merci de t'être si bien occupée de lui. Il représente toute ma famille, avec toi.

Le regard aigu de Cherokee perçait la jeune femme à nu, lisait sur son visage tout ce qu'elle taisait.

– Alors, je pense que tu n'auras pas besoin de ça, finalement, puisque tu es seule de nouveau.

Cherokee sortit de la poche de sa veste un flacon bien bouché auquel était accroché un petit sachet de tissu.

– Qu'est-ce que c'est ? demanda Kate, curieuse.

– Principalement de l'huile de genévrier et de menthe. Dans le sac, il y a des morceaux d'éponge séchée.

– Ça doit sentir bon ! Pourquoi n'en aurai-je plus besoin ?

– Parce que Ray est un triple idiot, voilà pourquoi. A moins qu'il ne soit devenu ton homme avant de te quitter ?

Kate rougit.

– Ray n'est l'homme de personne, dit-elle, les dents serrées. Mais oui, il est parti.

– As-tu une chance de porter un enfant ? demanda Cherokee sans ménagement.

– Non.

– Tu es sûre ?

– Oui.

La vieille femme soupira, soulagée.

– Alors tu n'as pas besoin de ce flacon d'huile pour t'empêcher d'avoir un bébé qui ne connaîtrait pas son père.

– C'est ce que tu donnes à Clémentine et...

– Non, coupa Cherokee. Ça serait peine perdue. Pour que l'huile remplisse son rôle, il faut s'en servir avec soin, et au bon moment. Quand ces pauvres filles travaillent, elles sont complètement ivres.

Kate frissonna à cette pensée.

– J'ignore comment elles font pour ne pas en mourir.

– Pour la plupart, c'est ce qui leur arrive, affirma Cherokee. Très vite, en tout cas.

Il y eut une bourrasque plus forte que les autres.

– Il vaut mieux que je parte, dit la jeune femme.

Elle se dirigeait vers sa mule quand elle vit arriver un cavalier.

– Ray !

Cherokee se retourna et, en apercevant l'homme, elle poussa un petit rire de triomphe. Vivement, elle fourra dans les poches de Kate la boîte de cartouches et le flacon d'huile.

Celle-ci ne s'en rendit pas compte, car l'immense joie qui l'avait traversée se dissipait bien vite. Si Ray était content de la voir, cela ne se lisait pas sur son visage. Il semblait assez furieux pour étrangler tout ce qui bougeait autour de lui.

– Que faites-vous là ? demanda Kate.

– A votre avis ? lança-t-il sèchement en arrêtant sa monture juste devant la jeune femme. Je pourchasse une idiote assez folle pour revenir dans une masure où elle mourra de faim durant l'hiver, si elle n'est pas transformée en bloc de glace auparavant.

– Et vous avez oublié l'épisode où le grizzli la dévore, renchérit Cherokee, ironique. Mais comme elle sera d'abord gelée, ce n'est pas très important, hein ?

– C'est absurde ! s'insurgea Kate. J'ai vécu seule ici pendant...

– Hé, Ray ! coupa joyeusement Cherokee. Vous avez un sacré beau cheval ! Il doit galoper aussi vite que le vent !

L'homme ne quittait pas Kate des yeux, mais il caressa la tête de Lobo qui était venu poser les pattes sur sa cuisse en remuant énergiquement la queue.

– J'ai laissé Pecos près de cette bicoque qu'elle appelle une maison, dit-il. Celui-ci appartient à Steven Lonetree.

– C'est ce que je pensais. Entrez vous reposer un peu.

– Non, merci, répondit-il sans lâcher Kate un instant du regard. Il neigera certainement avant que nous ayons pu atteindre cette vieille baraque qui prend l'eau de partout !

– Elle ne prend pas l'eau ! protesta la jeune femme.

– Parce que j'ai fourré des tonnes de terre dans les trous ! rétorqua Ray.

Cheerokee toussota.

– Bon, mes enfants, je vous laisse. Je suis glacée jusqu'à l'os.

Sur ce, elle rentra chez elle et ferma soigneusement la porte afin de se protéger du vent cinglant.

– Lobo est-il capable de marcher jusqu'à la cabane ? demanda Ray.

– Vous qui savez tout, qu'en pensez-vous ?

– Je pense que vous êtes une triple idiote !

– Curieux, c'est exactement ce que Cherokee dit de vous. Et moi aussi. Vous avez parcouru tout ce chemin pour rien, Ray Moran.

Kate releva la tête pour le regarder droit dans les yeux.

– Je ne retournerai pas au ranch des Black ! décréta-t-elle.

Ray marmonna un juron. Devant l'attitude hostile de Kate, il se rendait compte qu'il aurait aimé voir la joie se peindre sur son visage à son arrivée.

« Cherokee a raison, je suis un triple idiot ! »

– Montez sur la mule ! ordonna-t-il.

La jeune femme pivota sur ses talons et se mit en selle avec une grâce dont elle n'était pas consciente.

Sa démarche seule faisait courir du feu dans les veines de Ray. Il s'empressa de regarder ailleurs.

– Si vous voyez Lobo boiter, prévenez-moi, dit-il sèchement. Je le prendrai avec moi. Mocassin ne protestera pas, Steven dresse tous ses chevaux à accepter n'importe quelle charge.

Kate se mit en route derrière le grand cheval racé et puissant.

A l'image de son cavalier.

En atteignant la cabane, la jeune femme était raide de froid, engourdie par les émotions qui se bousculaient dans sa tête. Lorsqu'elle mit pied à terre, elle trébucha, et Ray la retint aussitôt.

Malgré ses gants, malgré les lourds vêtements de la jeune femme, il aurait juré sentir sa chaleur, sa douceur. Elle battit des cils avant d'ouvrir tout grands les yeux, révélant une passion et une confusion proches de celles qui torturaient Ray.

Une chose était sûre : Kate lui appartenait. Il n'avait qu'un mot à dire pour qu'elle soit véritablement sienne.

Elle tendit la main vers lui, mais il recula.

– Non, dit-il, glacial. Ne me touchez pas.

– Ray ?

– Ne me touchez pas ! répéta-t-il avec force. Je suis venu ici chercher de l'or. Quand Reno et moi en aurons trouvé suffisamment pour que vous ayez de quoi passer l'hiver, je m'en irai. Vous entendez, Kate ? Je m'en irai ! Vous ne me retiendrez pas. Il est inutile d'essayer.

Des vagues de douleur et d'humiliation parcouraient la jeune femme.

– Oui, murmura-t-elle, les lèvres tremblantes. Je vous entends, Ray. Ce n'est pas la peine de le répéter. Plus jamais.

Il ferma les yeux afin de ne pas voir sa peine. Il

n'avait pas voulu lui faire tant de mal, il avait simplement senti la porte de la cage se refermer sur lui.

– Kate !

Pas de réponse.

Il ouvrit les yeux et constata qu'il était seul dans le vent glacial.

C'était mieux ainsi, à la fois pour lui et pour la jeune femme.

Kate se réveilla aux premières notes de la flûte. Elle n'avait jamais entendu cette mélodie : c'était une complainte. Le chagrin s'écoulait dans les harmonies, gémissait comme le souffle d'un homme dans la douleur.

Elle en eut la gorge serrée, les yeux pleins de larmes.

– Allez au diable, Ray Moran, murmura-t-elle dans l'ombre. Quel droit avez-vous de vous plaindre ? Il s'agit de votre choix, pas du mien.

Seule la flûte lui répondit avec ses notes tristes.

Kate mit longtemps à se rendormir, et ses larmes coulèrent dans son sommeil.

Lorsqu'elle s'éveilla de nouveau, il faisait encore nuit, et les bruits nocturnes étaient étouffés par la neige qui couvrait lentement la terre. En frissonnant, la jeune femme alla jeter un coup d'œil à travers les volets mal clos.

En effet, la prairie était toute blanche, mais la neige ne survivrait pas à la chaleur du jour.

Si un cerf était passé par là, Kate ne manquerait pas de repérer ses traces.

Elle s'habilla vivement, s'obligeant à concentrer son esprit sur la chasse. Il lui fallait le plus grand sang-froid pour avoir une chance de mener sa tâche à bien.

« Ne pas penser à Ray. Qu'il soit ici ou à l'autre bout du monde, il est parti. »

Le poids inattendu de sa veste la poussa à fouiller ses poches. Elle rougit en découvrant le flacon d'huile qu'elle fourra sur une étagère du placard.

Quant aux cartouches, elle en aurait bien l'usage.

Elle décrocha son arme qu'elle vérifia. Le fusil était propre, prêt à servir. Elle saisit une poignée de viande séchée, but une tasse d'eau froide et sortit dans la nuit inhospitalière.

Une fois à l'extérieur, elle attendit un instant pour voir si Lobo protestait à l'idée de rester seul. Elle aurait aimé l'emmener, mais il n'était pas encore tout à fait remis. Il se fatiguait rapidement et ses pattes arrière étaient un peu raides là où il avait été blessé. Il lui fallait encore une semaine de repos avant que ses plaies ne soient plus qu'un mauvais souvenir, toutefois Kate ne pouvait se permettre de repousser la chasse. La neige était une trop belle occasion.

Le grand chien gémit doucement et se mit à gratter à la porte pour sortir.

– Non ! chuchota la jeune femme.

Elle se dirigea vers le flanc de la maison, là où il ne sentirait plus son odeur.

Pourtant le gémissement s'accentua.

Kate le connaissait assez pour deviner la suite des événements. Il allait hurler à la mort, et Ray se réveillerait, où que soit établi son campement. Il viendrait voir ce qui se passait.

A cette idée, son cœur se serra.

Même si elle était capable de l'affronter, il tenterait de l'empêcher de partir seule. Il fallait qu'elle trouve du gibier, sous peine de mourir de faim cet hiver, ou d'être obligée de se placer comme servante, de passer le reste de son existence à s'occuper de la maison des autres, des enfants des autres, de la vie des autres.

Sans jamais rien posséder.

Etait-il plus triste de mourir, ou de ne pas avoir vécu ?

– Calme !

L'ordre prononcé à voix basse fit taire le chien un instant, mais ensuite il lança un gémissement aigu qui ne manquerait pas de s'amplifier jusqu'à devenir un véritable hurlement.

– Tonnerre du Ciel ! pesta la jeune femme.

Elle ouvrit la porte et ferma la gueule de Lobo à deux mains.

– Tu vas venir avec moi, mais tais-toi !

Le molosse frétillait de joie. En silence. Il connaissait trop bien le rituel de la chasse pour se risquer au moindre bruit, maintenant qu'il était certain d'y participer.

Silencieux, la jeune femme et l'animal s'enfoncèrent dans la nuit. Ray n'aurait aucun mal à suivre leurs traces, mais il leur restait plusieurs heures avant l'aube.

En outre, il attendrait son frère et ne chercherait sans doute pas à la voir. Il avait été cruellement explicite : il ne tenait absolument pas à croiser son chemin.

Avec un peu de chance, il ne viendrait même pas jusqu'à la cabane et ne remarquerait donc pas son absence.

Le coup de feu réveilla Ray. Allongé sous une toile de bâche recouverte de neige poudreuse, il tendit l'oreille. Un autre coup, le même que précédemment.

Un seul homme. Un seul fusil.

Pas de tir en réponse.

Sans doute un chasseur qui profitait des traces toutes fraîches.

Il demeura immobile, entre sommeil et veille. Il se sentait épuisé, à bout de forces, comme s'il avait passé la nuit en enfer et non dans un confortable sac de couchage. Les paupières mi-closes, il se tourna vers l'est. Encore deux bonnes heures avant que le jour se lève vraiment, car il fallait que le soleil escalade quelques hauts sommets pour répandre ses rayons sur Echo Basin.

Un troisième coup de feu, rapidement suivi d'un autre.

Ray eut un demi-sourire.

Un mineur, sans doute. Aucun chasseur digne de ce nom n'aurait besoin de quatre coups pour abattre un cerf. Et il semblait utiliser deux canons.

A peine cette pensée s'était-elle formée dans son esprit qu'il se dressa d'un bond.

« Elle n'oserait pas ! »

Jamais Ray n'avait rencontré de femme aussi obstinée.

Il enfila ses bottes, enroula le fouet à son épaule, saisit son fusil et courut jusqu'à une crête qui dominait la clairière.

Aucune fumée ne s'élevait de la cabane.

« Peut-être dort-elle encore... »

Mais déjà il discernait les traces qui s'éloignaient de la maison, et il égrena un chapelet de jurons.

Quelques minutes plus tard, Pecos était sellé et filait vers la clairière à toute allure.

En même temps que le soleil apparaissait de l'autre côté des montagnes, un vent glacial se leva. Ray releva le col de son épais manteau.

Elle aussi devait avoir froid.

Cette pensée raviva sa colère.

Pourquoi n'avait-elle pas attendu qu'il se charge de cette besogne pour elle ? Elle devait bien savoir qu'il le ferait volontiers, il n'était pas si mauvais !

Mais il avait repoussé Kate.

Se rappelant sa peine, son humiliation, Ray comprit soudain pourquoi elle était partie chasser seule dans la nuit. Elle n'accepterait plus rien de lui, dût-elle mourir d'inanition.

Sombre, il poussait sa monture autant que possible compte tenu du terrain. De toute façon, il allait plus vite que la jeune femme, puisqu'elle était à pied.

« Elle aurait pu au moins monter une de ces satanées mules ! Elles lui appartiennent, après tout. Les Culpepper n'en auront plus jamais besoin, et elle aura de la chance si Razorback passe l'hiver. »

La mule de John ne serait pas la seule créature qui risquait de ne pas survivre à l'interminable hiver des montagnes. L'image de Kate en train de lutter contre la faim taraudait douloureusement Ray. Malgré ses efforts, il n'arrivait pas à l'effacer de son esprit.

« Elle est bien trop démunie pour se permettre d'être si fière. Il n'y avait aucune honte à accepter de rester près de Cal et de Sarah. Il s'agissait d'un travail honnête, et ils ont de l'affection pour elle. »

Mais Ray ne s'y trompait pas, jamais il n'arriverait à persuader la jeune femme de se montrer raisonnable. Surtout après ce qu'il lui avait dit la veille ! Elle ne voudrait plus jamais se trouver en contact avec un membre de sa famille.

« C'est pour son bien, elle devrait le comprendre. Si seulement je m'étais montré un peu plus diplomate... »

Mais existait-il une manière habile d'interdire à une jeune femme de vous toucher, alors que vous auriez remué ciel et terre pour le plus léger de ses baisers ?

De toute sa vie, il n'avait ressenti une telle vulnérabilité face à une femme.

Et ça ne lui plaisait sacrément pas !

Que Reno se dépêche de trouver l'or ! Cet or qui permettrait à Kate de quitter Echo Basin.

Cet or qui le libérerait en même temps.

Les traces que Ray suivait changeaient brusquement de direction, et il comprit aussitôt pourquoi. Sur la droite s'ouvrait une petite clairière. A travers les arbres, il discerna des marques de pattes de cerf qui la contournaient en partie, puis filaient vers le centre, comme si l'animal avait été effrayé.

Alors qu'il s'approchait de la lisière, il s'aperçut qu'il s'agissait en fait de plusieurs cerfs. Kate avait sans doute bénéficié de la direction du vent, car ils ne l'avaient pas sentie arriver avant qu'elle ne soit tout près.

La neige était piétinée à l'endroit où s'était tenue la jeune femme, et il y avait des cartouches vides au sol.

A mieux y regarder, les traces montraient que les cerfs étaient en train de manger des feuilles tranquillement quand ils avaient été dérangés et s'étaient enfuis à toute allure. Aucune goutte de sang ne maculait la neige.

Elle avait manqué son coup !

Ray comprit que Kate et Lobo s'étaient lancés à la poursuite de leur gibier. Elle avait couru à travers la clairière, puis dans la forêt, sautant par-dessus certains obstacles, en contournant d'autres. A côté de ses empreintes se dessinaient celles du gros chien, un peu irrégulières. Le molosse devait s'appuyer davantage sur sa patte valide.

Soudain, Ray leva la tête vers le pic au-dessus de lui, les sens en alerte.

Rien. Le silence.

Pourtant il avait eu la nette certitude que Kate venait de crier.

Il écouta de nouveau, avec une intensité presque

douloureuse, mais seul le gémissement du vent lui parvint.

Il s'obligea à revenir aux traces dans la neige.

Kate n'aurait jamais dû emmener le chien avec elle ! A quoi pensait-elle ?

Bon sang, si elle pensait, tout simplement, elle n'aurait pas quitté la cabane !

Une petite couche de neige fraîche était diablement utile pour traquer le gibier mais elle pouvait aussi dissimuler bien des pièges.

Les empreintes menaient à un petit ruisseau parsemé de rochers où la neige cachait des branches et des troncs d'arbres glissants. Pecos avait le pied sûr, mais il ralentit considérablement l'allure pour trouver le meilleur chemin.

Brusquement, des gouttes de sang apparurent, le long de la piste d'un cerf.

Finalement, Kate n'avait pas manqué son coup. Pas tout à fait.

Quand Ray se rendit compte que la jeune femme avait glissé, était tombée, il sentit une profonde angoisse l'étreindre.

Il continuait à l'entendre crier son nom avec une urgence qui le rendait fou. Pourtant, il savait qu'il s'agissait seulement du vent dans les arbres, entre les rochers.

« La folle ! Elle risque de se casser une cheville, à courir ainsi. Un cerf blessé peut parcourir des kilomètres, marcher des journées entières. Si elle continue à cette allure, elle va transpirer et, quand elle s'arrêtera, la sueur gèlera sur elle. »

Il ne voulait pas y songer davantage. Il avait vu plus d'un homme mort de froid, ou errant sans savoir où il allait, trop engourdi pour que son cerveau fonctionne encore.

La trace se poursuivait, traversant et retraversant le

ruisseau au gré des bonds des cerfs. Il y avait de plus en plus de sang. L'un des animaux s'épuisait à essayer de suivre le train de ses compagnons.

Le ravin qui longeait le ruisseau devenait plus abrupt, le chemin plus raide. Même les cerfs qui n'étaient pas blessés avaient du mal à progresser. On voyait nettement qu'ils avaient glissé sur la neige presque aussi souvent que la jeune femme et le chien.

Les traces de Kate s'arrêtaient brusquement, et les cartouches vides parlaient d'elles-mêmes.

Debout dans les étriers, Ray scruta les alentours et ne tarda pas à repérer les restes de l'animal. Kate l'avait dépouillé avec efficacité. Ce qu'elle n'avait pu emporter avec elle, elle l'avait accroché à l'aide d'une corde à une haute branche, empêchant les prédateurs de l'attraper.

Le Silencieux lui avait quand même enseigné quelque chose, après tout. La peau en soi ne présentait guère d'intérêt, car elle était criblée de trous, et il faudrait être attentif à ne pas se casser les dents sur les plombs en mangeant la viande, néanmoins il y aurait de quoi satisfaire un ventre vide.

Les traces de Kate se dirigeaient vers un défilé qui serpentait à l'assaut de la montagne. Pour avoir soigneusement exploré la région, Ray savait que la gorge finissait sur une pente boisée, à un kilomètre environ de la cabane. Il faudrait traverser plusieurs bras d'Avalanche Creek, mais le chemin représentait un sérieux raccourci pour quelqu'un qui se déplaçait à pied.

Ce qui n'était pas le cas de Ray.

Un instant, il fut tenté de suivre le défilé aussi loin que son cheval pourrait l'emmener, simplement pour soulager cette angoisse qui le prenait au ventre.

« Sois raisonnable ! se rassura-t-il. Le chemin n'est pas plus dur vers le haut que vers le bas. Inutile de prendre le risque que Pecos se brise une jambe sur ces satanés rochers, juste pour s'assurer que les traces de Kate arrivent bien jusqu'à la fin du défilé. »

Malgré tout, c'était bel et bien ce qu'il avait envie de faire, car son inquiétude se transformait peu à peu en peur panique.

Il se résolut donc à mener Pecos vers le bas du ravin, laissant le cheval avancer à son rythme sur le terrain inégal. Quand il atteindrait la cabane, se répétait-il, Kate serait à l'intérieur, saine et sauve. Elle aurait allumé un bon feu, l'eau tiède sentirait la menthe, et des biscuits cuiraient dans le four.

Mais ce ne serait pas pour lui.

Cette pensée lui fit paraître encore plus longs les quelques kilomètres qui le séparaient de la cabane.

Quand il y arriva enfin, aucune fumée ne sortait de la cheminée... et surtout aucune trace ne venait de la direction du défilé.

Ray scruta la forêt clairsemée par laquelle la jeune femme aurait dû arriver.

Rien ne bougeait.

Il prit dans sa sacoche une longue-vue, qu'il déplia et porta à son œil.

Entre les arbres, la neige brillait dans la lumière naissante.

Pas une seule marque ne souillait le tapis blanc.

17

Ray était à mi-chemin du défilé quand il découvrit enfin Kate, dans l'eau jusqu'aux genoux, en train de peser de toutes ses forces sur une branche coincée entre deux rochers, au bord du ruisseau.

Il y eut soudain un craquement, et la branche cassa net tandis que la jeune femme s'étalait de tout son long dans l'eau glacée.

Ray s'aperçut alors que le chien s'était coincé une patte entre les deux rochers. Or ceux-ci étaient trop lourds pour que Kate pût les bouger d'un millimètre. A voir le nombre de bouts de bois cassés qui jonchaient la rive, elle n'arrivait pas à trouver de levier suffisamment robuste pour délivrer l'animal.

Quand Pecos s'arrêta près du ruisseau, la jeune femme était en train de se redresser avec des gestes maladroits, comme si ses membres étaient engourdis.

Ray mit immédiatement pied à terre.

– Sortez de là avant de mourir de froid ! ordonna-t-il.

Kate ne répondit pas. Obstinée, elle reprit la plus longue des branches brisées, en glissa une extrémité sous le rocher le moins gros et appuya de toutes ses forces.

Le bois ne résista pas.

Seule la rapidité de Ray évita à Kate un autre bain glacé. Il l'attrapa à bras-le-corps et la souleva pour la déposer sans ménagement sur la selle de Pecos. Ensuite, il se débarrassa vivement de sa veste dans laquelle il l'enroula.

– Restez là. Vous m'entendez, petite folle ? Ne bougez pas !

– Lo... Lobo...

– Je vais le sortir de là, mais je jure que si vous remuez le petit doigt, je vous ramène à la cabane et je vous attache sur votre lit avant de m'occuper de lui. Compris ?

Pétrifiée de froid et d'angoisse pour son chien, Kate hocha la tête en silence. Lorsque Ray lui prit les mains pour les poser sur le pommeau, elle s'y accrocha instinctivement. Il l'observa un instant pour être sûr qu'elle était capable de se tenir en selle, puis se tourna vers la bête prisonnière de la rivière.

– Eh bien, mon vieux, tu t'es fourré dans un drôle de pétrin ! fit-il en entrant dans l'eau.

Le gros chien remua la queue, fixant Ray de ses yeux jaunes. Hormis ses pattes, il était sec, et il ne semblait pas souffrir du froid.

L'homme passa la main sur la patte coincée, aussi loin qu'il put. Heureusement, elle n'était pas enflée, seulement un peu tuméfiée.

– Tu t'en sors mieux que ta maîtresse, hein ? Maintenant, il faut dégager cette patte sans l'abîmer plus qu'elle ne l'est déjà.

Il caressait la tête du chien tout en lui parlant, et tenta de bouger les rochers pour apprécier la situation.

« Sacrément lourds, mais je devrais y arriver ! » se dit-il.

Lobo gémissait doucement tandis que Ray continuait à chercher le roc le moins pesant.

– Oui, mon garçon, je t'entends. Je m'arrangerai pour ne pas te coincer de nouveau.

Il ramassa plusieurs branches cassées qu'il glissa entre les rochers aussi profondément que possible des deux côtés de la patte prisonnière. Puis, à l'aide d'un gros caillou, il entreprit de les enfoncer davantage.

– Ça devrait te soulager. Maintenant, tiens bon, Lobo, je vais un peu te malmener.

Il s'accroupit et plongea les mains dans l'eau pour dégager l'un des rochers. Il se hâtait, car bientôt il aurait les mains engourdies de froid.

– Un coup de chance ! marmonna-t-il. Il y a une petite rainure... vers le bas... à laquelle je peux m'accrocher.

Il se redressa lentement, tentant d'entraîner le rocher avec lui. Il glissait un peu, mais ne lâcha pas prise.

Malgré la température glaciale de l'eau, il transpirait abondamment. Ses veines étaient gonflées par l'effort.

Enfin Lobo fit un bond de côté et sauta sur la rive avec un jappement joyeux.

Ray lâcha le rocher, épuisé mais heureux.

– A la maison, mon garçon ! ordonna-t-il en lui montrant le bas de la pente.

Le gros chien se tourna vers sa maîtresse, toujours immobile sur le dos de Pecos.

– A la maison ! répéta Ray.

Le molosse s'éloigna en claudiquant légèrement dans la direction indiquée.

Ray s'approcha de Kate. Elle avait le regard vide, les lèvres bleues, et il sut que seule sa volonté l'empêchait de succomber au froid.

Pourtant, elle essayait de descendre de cheval.

– Qu'est-ce que vous faites ? Je vous ai dit de ne pas bouger.

Elle voulut répondre, mais sa bouche gelée ne laissa passer aucun mot. Elle désigna quelque chose d'une main tremblante.

Ray remarqua alors le sac plein de gibier qu'elle avait laissé au sol quand elle s'était élancée au secours de son chien. Il alla le ramasser.

La détermination qu'avait montrée Kate dans sa façon de chasser le touchait infiniment. Le gibier, c'était la survie de la jeune femme, dans sa forme la plus élémentaire. Ray ne pouvait la priver du fruit de ses efforts.

– Voilà ! dit-il en lui posant le sac sur les genoux avant de se mettre en selle.

Quand il passa les bras autour d'elle pour saisir les rênes, il s'aperçut qu'elle était plus glacée qu'il ne l'imaginait.

Dangereusement glacée.

Sous l'épaisse veste, son corps était agité de tremblements convulsifs.

– Bon Dieu ! jura-t-il.

Il éperonna Pecos qui descendit la côte d'un pas rapide. Trop lent au goût de Ray, mais mieux valait ne pas prendre de risques.

Ils ne tardèrent pas à arriver à la cabane, cependant l'état de Kate empirait de minute en minute. Sans l'étau solide des bras de l'homme, elle n'aurait pu se tenir en selle.

Le chien les attendait sagement près de la porte.

Ray porta Kate vers la maison. Malgré ses frissons, elle s'accrochait à son sac comme si sa vie en dépendait.

– Bon sang, j'aimerais que vous ayez autant de bon sens que de courage ! grommela-t-il en ouvrant la porte d'un coup de pied.

Lobo se précipita à l'intérieur. Il y régnait un froid de loup, mais un feu avait été préparé qui attendait seulement l'allumette pour réchauffer l'atmosphère.

Le grand chien ne se souciait guère du froid. Il se dirigea vers son coin favori et s'allongea sur sa vieille couverture avec un soupir de bien-être.

Ray déposa la jeune femme sur le lit, rabattit sur elle la couverture de fourrure et alla s'occuper du poêle. Il était tellement engourdi lui-même qu'il dut s'y reprendre à plusieurs fois pour craquer une allumette sans la briser, mais bientôt les flammes s'élevèrent.

Il eut du mal aussi à allumer la lampe. Il se tournait vers le lit quand son regard s'arrêta sur le placard qui menait à la source chaude.

Sans hésiter, il prit Kate dans ses bras et franchit la porte, muni de la lanterne. La tiédeur de la grotte était une véritable bénédiction !

Il posa la lampe sur le coffre de bois qui servait de table, puis il entreprit de déshabiller la jeune femme, déchirant les vêtements élimés dans sa hâte de la débarrasser des guenilles glacées.

Elle ne parlait pas, ses yeux semblaient ne rien voir, et elle continuait à être secouée de tremblements.

– Kate, vous m'entendez ? Kate !

Peu à peu, son regard retrouva un semblant de vie.

– Vous allez prendre un bon bain chaud, dit-il. Ensuite, tout ira mieux. Vous comprenez ?

Kate esquissa un petit geste de la tête. Elle claquait violemment des dents.

– C'est bien, mon ange. Ne laissez pas le froid être plus fort que vous.

Tout en parlant, il se dévêtait aussi, et un instant plus tard, il descendit dans le bassin avec la jeune femme.

Le large banc que John le Silencieux avait sculpté dans la roche ne permettait pas à Ray d'avoir de l'eau plus haut que le sternum, mais c'était parfait pour Kate.

Entre les genoux de l'homme, elle était immergée jusqu'au cou dans la bienfaisante chaleur.

Ray retint son souffle. L'eau n'était pas réellement chaude, mais au tout premier instant, il eut l'impression qu'elle le brûlait, par contraste avec sa peau.

– Ça va ? Vous n'avez pas mal ? demanda-t-il.

Elle secoua la tête.

Pendant un bon moment, on n'entendit plus dans la grotte que le sifflement de la lampe et le clapotis de l'eau contre leurs corps. Ray tenait Kate bien serrée contre sa poitrine.

Il sentit le moment où la jeune femme commença à reprendre ses esprits. Bien qu'elle frissonnât encore, elle se raidit, tenta de se dégager. Il l'en empêcha.

– Lobo... dit-elle.

– Il va bien. Il est en meilleur état que vous, je vous assure ! Inutile d'aller voir comment il se porte. Vous êtes encore gelée. Ne bougez pas avant d'être tout à fait réchauffée.

Kate était trop épuisée pour protester.

Toutefois elle s'écarta de Ray. Elle ne se rappelait que trop bien comment il l'avait repoussée la dernière fois qu'elle avait voulu s'approcher de lui. Elle n'allait pas se remettre dans une situation semblable, ça lui avait fait si mal !

Elle en souffrait encore, d'ailleurs.

Ray serra les dents. Il avait aimé sentir Kate s'appuyer contre lui, le contact soyeux de sa chevelure sur sa peau nue.

Mais quand il essaya de la rapprocher de lui, elle résista, toute raide.

Petit à petit, la chaleur ranima la jeune femme et elle cessa de trembler.

Brusquement, elle se rendit compte qu'ils étaient nus tous les deux.

– L... laissez-moi, dit-elle.

– Vous frissonnez encore.

En effet, un frémissement la parcourait, mais cela n'avait rien à voir avec le froid.

– Je... Ça va, murmura-t-elle.

– Tant mieux. Alors vous pouvez peut-être m'expliquer ce que vous faisiez à parcourir la campagne alors que vous auriez dû vous trouver bien au chaud dans votre lit... en sécurité.

– Je chassais.

– J'avais compris ! Ce que je n'ai pas compris, c'est pourquoi.

Kate lut dans le regard de Ray que, malgré son calme apparent, il était furieux.

– Pourquoi les gens chassent-ils, en général ? lança-t-elle.

– Et vous n'avez pas pensé une seconde que j'irais à votre place ? Vous me croyez donc si égoïste ?

La jeune femme écarquilla les yeux de surprise.

– Bien sûr que non !

– Si j'attrapais du gibier pour vous, l'accepteriez-vous ?

– Oui.

– Alors, au nom du Ciel, pourquoi y êtes-vous allée quand même ? insista-t-il.

– Vous ne serez pas toujours là, alors il faut que j'apprenne à m'en sortir par moi-même.

– Vous vous en sortiriez diablement mieux avec Caleb et Sarah !

– Selon vos critères, oui.

– Qui ne sont pas les vôtres, termina-t-il.

– En effet. En outre, je ne peux pas abandonner Cherokee et Lobo.

– Lobo serait heureux au ranch.

Mais pas Cherokee.

– Qu'en savez-vous ?

– C'est la première chose que je lui ai demandée quand je suis rentrée.

Ce fut au tour de Ray d'être étonné.

– Vraiment ?

Kate hocha la tête.

– J'ai eu du temps pour réfléchir à votre air triste et fâché lorsque vous êtes parti, expliqua-t-elle simplement. J'ai alors décidé que je pourrais revenir au ranch et... et essayer... essayer de vivre la vie de quelqu'un d'autre.

Ray ferma les yeux, profondément ému par la peine de la jeune femme.

– Si... si ça ne marchait pas, il me resterait toujours la cabane, poursuivit-elle, mais je ne pouvais m'en aller en laissant Cherokee seule.

Un immense soulagement envahit Ray. Il déposa un baiser léger sur ses cheveux, si léger qu'elle n'en fut pas consciente.

– Ce type se débrouille seul depuis des lustres, dit-il. Il survivra, dans les montagnes. Pas vous.

– Faux ! *Elle* vit seule depuis longtemps, et *elle* le veut ainsi. Définitivement.

– *Elle ?*

– Elle, confirma Kate. Cherokee est une femme.

– Grands dieux ! Vous en êtes certaine ?

Elle acquiesça.

– Alors cessez de vous inquiéter pour moi, le vagabond. Une femme peut parfaitement prendre soin d'elle, même en haut d'Avalanche Creek.

– Non. Seule, vous ne survivriez pas à un hiver.

Il n'y avait aucun doute dans la voix de Ray. Rien qui laissât la place à la moindre incertitude, et son calme était plus convaincant que des éclats de colère.

– J'ai survécu au dernier hiver, et aux deux qui l'ont précédé.

– Que voulez-vous dire ? demanda-t-il, un peu brutal.

– John a disparu il y a trois ans.

Ray demeura silencieux un instant, stupéfait, puis il se ressaisit.

– Vous avez passé trois hivers seule ?

– Oui.

Ray aurait voulu croire que c'était un mensonge, mais elle était toujours honnête, il le savait.

– Le Silencieux est sûrement mort, marmonna-t-il.

Kate ferma les yeux.

– Oui. Il a été pris dans un glissement de terrain à Avalanche Creek.

– Depuis quand le savez-vous ?

– J'ai commencé à m'en douter lors du deuxième hiver. Mais je n'en étais pas absolument sûre lorsque, récemment, Cherokee m'a raconté qu'elle avait remonté la piste de Razorback jusqu'à un éboulis, parce que John ne revenait pas. Ses traces disparaissaient sous les pierres et s'arrêtaient là.

– Alors rien ne vous retient ici, si ce n'est votre obstination.

– Il n'y a que la ténacité qui accroche les gens à la vie, dit Kate avec lassitude.

– Vous avez l'intention de rester ici ?

Elle hocha la tête.

– Allez au diable ! s'écria Ray. Vous essayez de me piéger !

– Non, je vous dis simplement...

– Comment pourrais-je vous laisser ici, seule et sans défense ? demanda-t-il, le regard aussi dur que sa voix. Impossible, vous le savez parfaitement ! Vous comptez sur moi pour...

– Je ne suis pas sans défense ! coupa Kate. Et je ne compte pas sur vous ! Je n'ai nul besoin de vous !

– Ah, vraiment, vous n'avez pas besoin de moi ? rétorqua-t-il. Vous avez pourtant failli mourir, aujourd'hui !

L'espace de quelques secondes, Kate regarda cet homme si proche d'elle et pourtant si lointain déjà. A la lumière, sa chevelure brillait comme le soleil, ses yeux prenaient un reflet argenté mystérieux. Elle aurait donné son sang pour se voir reflétée dans ses yeux.

Elle aurait donné son âme pour être l'aurore qui l'appelait... et pour l'entendre lui répondre.

– Oui, dit-elle enfin, très calme. J'aurais pu mourir. Et alors ? Les étoiles se seraient quand même allumées dans le ciel cette nuit, le soleil se serait levé quand même demain. La seule différence, c'est que je n'aurais plus été là pour les voir.

Elle eut un étrange sourire.

– Bien légère différence, à la vérité. Maintenant, laissez-moi sortir de l'eau, Ray.

– Vous tremblez encore.

– Cela s'arrangera dès que je me serai habillée.

Les bras protecteurs autour d'elle en disaient long. Il ne l'aimait pas, certes, mais il s'inquiétait pour elle. C'était presque enivrant d'avoir quelqu'un qui s'occupe d'elle, de savoir qu'elle n'était plus seule, au moins quelque temps.

Kate avait une envie folle de se laisser aller, de se reposer contre Ray, contre sa chaleur, sa force, de se réchauffer à son énergie.

Puis elle se rappela ce qu'il lui avait dit peu auparavant.

« Ne me touchez pas. »

La honte et l'humiliation la submergèrent de nouveau. Elle repoussa brusquement ses bras pour se dégager.

– Pourquoi vous débattez-vous ? Vous vous comportez comme si j'avais l'intention de vous violer !

Kate émit un son qui était presque un rire, pas tout à fait un sanglot.

– Ce ne serait pas un viol, vous le savez très bien, dit-elle, amère.

Ray fut secoué d'un frisson.

– Dangereuse déclaration, fille dorée.

– Pourquoi ? Vous ne voulez pas de moi. Vous ne supportez même pas l'idée que je puisse vous toucher.

Le chagrin de Kate fit voler en éclats la réserve de l'homme. Il saisit vivement une de ses mains qu'il ramena sous l'eau, contre la preuve évidente de son désir.

– Maintenant, souffla-t-il, répétez-moi que je ne veux pas que vous me touchiez. Je serais capable de tuer pour vous posséder, et vous le savez !

Les yeux bleus se levèrent vers lui.

– Alors pourquoi continuez-vous à me repousser ? Je n'exige pas votre amour, je ne vous supplie pas de rester avec moi, je veux seulement... je veux seulement me sentir vivante, vraiment vivante, avant de mourir. Je suis une veuve qui n'a jamais été une épouse, et si vous ne me prenez pas, je me retrouverai dans la tombe sans avoir connu la joie de m'offrir à l'homme que j'aime.

Ray libéra brusquement sa main.

– Je ne peux pas.

Avec un rire mêlé de pleurs, Kate laissa de nouveau glisser les doigts le long de son corps.

– Oh, si, vous pouvez !

Ray retint son souffle tandis qu'elle le caressait.

– Vous êtes vierge, objecta-t-il.

– Je suis veuve.

– Je pourrais vous faire un enfant.

– J'adorerais mettre au monde un bébé de vous.

– Je ne vous quitterais pas, si vous étiez enceinte. C'est ça que vous espérez ? Me forcer à demeurer près de vous ?

– Non. Vous me haïriez.

– Je *me* haïrais. Oh, Dieu, arrêtez !

Très doucement, cette fois, il reprit la main de Kate et la porta à ses lèvres pour en embrasser passionnément la paume. Le désir se répandit dans tout le corps de la jeune femme.

– Que faisiez-vous avec vos autres veuves ? demanda-t-elle d'une voix un peu voilée.

– C'est une question bien délicate !

– Etaient-elles toutes trop vieilles pour avoir des enfants ?

A retardement, Ray comprit que Kate ne lui demandait pas une description de l'acte d'amour. Il était profondément touché par l'innocence et l'incroyable franchise de la jeune femme.

– Non, pas trop vieilles, répondit-il. Mais assez expérimentées pour savoir comment éviter d'être enceintes.

– L'abstinence, murmura Kate, dépitée.

Ray s'empêcha d'éclater de rire.

– Il y a d'autres moyens.

– Ah bon ? Lesquels ?

– Ne pas vraiment faire l'amour.

– Cela me paraît ressembler d'assez près à l'abstinence !

– Pas tout à fait. Plutôt à une demi-mesure. Comme ce que nous avons fait sous la bâche, un soir de tempête.

Kate frémit à ce délicieux souvenir.

– C'est ça que vous désirez ? demanda-t-elle.

– C'est mieux que rien !

– Mais...

– Mais ? insista Ray en la serrant davantage contre lui.

– ... j'ai envie de vous toucher aussi, j'ai envie que le monde s'embrase autour de nous, murmura-t-elle, se rappelant ces sensations magiques. Je veux vous voir brûler, vous donner du plaisir.

Le cœur de Ray tambourinait dans sa poitrine, le

sang coulait plus vite dans ses veines. Il avait du mal à parler.

– C'est cela que je vous ai fait éprouver, ma chérie ?

– Oui. Et mieux encore, mais je ne trouve pas les mots pour l'exprimer. Sauf que... je voulais sentir votre corps chaud et fort tout autour de moi, me fondre en vous. Je voulais...

Sa voix se brisa.

– Je ne savais pas exactement ce que je voulais, reprit-elle. Mais j'étais sûre qu'il me manquait quelque chose.

Ray se crispa.

Lui, il savait précisément ce qui avait manqué...

– C'est mal ? reprit Kate, presque timidement.

– Non, ce n'est pas mal. C'est même merveilleux. Certaines femmes se contentent de quelques caresses de temps en temps, mais les hommes ont besoin de plus.

– Juste quelques caresses ? Cela suffit aux femmes ?

Ray acquiesça et Kate fronça les sourcils.

– Toujours ?

Il lui mordilla doucement le lobe de l'oreille et fut heureux de la sentir frémir, sensuelle.

– Eh bien, reprit-elle enfin, c'est sûrement mieux que rien, en effet. Mais... si on peut tout avoir, pourquoi se satisfaire de si peu ?

Ray se demandait s'il était possible de mourir de désir quand on était assis dans une source d'eau chaude avec sur ses genoux une fille vierge aussi curieuse qu'un chaton.

Et aussi imprudente.

– Les femmes sont plus prédisposées à la grossesse durant certaines périodes du cycle, expliqua-t-il. C'est alors qu'il vaut mieux se contenter... d'expédients.

– Vous riez de moi.

– Non, mon ange. Je ris, c'est tout.

– Pourquoi ?

– J'ai envie de vous couvrir de baisers de la tête aux pieds et des pieds à la tête, mais dans ce cas, je risquerais fort de ne plus pouvoir m'arrêter.

Infiniment troublée, Kate leva les yeux vers le regard gris, et ce qu'elle y lut n'apaisa pas les battements de son cœur.

– Moi aussi, j'aimerais vous embrasser tout entier, chuchota-t-elle. Vous avez un corps magnifique, tellement puissant, musclé, et...

Ray posa les doigts sur la bouche de la jeune femme pour l'empêcher de continuer.

– Taisez-vous, fille dorée. Vous me torturez.

Il caressa doucement ses lèvres.

– Je ne le fais pas exprès. Je ne sais même pas comment... M'apprendrez-vous, Ray ?

– Non ! s'écria-t-il violemment. Vous ne comprenez pas ? Je ne *peux* pas !

18

Ray ferma les yeux pour tenter d'étouffer le désir qui le ravageait, ce désir auquel il ne *devait* pas céder.

Quand il les rouvrit, ce fut pour découvrir douleur et confusion dans le regard de Kate.

– J'ai tellement envie de vous que je crains de ne pouvoir rester maître de moi, avoua-t-il, la voix rauque. C'est la première fois que cela m'arrive.

– Je ne comprends pas.

– Pour ne pas concevoir d'enfant, expliqua-t-il, tendu, il suffit que je retienne mon plaisir...

Kate fronça les sourcils.

– Je vois... enfin, je crois.

Ray ne savait pas s'il devait rire de l'innocence de la jeune femme.

– Ce n'est pas une méthode à toute épreuve, reprit-il. En période de fécondité, je ne prends pas le risque.

– Et de quelle période s'agit-il ?

Ray ferma à demi les paupières. La lumière de la lampe dorait ses cils.

– Votre mère ne vous a rien expliqué ? demanda-t-il enfin.

– A quel sujet ?

– Sur le moment où les femmes ont le plus de chance de tomber enceintes, c'est-à-dire vers le milieu de leur cycle.

Kate rougit violemment.

– Euh... non, murmura-t-elle. Elle ne m'a jamais parlé de ça.

Ray attendait.

Kate se taisait.

– Quand avez-vous été indisposée pour la dernière fois ?

Elle avala sa salive.

– Avant, j'avais John le Silencieux, maintenant j'ai Ray le Loquace, marmonna-t-elle.

– Quand avez-vous été indisposée pour la dernière fois ? répéta-t-il, déterminé.

– Je... Ça s'est arrêté hier.

Le désir de l'homme s'intensifia. A s'imaginer pénétrant la jeune femme, il était au bord de l'explosion.

– Hier ?

Kate hocha la tête, affreusement embarrassée.

Ray lui mordilla l'oreille en souriant.

– J'ignorais que tout le corps d'une femme pût rougir ainsi, dit-il.

– C'est la chaleur de l'eau.

Ray eut un léger rire.

Gênée, elle s'agita un peu et sentit l'évidence du désir de Ray contre elle. Il gémit sourdement.

– Je suis désolée ! s'écria-t-elle. Excusez-moi, si je vous ai fait mal.

– Vous ne m'avez pas fait mal.

– On aurait dit, pourtant.

– Vous gémissiez de la même façon, sous la bâche. Aviez-vous mal ?

Kate frémit à ce souvenir.

– Non, je n'avais pas mal. Je ne savais même pas que l'on pouvait ressentir un plaisir de cette intensité. Croyez-vous que je sois capable d'éveiller la même émotion en vous ?

– Oui, répondit simplement Ray.

– Comment ?

Ray inspira profondément pour garder son sang-froid.

– Nous commencerons par un baiser, si vous voulez bien.

– Oh, oui, je veux bien ! Vous aussi ?

– C'est un bon début.

Une seconde plus tard, Kate avait la bouche de l'homme sur la sienne. Elle lui offrit son visage, ses lèvres, tandis qu'elle nouait les bras autour de son cou, les doigts enfouis dans ses cheveux.

Il répondit avec passion puis il releva la tête, tremblant de désir.

– Ray ? Que se passe-t-il ? Pourquoi arrêtez-vous ?

– Vous me donnez terriblement chaud !

Elle regarda le bassin d'où s'élevait une légère vapeur.

– Peut-être devrions-nous sortir de l'eau ? suggéra-t-elle.

Il ne put retenir un rire, malgré la torture qu'il éprouvait.

– Ce n'est pas l'eau, c'est vous. J'ai l'impression de vous avoir toujours désirée. Vous me brûlez même dans mes rêves.

– Cela veut-il dire que vous me laisserez vous caresser ? chuchota-t-elle.

– Quand vous voudrez. Comme il vous plaira. Partout où vous le désirez.

« Quel imbécile je fais ! » maugréa-t-il intérieurement.

Mais il avait bien trop envie de sentir les mains de Kate sur lui pour se montrer prudent !

Sans le quitter des yeux, la jeune femme laissa courir ses doigts sur ses épaules, sa poitrine, goûtant avec joie la texture de sa peau, si différente de la sienne.

Les paupières baissées, Ray baignait dans des vagues successives de plaisir.

Kate aimait la couleur de sa peau, la lumière argentée qui filtrait de ses yeux mi-clos. Au bout d'un moment, elle goûta de la langue la base de son cou, comme un petit chat curieux et délicat.

Ray était dévoré de passion, tandis qu'elle poursuivait de la bouche l'exploration de son corps.

– Vous êtes salé, souffla-t-elle. J'aime ça.

Il posa la main sur ses cheveux pour l'encourager.

– Vos dents, murmura-t-il, la voix enrouée. Faites-moi sentir vos petites dents pointues.

La jeune femme n'était plus au stade des hésitations. Elle voulait céder à la caresse primitive autant que Ray désirait la recevoir. Elle mordilla sa poitrine, lui arrachant un gémissement.

– Ray ?

– Encore, ma douce. Plus fort.

– Vous êtes sûr ?

Avec un rire bref, il la saisit à deux mains pour la

soulever et lui mordit la base du cou avec une sensualité à la limite de la douleur.

Elle se serra davantage contre lui, embrasée de la tête aux pieds, et il poursuivit sa caresse jusqu'à ce qu'elle pousse un petit cri.

Il la lâcha aussitôt.

– Je suis désolé, dit-il. Je ne voulais pas vous faire mal.

Les yeux de Kate n'étaient plus que lumière.

– Mal ?

Elle éclata de rire.

– Oh, non ! assura-t-elle.

Elle reprit son jeu de lèvres et de dents sur Ray qui finit par gémir, lui aussi.

– Je vous fais souffrir ? demanda-t-elle à son tour.

Elle connaissait déjà la réponse.

– Vous me torturez, mais vous ne me faites pas mal le moins du monde. Une seule partie de moi souffre mille morts.

– Laquelle ?

– Devinez.

– Oh... là ?

– Oui.

La main de Kate glissa sous l'eau, le long du torse de Ray jusqu'à sa virilité.

– Là ? répéta-t-elle.

Il avait peine à respirer.

– C'est pire, quand je vous touche ? voulut savoir la jeune femme, anxieuse.

– Cela dépend.

– De quoi ?

– De l'endroit où vous me touchez, et de la manière dont vous me touchez.

Elle se mordit la lèvre.

– Mais je ne sais pas comment...

– Essayez, mon ange. Je survivrai.

– Mais...
– Sauf si cela vous gêne.
Kate ouvrit de grands yeux.
– Pourquoi cela me gênerait-il ?
Ray haussa les épaules.
– Certaines femmes n'aiment pas caresser un homme, surtout à cet endroit-là.
– Mais cela fait un temps fou que j'ai envie de vous caresser, même... là.
– Eh bien, votre souhait se réalise.
Elle sourit.
– Dites-moi si je suis maladroite, murmura-t-elle.
Ses petits doigts sous l'eau chaude étaient presque plus que Ray n'en pouvait supporter.
– Kate !
Elle s'immobilisa.
– C'est trop ? demanda-t-elle.
– Pas assez.
– Je vous avais dit que je ne savais pas m'y prendre.
Elle allait retirer sa main quand celle de Ray l'enserra.
– Comme ça, dit-il.
Elle se laissa guider, infiniment heureuse de le sentir palpiter de force, de désir.
Le fait que Kate prît un réel plaisir à le caresser renforça sa jouissance.
– Vous tremblez... Ça va, Ray ?
– Beaucoup mieux.
Elle sourit et se remit à caresser tout son corps, qu'elle sentait plus détendu. En même temps, elle fixait la surface de l'eau sombre, sur laquelle dansait le reflet de la lumière.
– J'aimerais vous voir autant que je vous sens, dit-elle. J'aimerais voir comment vous vous transformez quand vous avez envie de moi.

Les battements du cœur de Ray s'accélérèrent tandis que le désir se faisait plus fort en lui.

– Vous serez ma mort, fille dorée.

Elle le fixa, stupéfaite.

– Que voulez-vous dire ?

– Je ne suis pas sûr de pouvoir l'expliquer, mais je peux vous montrer...

Il pencha la tête et prit ses lèvres en un baiser passionné.

En même temps, il la caressait, jouait avec le bout de ses seins, lui arrachant un cri qui se perdit contre ses lèvres.

La caresse de Ray descendit plus bas, et il trouva enfin la fleur dont la tiédeur ne devait rien à la source chaude. Il s'enhardit.

Kate se raidit comme s'il l'avait frappée.

– Qu'y a-t-il ? murmura-t-il contre sa bouche. Nous l'avons déjà fait et...

– Et après vous vous êtes mis en colère, et vous n'avez plus voulu me toucher.

– Mais cette fois cela ne se produira pas. Je sais maintenant que vous êtes vierge. Et je vais continuer à vous caresser... sauf d'une façon.

Il joignait le geste à la parole, et Kate se retrouva bientôt incapable de parler.

– Je... je...

Elle se serra davantage contre lui tandis qu'il approfondissait sa caresse. Enfin un cri étranglé lui échappa. Ray cessa aussitôt.

– Ça ne va pas ?

– Je... je me sens tellement étrange.

– Mais vous aimez ?

Il recommençait à la caresser doucement.

– Oui. Oui !

Plus encore que ses paroles, son corps répondait de

lui-même. Ray était sûr qu'il pourrait la prendre sans même une douleur. Elle était prête pour lui.

Pouvait-il courir le risque ?

« Jamais nous ne connaîtrons un moment aussi sûr pour elle. Et je suis certain de pouvoir me contrôler, à présent. »

Il n'écoutait plus que le souffle irrégulier de la jeune femme tandis qu'il continuait son exploration.

Puis il se leva, Kate dans les bras, et sortit de l'eau. Une fois devant la couverture en peau d'ours, il la contempla longuement.

Une légère vapeur montait de son corps nu, sa peau brillait encore de gouttelettes qu'il avait envie de boire une à une.

Il se laissa tomber à genoux.

– La cabane sera froide, dit-il. Et c'est trop loin.

– Juste quelques marches...

– C'est bien ce que je dis. Trop loin.

Il la déposa sur l'épaisse couverture, puis il s'assit sur ses talons et resta là, longtemps, à la regarder jusqu'à ce qu'elle en tremble.

Car elle le contemplait aussi, et elle était effrayée par la virilité qu'elle avait caressée un peu plus tôt.

Ray lui mit la main sous le menton pour l'obliger à lever la tête, l'éloignant du spectacle de son désir renouvelé.

– N'ayez pas peur, dit-il. Je ne vous prendrai pas comme ça.

– Je... Mais... C'est seulement que...

Il comprenait sa difficulté à s'exprimer.

– Eh bien, fit-elle, c'était... moins impressionnant, tout à l'heure.

– Alors, fermez les yeux.

Kate obéit.

– Maintenant, donnez-moi votre main.

Elle lui tendit sa main tremblante, et il l'embrassa doucement avant de la poser sur lui.

Après quelques secondes, elle se mit à le caresser.

– Vous voyez ? Ce n'est pas si terrifiant.

Kate ne put retenir un rire de satisfaction. Quand elle ouvrit les yeux, Ray la regardait avec une expression de tendresse mêlée de désir.

– Je ne vous prendrai pas comme ça, répéta-t-il, sauf si vous me le demandez.

– Ça fera mal ? demanda-t-elle d'une petite voix.

– Seulement un peu, la première fois. Vous m'êtes destinée, ma douce, tout ira à merveille.

– Vous êtes sûr ?

Pour toute réponse, il la caressa, et elle fut submergée par une vague de plaisir.

– J'en suis sûr, dit-il. Et votre corps aussi. Il me l'exprime à sa manière.

Il lui ouvrit doucement les jambes et s'agenouilla devant elle.

– Je vais vous embrasser de la façon la plus exquise qui soit.

Kate ne comprit pas quand il commença à baiser l'intérieur de ses cuisses, mais il alla plus loin et elle cria son nom au moment où elle comprenait.

– Vous m'avez dit ce que je voulais, comme je voulais, murmura Ray. C'est ça que je souhaite, pour l'instant. Vous avez mal ?

– N... non.

Le tourbillon fantastique du désir lui coupa le souffle, et sa réaction disait à Ray ce qu'il savait déjà : la petite veuve était à lui, tout entière.

– J'ai appris bien des choses, au cours de mes voyages autour du monde, dit-il contre sa peau.

Des éclairs fulgurants de plaisir traversaient Kate, qui vibrait comme une corde de violon sous l'archet d'un virtuose.

– Il existe autant de manières de faire l'amour que de se battre, poursuivait Ray.

La jeune femme se dit vaguement qu'elle se trouvait en position d'intense vulnérabilité, d'abandon total, mais elle n'y pouvait rien, elle ne s'appartenait plus.

Il continuait à la caresser de la langue, et Kate sentit l'extase se dérouler en elle, spirale délicieuse qui l'emportait toujours plus haut.

Soudain, l'univers sembla exploser et elle poussa un cri.

Ray la sentit trembler comme une feuille dans la tempête. Il aurait dû la laisser, mais il ne pouvait s'y résoudre, et il continuait de l'embrasser doucement, jouissant de sa sensualité.

Enfin, à contrecœur, il s'allongea près d'elle, caressa ses cheveux, but les larmes de passion à ses yeux.

Kate s'accrocha à lui, en quête d'un accomplissement qu'elle ignorait encore, et il la serra contre lui.

Par pur réflexe, dans cette position intime, il poussa les hanches vers elle et l'effleura de son sexe.

En réponse immédiate, elle ondula, l'approchant davantage d'elle, et cette très légère pénétration lui coupa la respiration.

Comme elle bougeait pour goûter davantage la délicieuse caresse, Ray gémit.

– Tu sais ce que tu cherches, ma douce ? dit-il, presque dur.

Kate ouvrit lentement les yeux, les pupilles dilatées par le désir.

– Quoi ? souffla-t-elle.

– Regarde.

Elle baissa les yeux vers leurs corps unis, et sourit de bonheur.

– Vous aviez dit que ça ferait mal, dit-elle.

– Bouge encore, et tu verras...

– Vous voulez dire que... ?

– Que tu es encore vierge, mais si tu continues ainsi, j'entrerai en toi si loin que nous ne nous distinguerons plus l'un de l'autre.

– Nous sommes déjà si proches, fit Kate. J'essaie davantage, et c'est agréable, mais...

Ray soupira. La jeune femme ne se dérobait pas, elle cherchait une fusion plus complète de leurs corps.

– Tu veux être aussi proche de moi que peuvent l'être un homme et une femme ? demanda-t-il doucement.

Elle leva vers lui un regard bouleversant d'amour.

– Oui. Je le veux. Je *te* veux.

– Ouvre-toi encore, mon amour, dit-il d'une voix rauque.

Un frisson la fit vibrer tout entière.

Il entra doucement en elle, sans lui faire de mal, s'arrêta.

– Ça va, Kate ? demanda-t-il.

Elle ne remarqua pas la tension de sa voix tant elle était prise par les sensations merveilleuses qui l'envahissaient. Elle ondulait, cherchant à accentuer la délicieuse pression.

– C'est trop ? demanda Ray, inquiet.

– Non. Pas assez. Je veux tout, je te veux tout entier !

Il ouvrit les yeux pour scruter le visage de la jeune femme tandis qu'il insistait, délicat, tendre.

En même temps il la caressait d'une main, et elle cria en sentant les prémices de l'extase monter en elle. Alors seulement il la saisit aux hanches et entra un peu plus en elle. Il eut l'impression que le monde devenait obscur autour d'eux tant l'instant était magique.

– Kate, regarde-moi.

Comme ivre, elle obéit, et elle le vit au-dessus d'elle, le visage consumé de passion.

– Maintenant, ma douce. Maintenant !

Il la prit enfin complètement d'une poussée à la fois énergique et souple.

Kate se raidit, poussa un petit cri. Ray s'immobilisa aussitôt, espérant que son corps s'habituerait à sa présence s'il ne bougeait pas.

Mais il la sentait palpiter, et il comprit qu'elle était figée plus par le plaisir que par la douleur. Alors il entama sans retenue la danse de l'amour. L'univers était devenu une nuit éternelle sans début ni fin, les battements de son cœur se fondaient dans ses spasmes de joie.

19

Reno arriva à la cabane de Kate dans une brume de chaleur estivale qui rendait difficile à imaginer qu'une tempête de neige s'était abattue sur la région trois jours auparavant. De légers nuages couraient dans le ciel bleu. L'odeur des résineux et de la prairie donnait à l'atmosphère une saveur toute particulière.

On entendit soudain les aboiements furibonds de Lobo.

– Suffit, Lobo ! ordonna Ray en sortant de la maison. Reno est un ami. *Ami !*

Le chien poussa encore quelques grognements avant de s'enfermer dans un silence hostile.

Reno fixait Lobo avec nonchalance, la main pas bien loin de la crosse du revolver.

– Charmant animal ! dit-il.

– Il s'habituera à toi, affirma Ray.

– Je te crois sur parole.

– Toutefois, n'essaie pas de venir ici lorsque je serai parti.

– Et c'est pour quand, ce départ ? demanda froidement Reno.

Ray ne répondit pas.

Reno ignorait si son frère avait résolu son dilemme.

La porte de la cabane s'ouvrit alors sur une jeune femme éblouissante.

– Par le Ciel, marmonna-t-il entre ses dents, pas étonnant que tu te retrouves assis entre deux chaises !

Silencieux, Ray contemplait Kate d'un regard ardent. Puis il lui tendit la main avec un tendre sourire, elle enlaça ses doigts aux siens, et il l'attira tout contre lui.

Reno remarqua l'expression de son frère qui avait passé un bras protecteur sur l'épaule de Kate, le regard amoureux de la jeune femme. Mais le plus significatif était leur visible intimité physique.

Impossible d'en douter : ils étaient amants. Si les yeux lumineux de Kate ne les avaient pas trahis, le sombre éclat de ceux de Ray en aurait été une preuve suffisante.

Reno toucha le bord de son chapeau.

– Kate, présenta Ray, voici mon frère Matt Moran, mieux connu sous le nom de Reno. Reno, voici Kate Smith.

« Ma femme. »

Les mots ne furent pas prononcés, pourtant Reno les devina.

La jeune femme aussi. Elle rougit un peu avant de tendre la main à Reno en cherchant dans les yeux verts une critique implicite à la situation.

Reno porta la main à ses lèvres en s'inclinant avec

une élégance digne des salons parisiens les mieux fréquentés.

Kate répondit à son salut par une gracieuse révérence, comme si elle croulait sous la soie d'une robe à crinoline au lieu de porter de vieux vêtements d'homme rapiécés. Quand elle se releva, elle lança un coup d'œil malicieux au frère de Ray.

– Enchantée, monsieur Moran.

– Reno, rectifia-t-il gentiment sans cesser de lui tenir la main. Il y a bien longtemps qu'on ne m'appelle plus monsieur Moran.

– Alors, appelez-moi Kate. D'ailleurs je n'ai jamais été vraiment Mme Smith. John le Silencieux était mon grand-oncle.

Un instant, Reno dissimula son étonnement derrière ses épais cils noirs.

– De toute façon, John est mort, reprit-elle d'une voix claire.

– Bien des hommes seront ravis de l'apprendre, marmonna Reno.

– Je vous demande pardon ?

– Le Silencieux était... hum, fort connu à travers tout le territoire du Colorado.

– Sa réputation et l'existence de Lobo ont beaucoup fait pour ma sécurité pendant ses absences, rétorqua la jeune femme.

– Lobo ? répéta Reno en jetant un regard de biais à l'énorme bâtard.

– Essaie donc de dire à cet animal qu'il est affreux, suggéra Ray en souriant.

Kate eut un petit rire complice.

– Non, merci, répliqua vivement Reno. Ma mère n'a pas mis au monde un imbécile.

Ray éclata d'un bon rire.

– Entre, proposa-t-il. Nous allions justement déjeuner.

– A condition que tu me laisses participer au repas. Eve a préparé de la nourriture pour deux.

– Pourquoi ?

– Elle voulait m'accompagner, mais quand nous sommes arrivés chez Cal, Kevin n'était pas très en forme, et Sarah non plus.

– Ils sont malades ? s'écrièrent d'une même voix Kate et Ray.

– Rien de grave. Juste un rhume des foins. J'ai dit à Eve que je viendrais examiner les concessions tout seul. Au cas où je rentrerais bredouille, j'irais la chercher pour l'amener ici. S'il y a de l'or dans ces montagnes, à nous deux, nous le trouverons.

Il se garda d'ajouter qu'il ne croyait pas en l'existence d'un important filon d'or à Avalanche Creek. Il en avait déjà exploré les dangereuses ravines quelques années auparavant, avec pour toute récompense des plaies et des bosses.

– As-tu apporté les baguettes espagnoles ? demanda Ray.

– Dans ma sacoche de selle. Mais elles sont beaucoup moins efficaces sans Eve.

– De quoi s'agit-il ? demanda Kate.

– De baguettes de sourcier en métal qui répondent à la présence de l'or ou de l'argent. Ce sont les jésuites qui les ont introduites dans notre pays il y a des centaines d'années.

– Et ça marche ?

– Vous pouvez en être sûre.

– Mais seulement pour Reno et Eve, intervint Ray. Vous n'en croiriez pas vos yeux ! Si une autre personne les prend en main, elles ne sont plus que deux bouts de ferraille.

– C'est vrai ?

– Incontestable.

– Alors, vous avez trouvé de l'or ? voulut savoir Kate.

– Oui. Tout en haut des Abajos, dans une vieille mine désaffectée qui avait été creusée par des esclaves indiens pour les jésuites. Des lingots d'or pur, si lourds qu'Eve ne pouvait guère en soulever plus d'un à la fois.

– Mon Dieu ! Ça doit être quelque chose, ces baguettes !

– C'était la porte de l'enfer, oui ! coupa Ray.

Kate lui lança un coup d'œil interrogatif.

– La mine s'est éboulée sur moi, expliqua Reno. Eve et Ray ont bien failli trouver la mort en essayant de me sauver.

La jeune femme pâlit, et elle effleura la chevelure de Ray d'une main tremblante.

– Je ne tiens pas tellement à cet or, finalement, dit-elle.

– Tout ira bien, la rassura tendrement Ray.

– Nous n'aurons pas le même problème à Avalanche Creek où la roche est dure. Ce qui n'était pas le cas dans l'ancienne mine espagnole, renchérit Reno.

– Que savez-vous d'Avalanche Creek ? demanda Kate.

– John n'était pas le premier à découvrir de la poussière d'or dans la région et à remonter jusqu'au sommet de la montagne.

– Et vous y avez trouvé de l'or ?

Un peu.

– Qu'entendez-vous par « un peu » ?

– Pas beaucoup, répondit Ray succinctement. Sinon, Reno n'aurait pas risqué sa peau dans la mine espagnole.

– Oh... fit Kate, déçue.

– Mais je ne cherchais pas avec beaucoup d'assiduité.

– Cette fois, ce sera différent, promit Ray.

Reno haussa un sourcil au ton assuré de son frère. Toutefois il comprit que ce n'était pas le moment de poser des questions.

L'or fut l'unique sujet de conversation pendant le rapide déjeuner qu'ils prirent ensemble, ainsi que durant le trajet vers la concession de Rifle Sight. Les chevaux et les mules luisaient de sueur, car Ray les menait à vive allure.

Le soleil était de la partie, aussi brillant que le métal après lequel ils couraient. La Clairière des Grizzlis regorgeait de fleurs sauvages, d'invisibles oiseaux emplissaient l'air de leurs trilles. Les hommes inspectèrent soigneusement les environs, à la recherche de traces laissées par des ours, puis, rassurés, ils établirent le campement.

– En revanche, on détecte des pistes de cerfs, dit Reno. S'il fait encore jour lorsque tu m'auras montré la concession, pourquoi n'irais-tu pas chasser ? Les hivers sont longs, dans les montagnes.

Ray comprit ce que sous-entendait son frère. Kate aurait besoin de chaque morceau de nourriture qu'elle pourrait trouver, pour survivre à la mauvaise saison.

Tandis que la jeune femme préparait le souper, ils se rendirent à la concession. Déjà le soleil baissait un peu, annonçant les glorieuses couleurs du couchant.

Reno ne s'attarda guère à la mine, où il n'y avait pas grand-chose à voir.

– D'autres galeries ? demanda-t-il quand il ressortit du trou, une lanterne à la main.

– Pas à ma connaissance. Pourtant, j'ai bien cherché.

– Je te crois ! Un homme qui aspire à la liberté ne se conduit pas à la légère.

Ray serra les dents, mais il ne protesta pas.
– L'or est pour Kate, dit-il.
– Hum... en effet, elle en a vraiment besoin.
– Pour l'amour du Ciel, Reno...
– Ça va ! Nous savons tous les deux que tu veux cet or autant pour gagner ta liberté que pour assurer la sécurité de Kate. Si tu ne supportes pas d'entendre la vérité, alors il vaudrait mieux que tu réfléchisses un bon coup à ce que tu es en train de faire.
Ray regarda son frère droit dans les yeux.
– Je sais ce que je fais.
Reno haussa les épaules.
– Moi aussi, j'étais sûr de moi, l'automne dernier. Et puis tu as laissé tomber un sac plein de lingots d'or à mes pieds, et tu m'as dit que j'étais un fichu imbécile.
– Et maintenant, tu penses que c'est moi, le fichu imbécile ?
– Je pense qu'il y a une femme merveilleuse à laquelle tu vas briser le cœur.
– Ça ne te regarde pas ! coupa Ray d'une voix neutre, inquiétante.
– Tu parles ! C'est moi qui vais trouver l'or qui te permettra d'acheter ta bonne conscience et de repartir en quête de tes fameuses aurores.
Ray serrait les poings, menaçant.
Reno eut un mince sourire.
– Vas-y ! le provoqua-t-il. Saute-moi à la gorge. Peut-être que j'arriverai à faire entrer un peu de raison dans ta tête de mule ! Il faut bien que quelqu'un s'en charge !
– Tu ferais mieux de t'attaquer au rocher, il est moins dur.
– Et plus intelligent.
Reno tourna brusquement le dos à Ray et à ses arguments.
– Il y a trois jours, je t'aurais fourni la bagarre que

tu cherches ! lança-t-il par-dessus son épaule. Mais en ce moment je manque de patience. Je vais retourner au campement avant de t'avoir assené un bon coup de crosse sur le crâne. Kate n'a pas besoin d'un stupide vagabond au crâne fendu, elle a déjà bien trop de soucis comme ça.

Quand la jeune femme s'éveilla, les étoiles pâlissaient à peine dans le ciel. Elle entendait indistinctement des voix d'hommes, mais aucun feu de camp n'était allumé, aucune odeur de café ne lui parvenait.

– Ray ? Reno ? appela-t-elle. Voulez-vous un petit déjeuner ?

– Rendormez-vous ! répondit Ray. Je vous réveillerai quand nous serons prêts à rentrer chez vous.

Avec un soupir, Kate se retourna sur le côté, la couverture remontée jusqu'au menton. Les nuits étaient glaciales, dans la montagne. Plus d'une fois, elle avait regretté de ne pas avoir Ray près d'elle pour la réchauffer, la tenir serrée contre lui pendant son sommeil. Elle s'était si vite habituée à sa merveilleuse présence !

La veille, il avait installé son sac de couchage près de celui de son frère, à côté du feu. Lobo avait tenu compagnie à Kate un moment, mais il n'appréciait guère la fumée qui lui faisait sans doute perdre son flair. Il préféra se poster à la lisière du campement afin de mieux veiller sur ses maîtres.

Quand Ray passa devant lui en rentrant, le chien leva son énorme tête en quête d'une caresse et sa queue tambourina gaiement sur le sol.

– Ta maîtresse dort encore, hein ? Tant mieux. J'ai bien besoin d'un peu de repos, moi aussi. Je n'ai guère fermé l'œil cette nuit. Reste là en sentinelle.

Sans bruit, il se dirigea vers l'endroit où sommeillait Kate, se débarrassa de sa lourde veste et se glissa dans le sac de couchage. Kate marmonna quelques mots incompréhensibles et, d'instinct, vint se lover contre sa chaleur en soupirant.

Ray crut l'avoir réveillée, mais il sentit son corps détendu et il sut qu'elle dormait profondément. La pensée qu'elle s'était tournée vers lui, même dans un moment d'inconscience, lui fit à la fois mal et plaisir.

« Ne tombe pas amoureuse de moi, Kate. Je ne veux pas te faire souffrir, ma douce. »

Pour toute réponse, il reçut des effluves de menthe, de senteur féminine.

Il en eut le cœur retourné, et un violent désir s'empara de lui. Il ne resterait plus très longtemps avec elle... mais chaque instant qu'ils passeraient ensemble comptait énormément.

Il baignait avec bonheur dans l'atmosphère tiède et parfumée.

Comme il aurait aimé baiser ses seins...

Ray était en train de se dire qu'il ne fallait pas la réveiller quand ses mains, d'elles-mêmes, glissèrent sous la chemise d'homme.

Et il y rencontra soie et dentelle !

Bon sang ! Où avait-elle trouvé ça ?

Il dénoua les petits liens un à un, mais ce fut avec ses lèvres qu'il chercha la soie plus douce encore de la peau de la jeune femme.

Kate murmura et se pressa davantage contre lui.

Elle était encore complètement détendue, abandonnée. Personne n'avait jamais fait confiance à Ray à ce point-là.

Pas même lui.

« Comment vais-je pouvoir vivre sans toi ? »

Il taquinait sa poitrine de la bouche, et la réponse ne se fit guère attendre.

Kate ondulait contre lui tandis que les images devenaient plus érotiques dans sa tête.

« Ne te réveille pas encore, jolie femme, laisse-moi entrer dans ton rêve. »

Très lentement, il fit glisser le vieux pantalon sur ses jambes, puis il la prit dans ses bras.

– C'est moi, fille dorée, souffla-t-il à son oreille.

Elle eut un petit grognement indistinct et se lova davantage contre le grand corps si robuste.

Ray ne bougeait pas, tout occupé à contrôler les battements de son cœur qui s'étaient accélérés depuis qu'il avait senti la camisole de soie. Il avait envie de la regarder ainsi vêtue, il en avait tellement envie que la sueur perlait à son front.

Mais il désirait plus encore pénétrer dans son rêve. Aussi la tint-il dans ses bras jusqu'à ce qu'elle se laisse aller de nouveau. Puis il dessina une tendre arabesque sur sa peau, et elle s'étira tandis que la chaleur montait en elle. Ses hanches ondulaient au rythme langoureux des caresses de son amant.

Sa réaction exaspéra le désir de Ray. L'univers se résumait à cette sensualité, à cet enivrant parfum de femme qui émanait d'elle.

Dieu, il pourrait l'aimer indéfiniment, à en mourir !

Elle murmura son nom d'une voix à peine audible, encore à moitié perdue dans son sommeil, et il chuchota le sien sous l'obscurité des couvertures.

Un moment encore, Kate ne fit pas la différence entre rêve et réalité, mais le plaisir montait, lui coupant le souffle, et elle gémit.

Ray avait du mal à respirer tant il était déchiré par l'envie qu'il avait de se trouver en elle.

Il répétait son nom, et elle enfouit les mains dans ses cheveux pour l'attirer sur elle ; de ses doigts fébriles elle déboutonna sa chemise, son pantalon.

Il lui saisit le poignet.

– Non, ma douce. Pas comme ça.

– Pourquoi ?

– Je crains de ne pouvoir m'arrêter à temps.

Frémissante, Kate chassa les derniers lambeaux du rêve. Mais la réalité n'était pas moins sensuelle.

– Hier, et le jour d'avant... commença-t-elle.

– Et celui d'avant encore, rétorqua-t-il d'une voix tendue. Mais le temps de la fécondité approche.

– D'après ce que vous dites, nous devrions avoir encore cinq jours, peut-être plus.

– « Devrions » ne suffit pas, décréta-t-il. Vous me plaisez beaucoup trop, mon ange. Chaque fois, j'en veux davantage et je crains de ne pouvoir me dominer. Bon sang, rien que d'y penser...

La jeune femme lui offrit ses lèvres avec passion.

– J'aime vous sentir en moi, dit-elle dans un soupir, en se frottant doucement à lui. J'aime votre poids sur moi, j'aime votre force, j'aime votre...

– Kate, souffla Ray, je...

Il s'interrompit car, d'un geste vif, elle l'avait presque fait entrer en elle.

– Je t'aime, Ray. Aime-moi en retour de la seule façon possible pour toi, et profitons du peu de temps qui nous reste.

Avec un gémissement, Ray céda enfin et, très vite, il sentit monter le plaisir de Kate. Il en éprouva une joie si intense que bientôt ses cris se mêlèrent à ceux de la jeune femme.

Lorsque Kate s'éveilla de nouveau, Ray l'observait d'un regard presque mauvais. Tout habillé, il avait un fusil à la main tandis que Lobo caracolait autour du sac de couchage, impatient de partir pour la chasse.

– Je vais prendre des nouvelles de Reno, dit-il sèchement, puis je retournerai avec vous à la cabane.

– Et ensuite ? demanda Kate, mal à l'aise à cause de son expression.

– Ensuite je reviendrai donner un coup de main à Reno.

– Il ne semble pas avoir besoin d'aide, objecta-t-elle.

– Plus vite il trouvera de l'or, plus vite vous serez en sécurité.

– En sécurité ?

– Oui, parce que je m'en irai, diminuant ainsi vos chances d'avoir un enfant ! rétorqua Ray, une sorte de sauvagerie dans la voix.

– Ah...

– Je n'aurais pas dû... hier soir !

– Ce n'est pas vous, c'est moi qui...

Il serra les dents.

– Peu importe ! De toute façon, un seul de nous deux risque une grossesse !

– Ah bon ? ironisa-t-elle.

– Vous refusez de m'écouter. Je ne peux pas m'empêcher de vous toucher, et du diable si je veux me retrouver ligoté, alors...

– ... alors vous partirez dès que ce sera possible, coupa-t-elle, aussi brusque que lui.

Malgré les larmes qui lui montaient aux yeux, sa voix ne faiblissait pas.

– Vous vous répétez, Ray. Nous en avons parlé cent fois.

– Soyez prête à rentrer quand le soleil sera au zénith.

Il fit volte-face, et Lobo le suivit, mais d'un ordre bref, il lui indiqua de rester auprès de Kate.

Ray s'élança en direction de Rifle Sight d'un pas rageur, comme si cela pouvait effacer l'appétit inextinguible qu'il ressentait pour la fille aux cheveux couleur d'automne, aux yeux d'un bleu plus intense que le ciel au-dessus des montagnes.

Mais c'était impossible, il le savait.

Rien n'était capable de rivaliser avec la jeune femme, en dehors de la liberté et de ses mystères.

Mais Ray découvrit soudain un moyen d'y accéder.

En atteignant la concession, il était un peu plus calme. Cependant, Reno lui lança un coup d'œil inquiet quand il le vit au seuil de la mine, avec un regard de loup pris au piège.

– Tu as perdu quelque chose ? demanda-t-il.

– Non, au contraire, j'ai trouvé.

Les yeux verts de Reno l'interrogeaient en silence.

– De l'or, dit Ray.

– Où ?

– Dans ton corral.

– Si je me montre assez patient, je suppose que je finirai par entendre des paroles qui aient un sens.

– A ton avis, combien avons-nous de chances de trouver de l'or sur les concessions du Silencieux ?

– De l'or véritable ? Celui qui permet d'acheter du bacon, des haricots et la liberté d'un stupide vagabond ?

– Oui ! cria Ray.

– A peu près autant que d'apercevoir une boule de neige en enfer.

– Vraiment ? Je n'en espérais pas tant !

Bien qu'il fût irrité contre son entêté de frère, Reno ne put s'empêcher de sourire.

– Je ne voulais pas être trop brutal envers toi, dit-il. En vérité, il y a plus d'or dans le crottin de cheval que dans cette mine.

Ray eut un rire bref.

– C'est bien ce que je pensais. Et pourtant, Kate raconte qu'elle a vu John rapporter des morceaux de minerai si riches en or qu'ils s'effritaient dans les mains.

– Alors ils venaient sans doute de la mine de Dieu en personne. Mais ce n'était pas à Avalanche Creek, déclara Reno, sûr de lui.

– Kate l'ignore.

– Elle le saura quand je lui en aurai parlé.

– Non !

Reno fut surpris par la véhémence de son frère.

– Tu as encore des pépites et de la poussière en provenance de tes anciennes mines ? reprit Ray.

Reno acquiesça.

– Alors, déterre un de ces lingots espagnols que m'a donnés Eve, et échange-le contre tes pépites.

– Attends ! Je n'en ai pas suffisamment !

– Complète avec mon or. Râpe-le et fais-le fondre avant de le mélanger à la poussière, ou pulvérise-le avec de la dynamite. Mais rapporte-moi ici de l'or en morceaux.

Reno haussait les sourcils.

– Ensuite, amène Eve, continua Ray. Saupoudrez d'or cette maudite mine et faites votre petit numéro avec les baguettes espagnoles. Débrouille-toi comme tu veux, mais *il faut persuader Kate que l'or vient de la concession du Silencieux !*

– Nous allons nous retrouver avec des qualités variables, des couleurs différentes de ce que l'on trouve par ici. Une partie de mon or contient plus de cuivre, une autre est plus chargée en argent. J'en ai même qui sort tout droit du gisement, et il est lisse comme une peau de bébé.

– Et alors ?

– Alors pas un mineur qui connaît Echo Basin ne s'y tromperait, répondit Reno, agacé.

– Ce n'est pas un problème, Kate ne distinguerait pas un lingot d'un bloc de granit.

Reno frappa son chapeau contre sa cuisse, soulevant un nuage de poussière.

– D'accord, dit-il enfin. Je serai de retour dans six jours avec Eve et assez d'or pour que Kate soit libérée de cette région – et que tu sois libéré d'elle.

Ray cligna des yeux sous le coup d'une douleur inattendue, mais il se tut. Il observait la position du soleil dans le ciel.

– Arrange-toi pour que ce soit quatre jours, déclara-t-il, implacable.

– Seigneur ! Si tu es tellement impatient de partir, va-t'en, je réglerai les problèmes ici.

Ray secoua lentement la tête.

– Ce n'est pas ça. Seulement, plus je reste avec elle, plus...

Il s'interrompit et s'éloigna précipitamment sur le chemin. Il ne savait comment expliquer avec des mots que chaque jour supplémentaire passé avec Kate rendrait son départ plus difficile.

Et plus douloureux le moment des adieux.

« Je n'ai jamais eu l'intention de te faire souffrir, fille dorée. »

Et pourtant, elle souffrirait, c'était inévitable.

20

Kate observait Reno qui sondait la montagne près d'une jeune femme à la chevelure flamboyante. Leurs gestes étaient en parfaite harmonie.

Quand ils se retournèrent, elle vit que tous deux tenaient une baguette métallique entre la paume et le pouce. Les extrémités fourchues se heurtaient doucement.

Reno et Eve ne faisaient rien pour les mettre en contact, ni pour les empêcher de se toucher. A vrai dire, il n'y avait aucune raison pour qu'elles soient attirées l'une par l'autre tandis que Reno et Eve arpentaient la terre aride.

Et pourtant...

– C'est... c'est incroyable, dit la jeune femme.

Elle chuchotait pour ne pas perturber la magie de l'instant.

– Les baguettes ? demanda Ray.

– La façon dont Eve et Reno se déplacent ensemble, comme si les baguettes les rapprochaient.

– Reno m'a expliqué un jour que si le clair de lune était de l'eau, ses courants ressembleraient à ce qui guide les bâtons quand il les utilise avec Eve. Ahurissant, mais tout à fait réel.

– Comme ce qui monte en moi lorsque je me rappelle nos...

Kate s'interrompit, toute rouge.

L'étincelle qui pétilla dans le regard de Ray lui montrait qu'il avait compris son allusion.

– Exactement, fille dorée. Enchevêtrés, indissociables. Mais pour nous, il s'agirait plutôt des courants du soleil que de ceux de la lune.

– Oui.

Ray caressa d'un revers de doigt sa joue empourprée, puis ses lèvres.

– Il est temps d'y aller, dit-il à voix basse. Mago est chargé, prêt à prendre la route.

Kate se tourna pour le regarder bien en face, son petit visage décomposé par l'angoisse.

– Je croyais que vous ne partiriez pas avant qu'ils aient trouvé de l'or, protesta-t-elle d'une voix mal assurée.

Ray la prit dans ses bras et la serra bien fort. Il vivait sa peine comme s'il s'agissait de la sienne.

– Je ne parlais pas de partir seul, Kate, murmura-t-il contre ses cheveux. Je voulais simplement vous ramener à la cabane et aller chasser le cerf.

Un instant, elle s'accrocha désespérément à lui, puis elle recula en souriant.

– Bien sûr, dit-elle en se détournant. Où avais-je la tête ?

Ray cligna des yeux. Il savait exactement à quoi elle songeait. Lui aussi était obsédé par son départ imminent.

« Je ne veux pas lui faire de mal.

» Je ne peux pas rester.

» Quelle idée ai-je eue de venir à Echo Basin ? Jusque-là, je ne savais pas à quel point un homme peut souffrir sans la trace de la moindre blessure. »

Ni comment une femme pouvait pleurer sans verser de larmes.

– Vous avez fait beaucoup de progrès en matière de chasse, ces derniers jours, dit-il à haute voix. Quand les cerfs et les wapitis commenceront à descendre des montagnes, vous serez parfaitement au point.

Ce serait inutile, car Ray avait tué assez de gibier pour nourrir Kate, Cherokee et même un ours affamé durant tout l'hiver. Pour l'instant, on en était à fumer la viande.

– Oui. C'est sûr, répondit-elle d'une voix aussi vide que son expression. Eh bien, nous ferions mieux de nous y mettre, non ? Dois-je dire adieu à Reno et à Eve, ou bien viendront-ils à la cabane avant que vous ne partiez tous les trois ?

– Kate...

Ray s'étrangla d'émotion.

– Reno et Eve vous aiment beaucoup, dit-il enfin.

Ils seraient heureux que vous leur rendiez visite, plus tard.

– Certainement, répondit la jeune femme sans penser à ce qu'elle disait.

– Vous le ferez ?

– Faire quoi ?

– Rendre visite à Reno et à Eve ?

– Ne vous inquiétez pas, dit-elle du même ton indifférent. Vous ne risquerez pas de tomber sur moi si vous avez envie de venir voir votre famille à votre retour.

– Ce n'est pas ce que je voulais dire !

– Ah bon ? Eh bien moi, c'est ce que je voulais dire.

– Et Caleb et Sarah ? Vous allez aussi vous éloigner d'eux ?

– C'est votre famille, pas la mienne, déclara Kate fermement. Je ne m'éloigne pas, je reste simplement chez moi.

– Bon sang, cette masure n'est pas un foyer !

– Pour moi, si. Et vous ne pourrez rien y changer, alors acceptez-le une fois pour toutes, comme j'accepte l'idée que vous me quitterez dès que votre conscience sera en repos.

Kate regarda les deux jeunes gens qui avançaient comme une seule personne sur la pente abrupte. Juste derrière eux s'ouvrait la bouche sombre de la mine, tel un gros œil vide. Ils se mirent à quadriller soigneusement les environs, en rayonnant à partir de l'entrée.

Ray les observait aussi. Un muscle de sa mâchoire tressautait, preuve de l'effort qu'il faisait pour se contrôler devant l'entêtement de Kate à vouloir continuer à vivre dans cet endroit dangereux.

Mais il n'y pouvait rien. Pas plus qu'il ne pouvait remplacer les ombres de son beau regard par la lumière.

– Il est tard, dit-il enfin.

La jeune femme hocha la tête sans quitter des yeux la danse complexe des baguettes, de l'homme, de la femme.

Et de l'amour.

Ce spectacle était un coup de poignard dans son cœur. Jamais elle ne connaîtrait un tel épanouissement. Lorsque Ray s'en irait, il emporterait son âme avec lui.

Sans espoir de retour.

« Je ne reviens jamais deux fois au même endroit. »

– Il faut du temps pour trouver de l'or, déclara Ray d'un ton calme. Nous avons mieux à faire que de les regarder travailler.

– Combien ?

Il ne répondit pas tout de suite, tant il était bouleversé par la sécheresse du ton de Kate.

– Cela peut prendre des jours. Le maniement des baguettes est épuisant et fort délicat.

– Des jours, répéta Kate dans un soupir.

Elle avait espéré s'entendre répondre des semaines, voire des mois.

Peut-être même assez longtemps pour que la neige ait fermé le chemin qui menait vers les sommets d'Avalanche Creek.

– Alors vous avez raison, dit-elle enfin. Ne perdons plus notre temps à traquer les rayons du soleil dans la forêt, à cueillir des fleurs, à jouer avec Lobo. Ni à contempler le clair de lune en faisant comme si demain n'existait pas.

– Kate...

Elle ne tint pas compte de l'interruption.

– Non. Vous avez raison, il est temps de partir.

– Bon Dieu ! explosa-t-il. Vous parlez comme si j'étais en train de vous dire au revoir ! Ce n'est pas le cas !

– C'est un tort. Ce serait sans doute plus facile ainsi.

– C'est ce que vous souhaitez ? Que je m'en aille sur-le-champ ?

– Ce que je souhaite ! répéta Kate avec un rire amer. Est-ce que cela est important ?

Malgré elle, ses yeux s'emplirent de larmes.

– Kate, murmura-t-il en tendant la main vers elle. Ne pleurez pas.

– Non, ne me touchez pas, fit-elle en s'écartant vivement.

Sa voix se brisait dans l'effort qu'elle s'imposait.

– Mais...

– Si vous me touchez, dit-elle, je me mettrai vraiment à pleurer, et cela ne servira à rien.

Cette fois, il fut plus rapide qu'elle, et il la serra contre lui.

– Je... C'est vrai, reprit-elle en refusant obstinément de croiser son regard.

– Je vous crois.

Il baisa les cils au bord desquels brillaient déjà quelques larmes.

– Laissez-vous aller, fille dorée. Pleurez. Pleurez longtemps, fort. Pour nous deux.

Kate frissonna tandis qu'elle luttait contre elle-même, contre cet homme qui la protégeait, qui la désirait... Mais qui n'aimait que les aurores inconnues.

Enfin elle leva les yeux vers lui et lut sur son visage un désespoir, une détresse intenses.

« Pleurez longtemps, fort. Pour nous deux. »

C'en était trop. La tête dans le cou de l'homme, elle éclata en sanglots.

Les yeux clos, les mâchoires serrées, il la berçait doucement, comme s'il pouvait ainsi apaiser cette douleur qu'il n'avait pas voulu provoquer.

Incapable de la lâcher même un instant, il la porta jusqu'à son cheval, et ils descendirent la montagne ensemble, suivis par la mule aux longues jambes et le cheval de bât, le grand chien galopant à côté d'eux.

Quelque part entre les rêves d'or de la mine et la triste réalité de la cabane, les larmes de Kate se tarirent enfin, mais Ray ne desserra pas son étreinte. Il continuait à la tenir bien fort, comme s'il craignait qu'on ne la lui enlevât.

Une fois à la cabane, il la déposa sur la couchette, remonta sur elle la peau d'ours car le feu n'avait pas brûlé depuis plusieurs nuits.

– Je reviens dès que je me serai occupé des bêtes, dit-il.

Elle ouvrit la bouche pour protester, mais elle y renonça. Jamais de sa vie elle ne s'était sentie si lasse, si glacée, pas même après avoir essayé de sortir Lobo du torrent.

Quand il en eut terminé, Ray la trouva enfouie sous la lourde couverture, en train de fixer le soleil couchant qui s'infiltrait par les volets mal clos. Un étroit rai de lumière tombait sur ses yeux, leur conférant une couleur extraordinaire, comme il n'en avait jamais vu, même dans les pays les plus lointains.

Elle se tourna vers lui, et il fut frappé par sa douleur.

– Ma douce, murmura-t-il, en s'agenouillant près du lit. Oh, si seulement j'étais différent !

– Non, dit-elle en caressant ses cheveux d'une main tremblante. Je ne vous aurais pas aimé, si vous étiez un autre.

– Je vais rester.

Un instant, une joie immense emplit le cœur de Kate, effaçant toutes les ombres. Puis Ray ouvrit les yeux et elle vit l'éclat métallique de son regard. Il avait l'air sauvage et traqué d'un loup aux abois.

– Ça ne marcherait pas, dit-elle avec un pauvre sourire. Mais je vous remercie quand même de l'avoir proposé.

– Je m'arrangerai pour que ça marche !

– Et comment ? rétorqua-t-elle. Cesserez-vous de jouer de la flûte à l'aube, d'espérer des aurores lointaines ? Garderez-vous la soif d'autres horizons, d'autres paysages, d'une vie différente ? Continuerez-vous d'attendre ce que vous ne pouvez nommer, ni même décrire ?

Ray retenait son souffle. Il ignorait que Kate l'avait si bien compris.

Mieux sans doute qu'il ne se comprenait lui-même.

– J'ai envie de vous, dit-il avec force.

– Je sais. Pourtant, vous partirez. Le désir ne suffirait pas à combler votre âme de vagabond. Seul l'amour le pourrait.

Ray ferma les yeux sur sa peine.

– Je vous reviendrai, fille dorée.

– Non, murmura Kate en suivant du bout des doigts les lignes de son visage. Ce serait trop dur quand vous repartiriez. Pour vous et pour moi.

– Kate... je suis tellement désolé...

Des larmes brillaient dans les yeux de Ray.

– Ça va aller, le vagabond, dit-elle doucement. Ça va aller.

Elle déposait de petits baisers sur ses paupières, ses joues, le coin de ses lèvres.

– Je n'aurais pas dû vous toucher, souffla-t-il, frémissant sous ses caresses.

– Vous ne m'avez jamais menti, dit-elle en poursuivant sa tendre exploration. Vous m'avez toujours répété que vous étiez un aventurier. Au début, je ne comprenais pas. Puis je ne l'ai pas cru. Maintenant, si.

– Je vous ai volé votre innocence. Je le regrette.

– J'en avais envie. Vous étiez tendre et doux quand les autres se montraient grossiers et brutaux. Je n'aurais pas pu rêver d'un homme plus merveilleux pour m'enseigner l'amour.

– Je ne voulais pas que vous m'aimiez, dit Ray, la gorge serrée d'émotion. Je ne voulais pas vous faire souffrir.

Kate eut un sourire triste.

– Je ne suis sûrement pas la première veuve qui vous regarde partir avec l'amour au fond des yeux.

– Vous êtes la première dont la peine me blesse.

Il y avait presque un reproche dans sa voix et aussi beaucoup de douleur, de frustration.

– Vous ne pouvez pas plus m'empêcher de vous aimer que vous ne pouvez vous forcer à m'aimer. C'est comme ça, voilà tout. Aussi inéluctable que la rivière qui coule, la fumée qui s'élève dans le ciel, la terre qui tourne et vous emporte loin de moi.

– Kate !

– Ne parlons pas de ce que l'on ne peut changer. Aimez-moi à votre manière. Il nous reste si peu de temps...

Les mains de la jeune femme glissaient vers la ceinture de Ray.

– Non. C'est trop dangereux, désormais.

– Alors laissez-moi au moins vous donner du plaisir.

Avec un gémissement d'angoisse, il saisit les doigts de la jeune femme.

– Vous ne comprenez pas ? *Je ne me fais plus confiance.* Je me dis d'abord que nous allons batifoler un peu, rien de plus, puis je sens votre désir et je n'ai plus qu'une envie : me perdre en vous.

Kate écoutait en silence.

– Et c'est ce que je fais chaque fois, continua Ray, amer. Quand je suis en vous, plus rien d'autre ne compte. Ni le chagrin ni la douleur, rien que vous et moi, rien que ce plaisir brûlant dont je garderai le souvenir jusqu'à mon dernier souffle.

– Je ressens la même chose, soupira Kate contre sa bouche. Venez, Ray. J'aime tant vous sentir en moi.

– Mais vous n'avez rien entendu ! J'ai peur de vous faire un enfant !

Un long frisson la traversa, peine et désir mêlés.

Un bébé.

« Comme j'aimerais porter l'enfant de Ray ! Mais il ne veut pas laisser de trace derrière lui. »

Kate se rappela soudain l'étrange cadeau de son amie.

– Cherokee m'a donné quelque chose pour empêcher que cela se produise, dit-elle timidement.

– Quoi ?

– Là. Sur l'étagère, le petit flacon...

Ray lui lança un coup d'œil surpris, puis il se leva, alla chercher le flacon et le petit sac de morceaux d'éponge.

– Mais je ne sais pas comment m'en servir, dit Kate. Et vous ?

Ray hocha la tête.

– Oh, tant mieux ! Que dois-je faire ?

Ray prit un morceau d'éponge et l'imbiba généreusement du liquide qui sentait le genévrier, la menthe et une autre odeur qu'il n'aurait su définir.

– Je vais vous montrer, dit-il avec un sourire sensuel.

Elle ouvrit de grands yeux devant la transformation qui s'était opérée en lui. Disparu le loup traqué. Il n'était plus qu'attente de l'extase qui ne manquerait pas de venir.

– Je vais vous montrer, répéta-t-il. Et ça vous plaira.

– Ray ! appela Kate. Le déjeuner est prêt. En avez-vous terminé avec le wapiti ?

Lobo apparut en galopant du fond de la prairie, où

il s'était régalé des reliefs de la dernière chasse. Kate l'avait entendu un peu plus tôt aboyer férocement avant de se taire sur un ordre bref de son maître.

– C'est Ray que j'appelle, pas toi ! dit Kate. Tu peux repartir.

Le chien disparut dans l'herbe haute.

– Ray ? Où êtes-vous ?

Aucune réponse ne vint de la prairie où broutaient les mules. Pas de réponse non plus du tas de bois dont il ne restait plus que quelques bûches. Ni de l'appentis où gibier et poisson séchaient doucement au-dessus de la fumée d'un feu bas.

Kate se retourna vers la prairie et, brusquement, elle comprit ce qui n'allait pas.

Les chevaux de Ray n'étaient pas là.

– Il ne peut pas être parti, murmura-t-elle. Il y a seulement quatre jours que nous avons laissé Eve et Reno à la mine. Et ils ne sont pas encore revenus.

« Oh non, Dieu, non, pas déjà ! »

Frappée de stupeur, Kate dut s'appuyer au chambranle. Elle crispa les mains sur le bas de sa vieille chemise avec tant de force que l'ourlet de celle-ci céda.

– Ray ! Où êtes-vous ?

Le chant irréel de la flûte lui parvint, atténué, de l'intérieur de la cabane.

Elle fit volte-face.

Il n'y avait personne derrière elle.

– Ray ? Où êtes-vous ?

Les sons harmonieux s'enroulaient autour d'elle comme la lanière d'un fouet invisible qui l'attirait vers le placard.

Bien sûr ! Ray était rentré par-derrière après avoir terminé de dépouiller le wapiti. Il devait prendre un bain dans la source chaude.

Vivement, elle ferma la porte de la cabane avant

d'ouvrir le placard. La flamme vacillante d'une seule bougie l'accueillit, et la flûte termina son chant en murmure, puis s'éteignit tout à fait.

Kate scrutait la pénombre brumeuse sans parvenir à distinguer Ray. Impatiente, elle se débarrassa de ses bottes, de ses chaussettes et commença à défaire la ceinture qui retenait son pantalon élimé.

– Ray, vous êtes dans l'eau ?

Il y eut un léger sifflement quand le fouet se déroula. Elle entendit un bruit de déchirure. Interdite, elle demeura immobile tandis qu'un autre chuchotement s'élevait, puis un autre, et bientôt la chemise de flanelle atterrit sur le sol, complètement lacérée.

Elle poussa un petit cri de surprise lorsque le bout de la souple lanière effleura son pantalon. L'unique bouton roula au sol avec un bruit métallique.

Elle n'apercevait toujours rien d'autre que des rubans de vapeur. Bien qu'elle vît le fouet arriver de nouveau, elle ne put retenir un autre cri en sentant la lanière de cuir déchirer le pantalon sans la toucher.

Elle se retrouva presque nue, vêtue seulement de la culotte qui était son unique sous-vêtement.

– R... Ray ?

– C'est ce que j'ai eu envie de faire la première fois que je vous ai vue, habillée de ces haillons qui sont une insulte à votre beauté. Mais vous auriez eu peur du fouet. En avez-vous toujours peur, maintenant ?

Kate ferma les yeux, parcourue d'un délicieux frisson.

– Non. Rien ne m'effraie, venant de vous.

La lanière chuchota encore et la culotte alla rejoindre le pantalon par terre.

Kate restait immobile, entièrement nue.

– Vous êtes comme le soleil, ma douce. Belle. Parfaite.

La voix de l'homme était aussi sombre et feutrée que la grotte.

– Je me suis regardée dans le miroir dont vous vous servez pour vous raser, répondit-elle. Je ne suis ni parfaite ni belle.

– Pour moi, si.

La sincérité de Ray était aussi douce qu'une caresse, aussi douce que le fouet qui effleurait sa joue, son épaule, son sein, sa hanche. Le contact était aérien, inattendu, presque choquant dans sa sensualité.

Le corps en feu, Kate murmura le nom de Ray. Elle saisit le bout de la lanière et se retrouva tirée vers l'ombre fumante où il l'attendait. Au lieu de la pierre, ses pieds nus rencontrèrent les couvertures qu'il avait étendues près de l'eau.

Il y eut un bruissement quand il sortit du bassin et soudain il fut devant elle, ruisselant.

Il avait la beauté d'un dieu païen, mais les ombres qui hantaient son regard étaient bien humaines.

« Il ne faut pas m'aimer, Kate. Je vous en prie. Vous aurez trop mal. »

Durant un instant irréel, Kate eut l'impression que son cœur s'arrêtait de battre. Elle eut la certitude que Ray allait bientôt la quitter.

Très bientôt.

Elle ravala le cri de protestation qui lui montait aux lèvres contre tout ce qui aurait pu être et ne serait jamais : le rire partagé, la maison, des enfants qui auraient les yeux de Ray. Et surtout l'amour qui illuminerait leur existence…

Au lieu de cet avenir plein de joie, elle ne possédait que ce moment, où elle allait donner son corps et son âme à Ray pour la dernière fois.

Infiniment gracieuse, elle s'approcha de lui et le

toucha, le goûta, l'embrassa avec une sorte de rage silencieuse qui le bouleversa.

– Dieu ! gémit-il, les dents serrées.

Elle passa légèrement la langue sur le cœur de son désir.

– Arrête, dit-il d'une voix rauque.

– Pas encore, murmura-t-elle. Je veux tout connaître de toi, je veux tout garder dans ma mémoire.

Submergé de passion, il était incapable de parler. Les yeux clos, il se laissait aller aux exquises sensations que la jeune femme éveillait en lui.

Il comprit qu'elle lui faisait l'amour comme si c'était la dernière fois.

« Elle sait. Elle a deviné. »

Il ne pouvait en supporter davantage, et il allongea Kate sur la couverture. Il pénétra en elle sans toutefois trouver l'apaisement, car dans les yeux de la jeune femme il lisait la tristesse de son avenir.

Les mots refusaient de franchir sa gorge serrée, aussi se contenta-t-il de baiser tendrement son front ses joues, son cou, ses lèvres tremblantes. En même temps, il l'emportait vers l'extase, dans un silence brûlant.

Kate s'abandonna enfin au plaisir, mais Ray ne cessa pas pour autant de bouger en elle et, stupéfaite elle sentit bientôt l'extase remonter en elle, plus violente, plus irrésistible encore.

Le corps secoué de spasmes, elle enfonça les ongles dans le dos de l'homme et poussa un cri rauque tandis qu'un éclair d'une force inouïe la transperçait.

Il l'embrassa le temps qu'elle retrouve une respiration normale, puis il reprit son lent mouvement en elle jusqu'à ce qu'elle soit de nouveau secouée par le plaisir.

– Ray ? demanda-t-elle, étonnée, presque effrayée

– Tout va bien, fille dorée. Il fallait simplement que je sache.

– Que... que tu saches ?

– Jusqu'où tu peux m'emmener. C'est chaque fois plus haut, plus beau.

– Moi ? dit-elle avec un petit rire hésitant. Mais c'est toi qui...

Sa phrase se termina en cri quand il plongea davantage en elle.

Elle prononçait son nom comme une litanie, dans ses cris, dans ses soupirs, avec chaque vague de plaisir.

Il poursuivait l'ascension avec elle et enfin il aboutit à la fusion essentielle, primitive, qui ne ressemblait à rien de ce qu'il avait pu connaître auparavant.

Au bout d'un long moment, il s'écarta de Kate et alluma la lanterne qui se trouvait sur un vieux coffre.

La lumière révéla deux lourdes sacoches. Par l'ouverture de l'une d'elles, elle aperçut l'éclat de l'or.

Elle avait perdu Ray, elle avait perdu contre l'aurore qu'il voulait découvrir.

– Kate, ma douce, je...

Secouant la tête, elle posa un doigt sur sa bouche et le fixa d'un regard qui ne contenait pas de larmes. Les larmes venaient de l'espoir, or elle n'avait plus d'espoir.

– Je t'aimerai toujours, murmura-t-elle. Maintenant, va-t'en, mon vagabond. Ne dis rien... Va-t'en, c'est tout.

21

Kate pénétra dans le magasin de Murphy avec le six-coups de Cherokee passé à la ceinture et un Lobo plutôt agressif à ses côtés. Elle ignorait depuis combien de temps Ray était parti. Elle savait seulement qu'alors les peupliers étaient d'un vert brillant, et qu'à présent les feuilles étaient d'un beau doré.

Elle se sentait comme les feuilles. Elle avait vécu un temps de soleil, de maturité, de splendeur, et puis le monde s'était transformé, tout avait changé.

« Dommage que je ne sois pas comme ces feuilles que le vent emporte pour toujours. Mais je suis une femme, et Cherokee a besoin de moi. Peut-être me ferai-je à l'absence de Ray comme Cherokee s'habitue à souffrir de sa cheville. »

Tandis qu'elle observait tranquillement les étalages, un mineur qu'elle n'avait jamais vu se mit à discuter avec Murphy à propos d'un morceau de lard qui se trouvait sur la balance.

– Cinq livres ? disait-il. Ça m'étonnerait, mon gars. J'ai à la maison une chienne qui met au monde des petits plus gros que ce malheureux bout de viande !

– Alors t'as qu'à rentrer chez toi et fumer un de ces chiots pour le manger, au lieu de me faire perdre mon temps avec tes jérémiades, et... !

Murphy s'interrompit en voyant Lobo sortir de derrière un sac de viande séchée près de la porte d'entrée. Il recula si violemment que la balance sauta sur le comptoir et, dans un grincement, indiqua un nouveau poids.

– Trois livres et des poussières, dit le mineur tout content. J'aime mieux ça. Y a des types à Canyon City qui m'avaient dit que t'étais un vieux grigou, mais ils devaient parler d'un autre Murphy.

En maugréant, le boutiquier prit l'argent que lui tendait le mineur et mit les marchandises dans un sac sans autre commentaire.

L'homme se retournait pour s'en aller quand il aperçut Kate.

– Bon Dieu, quelle ravissante petite chose ! s'écria-t-il. C'est toi, Clémentine, à moins que tu ne sois Betsy ?

– Ni l'une ni l'autre, répondit-elle sèchement. Je suis la... veuve de John le Silencieux.

Murphy fronça les sourcils, mais il ne dit mot.

– Désolé, m'dame. J'voulais pas vous offenser. On m'avait pas dit qu'il y avait plus de deux femmes libres à Echo Basin. J'peux me faire pardonner en vous invitant à souper ?

– Non, merci.

– Je pourrais passer vous voir, alors ? insista-t-il en avançant vers elle.

Lobo retroussa les babines sur ses crocs acérés, et l'homme s'arrêta net.

– Inutile de me rendre visite, dit Kate d'un ton neutre. Je ne suis pas le genre de compagnie que vous recherchez.

– Et au cas où t'aurais envie de te servir toi-même, renchérit Murphy de derrière son comptoir, cette fille appartient à un type appelé Ray Moran. Il me l'a dit tout net juste avant d'aller chercher de l'or. Il est parti il y a un mois ou deux, mais il va pas tarder à revenir, et je plains celui qui aura embêté la dame.

Kate avait envie de rétorquer qu'elle n'était plus la femme de Ray Moran, qu'il n'était pas chercheur d'or et qu'il ne reviendrait jamais, mais elle préféra se taire. Pour l'instant, la réputation de Ray la protégerait comme naguère celle de John.

– Ray Moran ? répéta le mineur. C'est pas lui qui a envoyé quatre des frères Culpepper tout droit en enfer ?

– Ouais, c'est bien lui, dit Murphy avec un plaisir mauvais. Et si ça te suffit pas pour te tenir tranquille, son frère est un tireur renommé, connu sous le nom de Reno.

Le mineur était de moins en moins fier.

– En plus, Ray m'a fermement précisé, continua Murphy, implacable, que Caleb Black et Steven Lonetree considéraient la petite comme quelqu'un de la famille. Celui qui lui manquerait de respect aurait affaire à eux. Quant au chien, c'est pas un cadeau non plus !

Kate se demandait avec quelle sorte de « fermeté » Ray avait donné ses instructions au patron du magasin... Mais quoi qu'il en soit, le résultat était spectaculaire. De toute évidence, Murphy ne se montrerait plus jamais insolent envers elle.

Même loin, Ray veillait encore sur elle. Cela lui serra le cœur. Il avait laissé le placard plein de provisions qu'il avait achetées en ville, le fumoir de Cherokee regorgeait de gibier, et il avait coupé du bois pour plusieurs hivers ! Quant à Reno, il avait trouvé suffisamment d'or pour que Kate puisse quitter Echo Basin et aller vivre en sécurité là où elle le souhaiterait.

Oh, oui, Ray l'aimait beaucoup.

Pas assez toutefois pour rester.

« Que Dieu te garde, le vagabond, pria-t-elle en silence comme elle l'avait fait mille fois depuis qu'elle était seule. Qu'Il t'aide à trouver ce que tu cherches. »

– Excusez-moi, m'dame, dit le mineur poliment. J'dois y aller, maintenant.

La jeune femme regarda l'homme, ses paquets dans

les bras, qui fixait le grand chien d'un air inquiet, sans bouger.

– Le chien me barre le passage, expliqua-t-il.

Kate fit un pas de côté.

– Viens ici, Lobo. Sage.

Avec un grognement de menace, le molosse obéit et, quand Kate se dirigea vers le comptoir, il la suivit sans quitter le mineur des yeux.

La porte d'entrée claqua sur l'homme, poussée par une bourrasque de vent froid.

La jeune femme resserra sa vieille veste autour d'elle. En septembre, il y avait toujours des orages, des tornades glaciales. Déjà les cerfs et les wapitis avaient quitté les hautes terres avant l'arrivée imminente de la neige.

C'était cela qui avait obligé Kate à descendre en ville. Elle avait besoin de vêtements chauds et de provisions pour Cherokee.

– Bonjour, monsieur Murphy, dit-elle. Voudriez-vous me préparer cette commande pendant que je cherche des vêtements chauds ?

L'homme acquiesça en grommelant.

– Et, monsieur Murphy...

Un autre grognement.

... pas de coup de pouce à la balance, ajouta-t-elle d'un ton sec.

Le boutiquier sourit.

– Ray vous a dit.

– Il n'en a pas eu besoin. Je sais depuis des années que vous m'escroquez. John l'acceptait parce qu'il était pratique de venir chez vous, mais pas moi. Je préférerais aller faire mes commissions à Canyon City.

– Pas la peine de vous énerver, Miss. J'ai pas l'intention de m'attirer la colère de Ray Moran.

– Ni la mienne ?

– Ni la vôtre. J'veux pas avoir d'ennuis avec mes clients.

– Bien. Ma mule est dehors. Chargez les provisions quand vous aurez préparé la commande, je vous prie.

– Ça vous coûtera trois dollars de plus.

– Un dollar.

– Deux.

– Un et demi.

– Vous êtes dure en affaires, Miss.

– Pas vraiment. Vous livrez Clémentine et Betsy gratuitement, je le sais.

– Elles me font des... euh, petites gâteries pour me remercier, dit Murphy avec un sourire salace.

– Un dollar et demi, répéta la jeune femme, glaciale. Marché conclu ?

Murphy hocha la tête avec un soupir à fendre l'âme.

Après lui avoir remis la liste de ses courses, Kate se dirigea vers la pile de vêtements entassés par terre. Quand elle eut sélectionné deux vestes, quatre chemises bien chaudes, deux pantalons de laine et quelques accessoires pour l'hiver, Murphy avait chargé les sacs sur le dos de la mule.

Elle posa les vêtements sur le comptoir.

– Je prends ça aussi.

– Bon. Je suppose qu'il faudrait que je commande quelques robes. C'est pas drôle pour un homme de voir sa femme habillée comme lui.

Kate, les lèvres pincées, resta silencieuse pendant que Murphy faisait le total.

Elle ouvrit de grands yeux quand il lui en annonça le montant.

– Pourrais-je voir la note, s'il vous plaît ?

– Pourquoi ?

– Afin de vérifier les chiffres.

Murphy lui remit le bout de papier et il attendit nerveusement qu'elle eût refait l'addition.

– Il y a trente et un dollars et douze *cents* de trop, dit-elle au bout de quelques minutes.

En marmonnant, Murphy effectua la soustraction, et elle lui tendit une poche pleine d'or.

– J'ai la balance de précision de John, chez moi, dit-elle. Je sais exactement combien d'or contient cette bourse, et je pèserai ce qui restera en rentrant.

Murphy lui lança un coup d'œil mi-irrité, mi-admiratif.

– Ray vous a inculqué quelques bonnes leçons, on dirait !

Kate lui répondit par un sourire crispé.

L'homme prit la poche, l'ouvrit et renversa sur l'un des plateaux de la petite balance un mélange de poussière d'or, de pépites et de paillettes.

– Que je sois damné ! s'écria-t-il, surpris. Ray Moran a découvert de nouveaux filons ?

– Que voulez-vous dire ?

– Cet or ne vient pas des concessions de John, affirma-t-il.

– Je vous demande pardon ?

– Les mines du Silencieux ne fournissent pas de paillettes qui aient cette couleur cuivrée, ni de poussière d'or si pâle, d'ailleurs. Quant à ça...

Murphy sortit du petit tas une pépite brillante sur laquelle il appuya l'ongle de son pouce, laissant une trace dans le métal.

– Celle-ci est trop déchiquetée pour sortir de l'eau, et pourtant elle est si pure qu'elle ne peut venir d'ailleurs, dit-il avec respect. J'ai pas vu d'or si parfait depuis qu'un type a essayé de me vendre une concession pleine de lingots. C'était de l'or rouge, mais ces pépites me rappellent un lingot que j'ai vu sur une table de poker à Las Cruces. Il venait des Abajos. De l'or espagnol, pur comme un bébé qui vient de naître.

Kate fut parcourue d'un frisson en se rappelant la

conversation entre Reno et Ray au sujet de lingots d'or espagnol.

Non ! Il n'aurait pas osé ! Murphy se trompait sûrement.

– J'imagine que vous voudrez pas me dire où Moran a trouvé ça ?

Kate avala sa salive avant de répondre fermement :

– Sur les concessions de John.

Murphy éclata de rire.

– Je vous reprocherai pas de cacher vos cartes. Si je connaissais des filons comme ça, je dirais rien non plus !

– Ray m'a affirmé que cet or venait des mines de John, insista-t-elle.

– Un malin, ce type. Ce qu'on sait pas, on risque pas de le confier à des inconnus. Mais je connais bien l'or qu'on prospecte à Echo Basin, ma petite dame, et croyez-moi, rien de ce que vous avez là n'en provient.

Kate entendait les paroles de Reno.

« Tout en haut des Abajos... une vieille mine désaffectée... Des lingots d'or pur, si lourds qu'Eve ne pouvait guère en soulever plus d'un à la fois. »

La jeune femme s'abstint de tout commentaire. Dans un silence glacial, elle établit son plan. Il lui fallait d'abord porter à Cherokee ses provisions. Ensuite, elle chercherait Clémentine et Betsy en ville, puis elle se rendrait au ranch des Black et, enfin, elle rentrerait chez elle avant les premières chutes de neige.

Pour la première fois, Kate était heureuse d'avoir les deux mules qu'elle avait héritées à contrecœur des Culpepper. Elles lui seraient précieuses, durant les jours à venir.

Vingt-quatre heures plus tard, montée sur une mule et tenant l'autre par la bride, Kate s'arrêta devant la maison de Sarah et Caleb. Ce dernier rentrait des pâturages du nord au moment où elle approchait de la porte.

– Kate ? C'est bien vous ? fit Sarah en sortant sur le seuil, la main en visière pour se protéger du soleil qui perçait entre les nuages menaçants.

– C'est moi.

– Quelle merveilleuse surprise ! Entrez, je vais faire du thé !

– Non, merci beaucoup... Lobo, si tu ne te tais pas, je te donne aux buses pour qu'elles te dévorent.

Le chien cessa ses aboiements et se tint sagement près de sa maîtresse tandis que Caleb arrivait à leur hauteur.

– Des ennuis ? demanda-t-il.

– Rien de grave, répondit Kate d'une voix tendue. Auriez-vous l'obligeance de décharger mes sacoches, s'il vous plaît ?

Caleb mit pied à terre et se dirigea vers les mules avec un sifflement admiratif.

– Belles bêtes ! Originaires de Virginie, apparemment.

– Les Culpepper appréciaient les mules de Virginie, dit la jeune femme, toujours distante.

– Elles ont de l'endurance et de l'énergie.

– Il leur en faudra, répliqua-t-elle.

Caleb allait l'interroger plus avant quand il poussa un cri de surprise en soulevant une sacoche.

– Bon sang ! Qu'y a-t-il, là-dedans ? Du plomb ?

– L'or de Ray ! s'écria Kate en desserrant une sangle.

Sarah et Caleb échangèrent un rapide coup d'œil.

– J'avais cru comprendre, dit prudemment Caleb,

que Ray travaillait pour des gages et non pour une part de *votre* or.

– C'est ce que j'avais cru comprendre, moi aussi.

Elle débarrassa la mule de sa selle et de la couverture qu'elle posa hâtivement sur le dos de l'autre.

– Mais c'était faux, poursuivit-elle en se mettant en selle. Murphy m'a dit que l'or était faux aussi.

– Vous voulez me répéter ça ? demanda Caleb, déconcerté.

La jeune femme se tourna vers lui sans prendre la peine de cacher la rage froide qui la dévorait depuis qu'elle avait compris en quelle piètre estime Ray la tenait.

– Cet or n'a jamais été extrait d'Echo Basin, déclara-t-elle avec fureur. Votre beau-frère m'a réglée avec son or espagnol avant de s'en aller à l'autre bout de la terre. Mais il s'est trompé dans ses calculs.

– Pardon ?

– J'ai compris qu'il m'avait trop payée, cependant je ne connaissais pas les tarifs exacts, alors je me suis lancée à la recherche de Clémentine et de Betsy, auxquelles j'ai posé la question.

Devant la colère qui consumait la jeune femme, Caleb s'abstint de demander qui étaient Clémentine et Betsy et ce qu'elles avaient à voir dans l'histoire.

– J'avais raison, reprit Kate. Ray a été beaucoup trop généreux pour ce qu'il a obtenu de moi, alors je lui rapporte sa monnaie. Jusqu'à la dernière pépite.

Elle s'emparait des rênes quand Sarah intervint.

– Attendez ! La route est longue, jusqu'à Echo Basin. Entrez vous reposer un peu avant de repartir.

– Merci, non. Les passes peuvent se fermer à tout instant, à cause de la neige.

– Mais...

– En outre, répliqua Kate avec orgueil, je vous respecte trop pour amener la catin de votre frère dans votre demeure.

Sur ce, elle éperonna la mule qui partit au trot, suivie de l'autre et de Lobo.

Sarah et Caleb restèrent un bon moment silencieux, puis la jeune femme poussa un gros soupir.

– Si seulement je savais où se trouve mon frère ! dit-elle. J'ai deux mots à lui dire.

– Kate aussi, dit Caleb avec une pointe d'humour. Et ça m'étonnerait qu'il s'agisse de mots tendres !

Le crépuscule était glacial quand Ray arriva au ranch, le col remonté pour se protéger du vent et des flocons de neige tourbillonnants.

– Salut, l'étranger ! s'écria Caleb en sortant sur le porche. Je te croyais parti pour San Francisco et l'Océan. Nous ne pensions pas te revoir avant un an ou deux.

Les paroles de Caleb contenaient une question, mais Ray n'aurait pas su y répondre. Il était le premier étonné de se trouver de ce côté-là de l'horizon.

– Moi non plus, dit-il. Pourtant je suis là.

– Et tu vas y rester. Tous les cols sont fermés, sauf ceux qui mènent vers le sud.

– Je sais. C'est par là que je suis arrivé. Il fait un froid de loup, dans le désert.

Ray mit pied à terre et vint serrer la main de son beau-frère.

– Où étais-tu, ces trois derniers mois ? demanda Caleb.

– Ici et là, répondit Ray en haussant les épaules. Je suis allé vers l'ouest jusqu'à l'endroit où le Colorado se niche au fond du Grand Canyon comme un serpent argenté.

– Un sacré endroit, à ce que dit Steven !

– Oui. J'ai pourchassé le lever du soleil tout autour de ce canyon jusqu'à ce que je me retrouve à mon point de départ. C'est une contrée désolée, sauvage.

– Viens, dit Caleb. Sarah a dû finir de mettre Kevin au lit, maintenant.

Ray hésitait.

– Si tu imaginais pouvoir partir vers les montagnes, reprit Caleb, oublie ça. Les passes sont bouchées depuis des mois, et elles ne rouvriront pas de sitôt.

– Je sais. C'est pourquoi...

– C'est la raison de ton retour ? Parce que tu sais que tu ne risques pas d'être tenté d'aller chez elle ?

Ray fit la grimace.

– Oui.

– Ça vaut mieux ! lança Caleb. La dernière fois que nous l'avons vue...

– Vous l'avez vue ? Quand ?

– Juste avant les premières tempêtes de neige.

– A-t-elle eu enfin le bon sens de rester chez toi ?

– Sûr que non ! Elle n'a même pas voulu accepter une tasse de thé.

Ray fronça les sourcils.

– Alors, c'est moi qu'elle cherchait ?

– D'une certaine manière, répondit Caleb, sarcastique.

– Bon sang, qu'est-ce que ça veut dire ?

– Je vais t'expliquer, dit Sarah qui venait d'apparaître sur le seuil. Entre, Ray. Kate a laissé un message pour toi.

– Est-elle... ?

Ray s'interrompit, avala sa salive.

– Est-ce qu'elle était bien ?

– Par « bien », tu veux dire « pas enceinte » ? demanda Sarah.

Caleb prit les rênes de son cheval et se dirigea vers l'écurie.

– Ne lui arrache pas toute la peau du dos ! lança-t-il à sa femme par-dessus son épaule.

– Et pourquoi pas ? répliqua-t-elle.

– Il faut qu'il en reste un peu pour que Kate puisse le clouer au mur de sa cabane.

– Ne t'inquiète pas, dit Sarah avec un sourire qui n'avait rien de rassurant. Ray est un garçon costaud, il y a de quoi faire. Entre, mon cher frère.

Il suivit sa sœur à l'intérieur et, une fois la porte fermée, il la saisit par le bras.

– Dis-moi tout, Sarah, demanda-t-il avec détermination. Elle attend un bébé ?

– Si c'est le cas, elle n'y a pas fait allusion.

Ray souffla un bon coup.

– Je pensais qu'elle viendrait ici seulement si elle était enceinte, avoua-t-il.

– C'est pour ça que tu n'es pas à mi-chemin de la Chine ?

– Je ne sais pas pourquoi je ne suis pas en route pour l'autre bout du monde. Je sais juste que je suis là.

Une vague de compassion adoucit l'expression sévère de Sarah. Elle souffrait de la peine qui torturait son frère comme s'il s'agissait de la sienne. Elle posa une main douce sur sa manche.

– Viens dans la cuisine, je te ferai du café. Et des biscuits, aussi. On dirait que tu as besoin d'un bon repas.

– Je préfère du pain, si tu en as. Je n'aime plus guère les biscuits. Ils me rappellent trop...

Sa voix se brisa et, avec un juron, il se passa la main dans les cheveux avant de jeter son chapeau sur la table. Machinalement, il se débarrassa de son fouet, alla pendre sa veste près de la porte, enroula de nouveau le fouet à son épaule et s'assit enfin.

Le cœur lourd de trop de souvenirs, il regarda sa sœur vaquer aux tâches ménagères habituelles, attiser le feu, servir le café, couper le pain. En plissant les yeux, il pouvait presque croire que c'était Kate qui s'affairait dans la cuisine pour préparer le souper.

Mais ce n'était pas elle.

Il y eut du bruit derrière la porte et Caleb entra, une paire de sacoches à l'épaule.

Ray ne leva même pas la tête.

Caleb jeta un coup d'œil à sa femme qui secoua légèrement la tête. Caleb retint un sourire. Il savait bien que Sarah aimait trop son frère pour le réprimander gravement.

Caleb, non.

– Tu as dit que Kate m'avait laissé un message, dit Ray. Quel est-il ?

– Tu as oublié la monnaie, dit Caleb, sardonique.

Il lâcha les deux sacoches qui tombèrent lourdement sur la table.

Ray fronça les sourcils et tendit la main pour soupeser les sacs.

Il poussa un juron qui fit frémir Sarah.

– Il ne manquait plus que ça ! pesta-t-il. De toutes les idioties...

– Cet or venait-il des concessions de Kate ? coupa Caleb.

– Bon sang, quelle différence ?

– Pour moi aucune. Mais pour elle, énormément. La différence qui existe entre une veuve et une catin.

Ray se leva d'un bond, saisit Caleb par le col et le plaqua contre le mur.

– Ce n'est pas une catin ! hurla-t-il.

– Ray ! Arrête ! cria Sarah en s'accrochant à son bras.

Caleb considérait son beau-frère et sa rage débordante avec calme.

– Je le sais, bien sûr, dit-il. Mais si ça doit t'aider à te sentir mieux, nous pouvons aller disputer un round ou deux dans la grange.

Ray prit une profonde inspiration et recula de quelques pas.

– Désolé. Je suis un peu susceptible, ces derniers temps.

– Alors assieds-toi quelques minutes, pour te calmer, suggéra Caleb.

Lentement, Ray alla se rasseoir.

– En un mot, expliqua Caleb, Kate est venue ici sur une superbe mule. Elle en traînait une autre et était accompagnée d'un chien gros comme un poney.

Lobo.

– Si tu le dis... marmonna Caleb. Je lui trouve plutôt l'allure d'un âne bâté. Bref, elle est descendue de sa monture et m'a demandé de prendre les sacoches. Aussitôt, elle a changé les selles.

Ray fronça les sourcils.

– Elle devait être drôlement pressée. Quelque chose n'allait pas. Pas du tout, j'en suis sûr.

– C'est ce que j'ai pensé.

Caleb hésita un instant avant de poursuivre.

– Connais-tu des femmes nommées Clémentine et Betsy ?

Ray jeta un coup d'œil à sa sœur qui lui faisait réchauffer du ragoût.

– Je ne les connais pas précisément, répondit-il à voix basse. Je ne les ai même jamais rencontrées, mais elles vivent à Holler Creek. Des... filles de saloon, si tu vois ce que je veux dire.

– C'est bien ce que j'ai cru comprendre.

– Comment as-tu entendu parler d'elles ?

– C'est Kate qui a prononcé leurs noms.

– Quoi ?

Caleb prit une profonde inspiration. Pourvu que Ray parvienne à se dominer ! Si les deux hommes se mettaient à se battre, il ne resterait plus rien debout dans la cuisine !

– Un certain Murphy a dit à Kate que son or ne pouvait venir des mines du Silencieux, expliqua-t-il.

– Murphy ! Qu'il soit maudit ! J'espérais qu'il accepterait l'or sans faire de commentaire !

– D'après Kate, tu t'es trompé sur autre chose également, fit Caleb en passant prudemment derrière la chaise de Ray.

– Et sur quoi ?

– Tu... euh... tu l'as trop payée.

– Bon Dieu, de quoi parles-tu ?

Caleb banda tous ses muscles dans l'attente de la bagarre qui n'allait pas manquer de se déclencher.

– Quand Kate a appris que l'or n'était pas à elle, elle est allée voir Clémentine et Betsy afin de leur demander quel tarif elles pratiquaient pour accorder leurs faveurs.

– Comment ?

Ray se serait levé d'un bond sans les lourdes mains de Caleb qui le maintenaient aux épaules.

– Reste tranquille et écoute, dit-il. Elle a calculé ce que tu lui avais donné en trop, et elle est descendue de ses montagnes pour te rendre ce qui te revient.

Quand les paroles de son beau-frère firent enfin leur chemin dans l'esprit de Ray, celui-ci oublia toute idée de bagarre.

« Oh, Dieu, ma douce... jamais je n'ai songé à toi en ces termes. Tu étais innocente comme le jour qui se lève. »

– Elle a vraiment dit ça ? murmura-t-il enfin.

Caleb hocha la tête.

– Elle a imaginé que je la payais comme... comme une de ces filles ?

Caleb acquiesça de nouveau.

– Je ne te crois pas !

Sarah heurta la marmite pleine de ragoût, répandant sur le fourneau quelques morceaux de viande.

– Tu as tort, dit-elle. Kate ne voulait pas entrer dans la maison, pas même pour boire une tasse de thé.

– Pourquoi ?

– Elle a prétendu qu'elle me respectait trop pour faire entrer chez nous la catin de mon frère.

Ray écrasa son poing sur la table.

Sa tasse de café se renversa, et il reçut une giclée de liquide brûlant, mais il s'en rendit à peine compte, tant la douleur qui lui ravageait l'âme était violente.

Il se leva d'un bond malgré la pression de Caleb sur ses épaules.

– J'ai changé d'avis, au sujet de ces biscuits, Sarah, dit-il d'une voix tendue. Fais-en suffisamment pour me ravitailler pendant que je franchirai les montagnes.

– Mais le col est fermé, objecta la jeune femme.

Il se tourna vers Caleb.

– Tu as toujours tes bottes de neige dans la grange ?

– Non. Elles sont juste derrière la porte de la maison. Je t'accompagnerai aussi loin que mes chevaux du Montana pourront nous porter. Ensuite, je te laisserai seul.

– Merci.

– Mais quand tu arriveras là-bas, regarde bien où tu mets les pieds !

– Pourquoi ?

Elle était assez furieuse pour lancer contre toi son énorme chien !

Ray regarda ses mains avec un demi-sourire.

– Ce ne serait pas la première fois que nous en découdrions, lui et moi.

Il saisit sa veste et se dirigea vers la porte.

– Et les provisions ? demanda Caleb. Vous pourrez tenir tout l'hiver ?

– Je me suis arrangé pour que Kate ait de quoi nourrir deux personnes jusqu'au dégel.

– Tu as juste été un peu lent à deviner qui serait la deuxième, non ? plaisanta Sarah.

La porte claqua sur le rire de Caleb.

– Et s'il n'arrive pas à la cabane ? reprit-elle, inquiète.

– Il y parviendra. Le plus dur, ce sera de rentrer dans les bonnes grâces de Kate. Elle était vraiment folle de rage, quand elle nous a quittés.

– Il aura tout l'hiver pour se rattraper.

– Il faudra bien ça !

– J'en doute. Il dispose d'un atout imbattable.

– Lequel ?

– Elle l'aime, répondit simplement Sarah.

L'aube commençait à faire pâlir les étoiles quand Ray remit le sac sur son dos et s'avança à travers la prairie en direction de la cabane.

Les montagnes s'élançaient vers le ciel dans l'atmosphère immobile, difficile à supporter. Des nuages de buée autour du visage, Ray marchait dans la neige qui craquait sous ses pas.

Mais il n'entendait rien, il avait l'impression d'évoluer dans un rêve.

« Je me suis déjà trouvé là, en hiver, au lever du soleil. »

Quand il arriva au bout de la prairie, l'aurore effleurait les cimes des sapins. A travers les rondins mal joints de la cabane, il aperçut des rais de lumière et, comme il approchait encore, la porte s'ouvrit.

Kate se tenait dans une flaque de lumière. Elle savait que c'était Ray, elle savait qu'un seul homme pouvait faire danser Lobo d'une joie silencieuse.

– Si vous me rapportez cet or, dit-elle sèchement, vous feriez mieux de tourner les talons et...

Ses paroles furent étouffées sous un baiser chargé de toute la passion qui brûlait Ray depuis l'instant où il était parti.

Lorsqu'il releva enfin la tête, elle le serrait de toutes ses forces, elle aussi, tandis que le soleil nimbait leurs têtes.

– Je reste, dit-il. Vous pouvez hurler, me lacérer de vos ongles pour me punir de ma folie, je ne vous quitterai plus jamais, et...

D'un doigt sur ses lèvres, Kate le fit taire.

– Ne faites pas de promesses qu'il vous serait trop difficile de respecter, dit-elle d'une voix tremblante. Je n'en veux pas. Pas depuis que j'ai tout compris sur vos levers de soleil inconnus.

Ray regardait l'aurore se refléter dans les yeux de Kate, et il eut un étrange petit sourire.

– C'est exactement ce que j'essaie de vous dire. L'aurore que je pourchassais à travers le monde, seul l'amour peut me l'offrir. Rien d'autre sur terre ne me fascine autant que vous. Il m'a juste fallu un certain temps pour m'habituer à cette idée.

Kate demeurait parfaitement immobile. Elle craignait d'espérer de nouveau pour rien.

– Je ne courais pas après le lever du soleil, reprit Ray doucement, mais après quelque chose que j'étais incapable de nommer, quelque chose dont la beauté était indicible, la perfection inexplicable. Il me restait seulement à le découvrir.

Il baisa les lèvres de la jeune femme avec une tendre ferveur qui lui fit monter les larmes aux yeux.

– Et c'est auprès de toi que je l'ai trouvé, conclut-il, serein. Je t'aime, fille dorée. Tu es la seule aurore dont j'aurai jamais envie.

ÉPILOGUE

Kate et Ray passèrent dans la petite cabane un hiver rempli de joies, de rires et d'amour tandis que la tempête se déchaînait sur les montagnes.

Quand les cols furent de nouveau praticables, ils se rendirent à Canyon City d'où ils ramenèrent un prêtre.

Ils se marièrent chez Sarah et Caleb avec Reno comme témoin. Eve chanta de sa voix d'ange l'amour éternel. Kevin gambadait entre les jambes des grandes personnes et la toute petite Rebecca Black, dans les bras de sa mère, observait le monde de ses grands yeux noisette.

Lisa et Steven offrirent à la mariée un châle de dentelle ainsi qu'un mustang dont la robe avait l'exacte couleur d'automne des cheveux de Kate.

Ils s'établirent dans une petite vallée à une demi-journée de cheval du ranch de Caleb et guère plus de chez Reno et Eve. Les hommes construisirent la maison ensemble, pendant que les femmes y apportaient les touches indispensables pour en faire un véritable foyer.

A la fin de l'été, les jeunes mariés retournèrent à Avalanche Creek et arrivèrent à persuader Cherokee de quitter ses montagnes, de venir avec eux, riche de sa connaissance des herbes médicinales et de la vie.

Chaque année, les familles se réunissaient pour des fêtes, des vacances qui se partageaient entre travail et jeux. Ils étaient de plus en plus nombreux, les enfants grandissaient en force et en vitalité. Quant aux adultes, ils se rappelaient en riant comment tout cela avait commencé, et s'émerveillaient ensemble des cadeaux que réserve le destin.

John Moran naquit un an après le mariage de ses parents. Il possédait la force et le goût de l'aventure de son père, mais c'étaient les yeux saphir de sa mère qui contemplaient le monde avec une curiosité avide. Les frères et sœurs qui suivirent avaient un regard différent, des visages différents, des rêves différents.

Au fil des années, malgré les changements liés au temps, une chose demeurait immuable : le regard de Kate reflétait toujours le même amour. Ce n'était plus la peur qui habitait la jeune femme à la démarche de reine, mais un bonheur paisible, inextinguible.